TUNNELS

Tome V : *Spirale*

Roderick Gordon & Brian Williams

Traduit de l'anglais par Arnaud Regnauld

Déjà parus

Tunnels, tome I
Tunnels, tome II : *Profondeurs*
Tunnels, tome III : *Chute libre*
Tunnels, tome IV : *Plus proche*

À paraître

Tunnels, tome VI

Titre original :
Spiral

Première publication par Chicken House en Grande-Bretagne, 2011

7-13, boulevard Paul-Émile-Victor – Île de la Jatte
92521 Neuilly-sur-Seine Cedex
www.michel-lafon.com

« La brume glaciale de mi-novembre,
Ça empire encore, ça empire encore,
Comme je voudrais que les routes soient plus droites !
On paniquera plus tard, on paniquera plus tard… »

Let's Panic Later, WIRE, « 154 » (1979)

« Il y a un stade auquel il n'y a pas de stade, auquel… »

Le Livre de la prolifération, XVᵉ siècle
(traduit de l'original roumain)

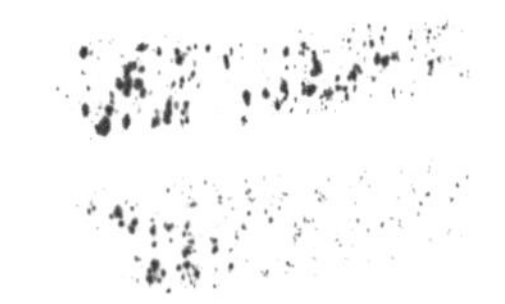

Première Partie

La Phase

Chapitre Premier

Boum !

Mis à part le bruit et le terrible effroi que l'on ressent à l'idée qu'on a peut-être été blessé, ce qu'il y a de plus terrifiant dans une explosion, c'est la milliseconde pendant laquelle le monde se fracture. C'est comme si la trame de l'espace-temps se déchirait et qu'on tombe en chute libre à travers cette brèche sans savoir ce qu'il y a de l'autre côté.

Lorsque le colonel Bismarck revint à lui, il était étalé les bras en croix sur le sol de marbre. Pendant un instant, il resta inerte, comme si son corps lui interdisait le moindre mouvement car il savait mieux que lui ce qu'il convenait de faire.

Malgré le silence absolu qui régnait, le colonel ne se posait pas de questions. Il n'éprouvait aucune panique, aucune urgence. Il regardait fixement le plafond en lambeaux d'où pendaient tranquillement des bouts de plâtre neigeux dont l'oscillation le fascinait – d'avant en arrière, d'avant en arrière, comme s'ils étaient mus par la brise. Plus hypnotique encore fut la chute au ralenti de quelques morceaux, qui se détachèrent pour venir retomber tout autour de lui.

Il commençait à recouvrer l'ouïe.

Il distingua alors un son qui lui rappelait le martèlement d'un pivert.

– *Vater*, dit-il, se rappelant les parties de chasse avec son père dans la jungle qui entourait la Nouvelle-Germanie.

Il leur arrivait parfois de partir une semaine. Ils dormaient alors sous la tente et tiraient le gibier de conserve.

C'était un souvenir réconfortant. Allongé au milieu des débris de l'explosion, le colonel poussa un soupir, comme si rien au monde n'avait plus d'importance. Il entendit à nouveau le cliquetis, encore si lointain. Il ne fit pas le rapprochement avec des tirs rapides d'armes automatiques.

Puis le bâtiment de l'hôtel de la Monnaie fut secoué par une seconde explosion. Le colonel ferma les yeux, aveuglé par un éclair aussi brillant que le soleil qui brûlait au centre de son monde, au centre de la Terre.

L'onde de choc passa brutalement au-dessus de lui, si bien qu'il en eut le souffle coupé.

– *Was ist... ?* soupira le colonel encore sur le dos, et des éclats de verre se mirent à voler dans la pièce, telle une pluie de grésil qui retombait tout autour de lui en tintant sur le marbre poli.

Quelque chose ne tournait pas rond. Une fumée noire et suffocante obscurcissait rapidement tout ce qui l'entourait. Il avait l'esprit tout aussi embrumé, semblait-il.

– *Wie bin ich hierher angekommen ?* dit-il en cherchant à comprendre.

Comment était-il arrivé là ? Il n'en avait pas la moindre idée. Le dernier souvenir qui lui semblait encore assez consistant pour être fiable était celui d'une embuscade en Nouvelle-Germanie. Il se rappelait avoir été capturé par les Styx, mais après cela, chose étrange, il ne se souvenait plus que d'une lumière violette. Non, de multiples lumières violettes, qui brillaient avec une telle intensité que ses souvenirs lui semblaient bien sombres en comparaison.

Il avait un vague souvenir d'un long périple jusqu'à la croûte externe, puis tout se brouillait jusqu'à ce qu'il se retrouve dans un camion en compagnie de ses troupes néo-germaines. On les avait emmenés dans un grand bâtiment, une usine. Associé à cette usine, il y avait quelque chose d'autre... une tâche à accomplir, qu'il avait encore très présente à l'esprit. Elle était d'une telle importance qu'elle primait sur toute autre considération, quitte à en perdre la vie.

Mais à présent, il ne parvenait plus à mettre le doigt sur la nature de sa mission. Qui plus est, il n'avait pas le temps de s'attarder plus avant : il venait de se remettre en selle après avoir entendu tirer une volée de balles à proximité. Il se redressa sur son séant en grimaçant de douleur, car sa tête avait heurté le sol. Pris à la gorge par la fumée âcre, il toussait et suffoquait, mais il savait que sa priorité numéro un était de se mettre à couvert.

Il franchit le seuil d'une porte en rampant. La fumée était moins dense. Il se trouvait dans une pièce haute de plafond. Il y avait une table sur laquelle était posé un vase de fleurs. Il referma la porte d'un coup de pied et s'allongea derrière le bureau en vérifiant l'état dans lequel il se trouvait. Sous ses cheveux trempés de sang s'ouvrait une plaie à l'arrière de sa tête, mais il était incapable d'en évaluer la gravité. Sa peau était endolorie tout autour de la plaie, et il savait d'expérience que les blessures à la tête saignent toujours abondamment. Il se palpa le reste du corps et ne découvrit aucune autre plaie. Il n'était pas en uniforme, mais vêtu d'un manteau et de vêtements civils qu'il ne reconnaissait pas. Cependant, il avait au moins sa ceinture réglementaire autour de la taille et son pistolet était encore dans son étui. Il l'en extirpa. Il y avait quelque chose de rassurant à sentir dans sa main le poids de son arme. C'était un objet familier. Il attendit, à l'affût de quelque bruit de l'autre côté de la porte.

Son attente fut de courte durée. Après un bref moment de répit, il entendit des gens qui parlaient anglais, puis le bruit des débris broyés sous leurs bottes dans le couloir où il se trouvait quelques instants auparavant. Quelqu'un enfonça la porte et se précipita dans la pièce. L'homme était vêtu de noir et arborait le mot POLICE sur son torse. Il portait un casque, un masque à gaz et une arme automatique. Le colonel Bismarck n'en avait jamais vu de semblable.

Prenant l'agent de police par surprise, le colonel l'étrangla en lui passant le bras autour du cou, et l'homme sombra dans l'inconscience. Alors que la radio du policier bourdonnait, le colonel s'empressa de lui ôter son uniforme pour s'en vêtir. Il enfila le masque à gaz et comprit alors qu'il avait perdu encore plus de sang, mais il ne pouvait s'en inquiéter pour l'heure.

Il se familiarisa avec le fusil d'assaut dont il trouva le fonctionnement assez simple, puis il sortit du bureau et avança de quelques pas dans la fumée noire pour se retrouver nez à nez avec un autre policier vêtu du même équipement de combat. Ils portaient tous les deux un masque, mais leurs regards se croisèrent et l'homme lui fit un signe de la main. Le colonel ne savait comment réagir. L'homme le regarda d'un air perplexe. Pensant qu'il avait été découvert, le colonel leva son fusil d'assaut H & K, mais fut sauvé par une autre explosion dont le souffle l'envoya valdinguer en traversant le couloir. Encore sonné, il se releva, franchit en titubant l'entrée principale dont les portes de guingois tenaient à peine sur leurs gonds fracassés. Il faillit perdre l'équilibre en manquant la marche du perron et se retrouva enfin sur le trottoir, à l'extérieur du bâtiment.

C'est alors qu'il s'arrêta net.

Il se trouvait face à un cordon d'hommes armés. Ils étaient trop nombreux pour qu'il puisse tous les affronter. Ils se tenaient derrière des véhicules abandonnés ou des boucliers anti-émeute, et ils pointaient leurs viseurs laser sur lui.

Le colonel ne s'attendait pas à ce qui devait suivre. Encore en proie à des vertiges et les sens émoussés, il ne réagit pas lorsque quelqu'un lui arracha son fusil. Au même instant, deux policiers le soulevaient de terre avant de l'emporter en deux temps trois mouvements.

– Tout va bien, mon pote, t'inquiète pas. On va te chercher de l'aide, lui dit l'homme qui se trouvait sur sa gauche, d'un ton plein de compassion.

Le second policier dit quelque chose que le colonel ne réussit pas à comprendre. Les hommes qui l'escortaient lui ôtèrent alors son casque et son masque à gaz.

– Mais t'es pas l'un de nos gars ! s'exclama le policier en voyant le visage ensanglanté du colonel.

– Il doit faire partie de l'équipe E, un gars de la campagne, lui dit l'autre.

Mais le colonel n'écoutait pas. À moins de six mètres de lui, un corps gisait dans le caniveau, entouré de policiers qui riaient et plaisantaient, alors que l'un d'eux le poussait de la pointe renforcée de sa chaussure. Le colonel reconnut aussitôt le mort. C'était un Néo-Germain de son propre régiment. Il connaissait bien ce soldat et sa femme. Ils venaient d'avoir une petite fille. Le colonel essaya de repousser les deux policiers qui le soutenaient, mais ils interprétèrent son geste comme une marque de colère.

– Ouais, on aura fini de les emballer et de les étiqueter d'ici une heure, promit le plus massif en grognant d'un ton si saccadé qu'on aurait pu croire qu'il allait avoir un accès de fureur. Tout doux, l'agent. Laisse-nous finir le boulot.

Le colonel laissa échapper un « oui ». S'il ne voulait pas être identifié comme l'un des protagonistes, il fallait qu'il joue le jeu. Il accepta l'assistance des deux policiers qui le conduisirent jusqu'au bout de Threadneedle Street, avant d'emprunter une rue secondaire où attendaient des ambulances.

– Occupez-vous de lui, d'accord ? ordonna l'un des deux policiers à un médecin. Il s'est retrouvé pris dans la dernière explosion.

Ils le laissèrent là et se hâtèrent de retourner à la banque d'Angleterre.

Dans l'ambulance, l'urgentiste se mit à examiner le colonel.

– Très jolie moustache, lui dit-il.

À voir ses mains trembler, il était manifeste qu'il n'avait jamais rien vu de pareil. Il nettoya la plaie que le colonel avait à la tête. Il était en train d'apporter la dernière touche à un pansement de campagne, quand retentirent soudain des cris au-dehors. Ils provenaient du haut de la rue. On amenait plusieurs autres victimes sur des brancards. Le médecin partit à leur rencontre pour leur porter assistance, fournissant au colonel l'occasion qu'il attendait. Même si celui-ci était encore un peu sonné, il se laissa glisser hors de l'ambulance et s'enfuit.

Parmi le nombre d'agents en uniforme dans le coin (des policiers, mais aussi de plus en plus de soldats), personne ne le remarqua. N'empruntant que les rues secondaires, il ne s'arrêta que lorsque son attention fut attirée par une entrée à l'arrière d'un grand immeuble de bureaux. Derrière les deux portes ouvertes, une rampe d'accès menait à un parking souterrain dans lequel il s'engouffra. En quête d'une portière déverrouillée, il essaya d'ouvrir plusieurs véhicules, lorsque apparut un homme en costume qui se dirigea directement vers un grand quatre-quatre. Le colonel l'assomma pile au moment où ce dernier rangeait ses deux mallettes dans le coffre. Échangeant sa veste de policier contre celle du costume, le colonel se hissa à l'intérieur de la voiture, juste à côté des bagages, puis referma d'un coup la portière.

Le colonel n'avait jamais conduit de voiture avec le volant à droite, mais il n'eut aucune difficulté à la manœuvrer jusqu'en haut de la rampe d'accès et à sortir dans la rue. Alors qu'il s'insérait

dans une file pour s'éloigner des troubles de la City, il fouilla les poches de la veste et y trouva un portefeuille. Il en extirpa des cartes de crédit, et après examen les jeta une à une sur le siège passager. Puis il en sortit un permis de conduire sur lequel figurait une adresse, sans doute celle du propriétaire de la voiture, et scruta les pancartes autour de lui. Il ne savait pas comment trouver son chemin jusqu'au domicile de l'homme, mais il était hors de danger pour le moment et pouvait donc prendre son temps.

Il effleura un bouton sur le tableau de bord et l'emblème BMW bleu et blanc se mit à clignoter. Il sourit. En quelques clics, il avait trouvé comment fonctionnait le système GPS et s'empressa de taper le code postal figurant sur le permis. Tandis qu'une voix féminine débitait des indications d'une voix docte, le colonel acquiesça, souriant de plus belle.

– *Bayerische Motoren Werke*, souffla-t-il en passant la main sur le cuir luxueux du volant d'un air appréciatif. *Ausgezeichnet.*

Le colonel connaissait bien cette marque, car son père avait piloté des avions sortis de ces usines pendant la Grande Guerre.

Maints aspects de ce monde extérieur lui étaient désormais si familiers qu'il aurait presque pu se croire encore en Nouvelle-Germanie, mais dans certaines situations, il lui fallait encore un temps d'adaptation. Pour commencer, la gravité était si forte ici que chaque mouvement lui coûtait un effort. Il avait l'impression d'avoir du plomb dans les bras et les jambes.

Et puis ce soleil…

Il s'émerveillait de voir le soleil briller au firmament à travers le pare-brise teinté. Il était plus petit et plus faible que l'astre brûlant omniprésent qu'il avait connu toute sa vie durant.

À présent, ce soleil ne se trouvait plus juste au-dessus de sa tête, et il devait découvrir pour la première fois qu'il se couchait la nuit venue. Il allait connaître *l'obscurité*.

Et ces gens, dans la rue. Il y en avait de toutes les couleurs. Il regarda un vieil homme noir qui venait de faire une mauvaise chute en trébuchant, aussitôt secouru par une femme blanche.

Du fait de ses origines – et non par choix –, la Nouvelle-Germanie ne connaissait qu'une seule couleur de peau, et le colonel Bismarck ne savait que trop bien quelles atrocités avaient été perpétrées en Allemagne pendant la guerre. Il souriait en observant

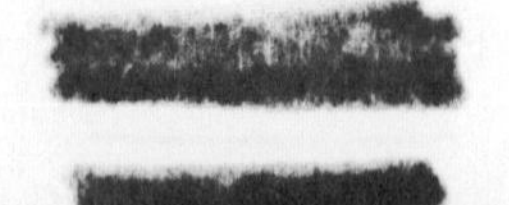

la population mixte qui quittait la City : il se trouvait au sein d'une civilisation éclairée.

Continuez sur trois cents mètres jusqu'au rond-point de Old Street. Prenez ensuite la deuxième sortie, dictait mécaniquement le GPS.

Les Styx l'avaient peut-être arraché à sa mère patrie pour le catapulter dans ce nouvel environnement qui lui était étranger, mais le colonel ne comptait pas jeter l'éponge pour autant. C'était un homme plein de ressources, un survivant.

Et par ailleurs, il avait une revanche à prendre.

Chapitre Deux

– Bon sang !

L'écho d'un murmure s'insinua dans les ténèbres compactes qui régnaient à l'intérieur de la petite maison de ferme du domaine de Parry. Si quiconque avait été témoin de la vitesse à laquelle l'homme avait traversé la pièce pour rejoindre la fenêtre tendue de toiles d'araignées, il n'en aurait pas cru ses yeux. Il décrocha un rideau en lambeaux, et une lumière tamisée par la pluie vint lui éclairer le visage – c'était celui d'un sexagénaire.

Mais ce visage n'avait rien de normal. Il avait la peau creusée d'une série de cercles concentriques qui rayonnaient depuis ses yeux. Il avait aussi le front couvert de rides qui lui couraient le long des tempes et jusque derrière les oreilles. On aurait dit que des vers s'étaient frayé un chemin à travers ses chairs, laissant une trace dans leur sillage.

– Mais qui est-ce encore ? dit l'homme avec une grimace, en pressant les rabats de sa casquette contre ses oreilles.

La doublure métallique émit un léger crépitement.

Il répéta sa question, puis s'éloigna lentement de la fenêtre.

– Stop ! cria Chester d'une voix rauque en voyant Will se précipiter vers le portail qui coupait le sentier devant eux.

Will s'arrêta, puis il consulta sa montre, inconscient du désagrément que son gadget électronique, pourtant inoffensif, causait à l'homme tapi dans le noir.

– Pourquoi ? Cela fait à peu près trente minutes qu'on court, dit-il à Chester.

Ce n'est qu'à cet instant précis qu'il aperçut à travers les arbres le toit recouvert de mousse de la maison de ferme, sans toutefois émettre le moindre commentaire.

– Une demi-heure ? souffla Chester en clignant des yeux dans la bruine.

– Ouais. Et si on allait voir où ça mène ? dit Will en parcourant la piste d'un coup d'œil. T'en as peut-être eu assez ? On pourrait s'arrêter là et rentrer à la maison, non ?

– Sûrement pas ! rétorqua Chester d'un air indigné. T'as lu la pancarte ? DANGER – DÉFENSE D'ENTRER.

– Danger ? Depuis quand est-ce qu'on s'arrête à ça ? répondit Will en enjambant aussitôt le portail, tandis que Chester lui emboîtait le pas à contrecœur.

– Je sens venir mon second souffle, dit-il, mais il s'agissait d'un mensonge.

– Très bien, le premier arrivé à ce bois là-bas, lui lança Will en détalant d'autant plus vite que la pluie redoublait.

– Je croyais qu'on faisait déjà la course, grommela Chester qui peinait à suivre son ami sous l'averse.

Cela faisait près d'un mois que Drake était parti. En son absence, Parry avait mis les garçons à l'épreuve : il les envoyait courir et leur avait appris à soulever des poids dans sa salle de gym désuète au sous-sol. La conception qu'il avait de l'entraînement physique datait de ses années de service dans l'armée, et il ne les épargnait pas. Les garçons ne se plaignaient pas cependant, car ils n'auraient jamais refusé quoi que ce soit au vieil homme. Par ailleurs, ces activités leur permettaient de passer le temps pendant qu'ils se cachaient des Styx.

Dérapant dans la boue, ils continuèrent le long du sentier jusqu'à ce que Chester s'exclame en suffoquant :

– Pause ! Arrêt de jeu pour cause de mauvais temps !

Ils se réfugièrent sous les sapins dont les branches les protégeaient un peu de la pluie.

– Habillés comme ça, on a l'air de deux fugitifs échappés d'une prison, commenta Will en gloussant alors qu'il examinait l'épais survêtement gris que leur avait fourni Parry.

– T'as carrément raison, et ces baskets remontent à l'âge de pierre.

Chester tapa alors du pied pour débarrasser ses lourdes tennis noires de la boue accumulée sous les semelles, puis il observa les feuillages autour de lui qui arboraient les premiers signes de l'automne.

– C'est marrant... pendant tout le temps où j'étais sous terre, je n'avais pas la moindre idée d'où j'étais, et maintenant que je suis à nouveau en surface, je ne suis toujours pas sorti du tunnel.

– Eh bien, commença Will d'un air songeur, il semblerait que les précipitations soient supérieures à la moyenne. Le vent traverse sans doute une zone humide, voire la mer. Oui, je crois que nous ne sommes pas loin de la côte, ajouta-t-il en s'essuyant le visage sur sa manche. Au pays de Galles ou en Écosse.

– Vraiment ? Tu sais ça ? répondit Chester, impressionné.

– Non, admit Will en riant.

– Espèce de débile !

– Peut-être, mais le débile est plus rapide que toi, rétorqua Will en détalant.

– C'est ce qu'on va voir ! cria Chester.

Chester le talonnait de près. Ils se retrouvèrent tout à coup nez à nez avec un homme armé d'un fusil qui les attendait derrière le coude que formait le sentier boueux.

– Bonjour, dit l'homme.

Chester vint buter contre Will, qui venait de s'arrêter brusquement dans un dérapage.

L'homme portait son fusil cassé sur le bras, car c'est ainsi qu'on était censé transporter une arme quand on ne s'en servait pas. Les garçons n'avaient donc aucune raison de paniquer. Cet homme leur semblait bien vieux. Il avait la peau ridée et brunie par le soleil. Il avait des cheveux clairsemés et presque aussi blancs que ceux de Will.

– Vous devez être les invités du commandant ? demanda-t-il en voulant parler du père de Drake, et Will comprit aussitôt qu'il devait s'agir d'Old Wilkie, le gardien du domaine.

– Et vous devez être... euh... Monsieur Wilkie ? répondit Will en acquiesçant lentement, sans trop savoir que dire.

– Lui-même, et merci de m'appeler Old Wilkie. C'est ainsi que tout le monde m'appelle, et voici ma petite-fille, Stephanie.

– Steph, corrigea la jeune fille en s'avançant.

Elle devait avoir quinze ou seize ans, avait une chevelure étonnamment rousse et le teint pâle moucheté de taches de rousseur. Elle dévisagea les deux garçons d'un regard quelque peu dédaigneux, sans rien ajouter, se contenant d'ajuster sur son bras les dépouilles d'une paire de faisans comme s'ils étaient bien plus importants à ses yeux.

Old Wilkie regardait la jeune fille avec fierté.

– Stephanie vient passer le week-end ici de temps en temps. Elle va à l'école à Benenden, vous savez. Le commandant est un vrai gentleman... il s'est toujours chargé des frais d'inscription...

– Papy ! l'interrompit Stephanie, pivotant sur ses jambes fines avant de s'éloigner en flânant dans la direction opposée.

– C'est une adolescente. Elle trouve que la vie à la campagne, c'est ennuyeux. Elle ne pense qu'à aller à Londres, à faire les magasins et à voir ses amis, confia Old Wilkie en se penchant vers les garçons à la façon d'un conspirateur. Elle n'a pas toujours été comme ça. Elle adorait venir ici quand elle était petite. De toute façon, d'après tout ce que j'entends, Londres et le Sud sont dans un tel état qu'elle sera mieux ici, le temps que ça se...

– Papy, tu viens, ou quoi ? cria Stephanie qui était déjà hors de vue.

– Le reste de la compagnie et vous-mêmes, vous comptez rester longtemps chez le commandant ? demanda Wilkie en se redressant.

– On ne sait pas encore, répondit Will.

– Bien, mais si vous avez envie de vous entraîner vraiment, façon commando, je vous recommande le parcours arboricole.

– Qu'est-ce que c'est ? demanda Will.

– L'itinéraire commence ici, répondit Old Wilkie en pointant du doigt une échelle rivée à une structure métallique construite autour du tronc d'un immense sapin. Puis il leva le doigt pour indiquer les branches supérieures, où les garçons distinguèrent quelque chose entre les arbres.

– C'est un parcours du combattant. Je l'ai construit pour le commandant il y a bien longtemps. Dix paras à Aldershot ont copié mon idée, mais ce parcours-ci est bien meilleur et il est plus long. Je l'entretiens régulièrement, même si ça fait des années que le commandant ne peut s'en servir à cause de sa jambe estropiée, dit Old Wilkie avec un sourire. Stephanie le franchit en un éclair.

Vous devriez la mettre au défi, histoire de voir si vous faites un meilleur chrono.

– Cool, répondit Will.

– Oui, on devrait faire ça, intervint Chester d'une voix peu convaincue tandis qu'il parcourait du regard la piste métallique qui sillonnait la canopée par le travers.

– Eh bien, gentlemen, il faut que j'y aille. J'espère que nous nous recroiserons, déclara Old Wilkie, puis il s'éloigna en sifflotant d'un pas nonchalant pour rejoindre Stephanie.

– Tu ne me feras pas grimper là-haut, dit Chester. À moins que Stephanie ne veuille faire la course, ajouta-t-il avec un sourire, puis il pinça les lèvres d'un air songeur. Elle est vraiment sympa, n'est-ce pas ? Faut dire que j'aime moyennement les rousses, après ce que Martha m'a fait subir, mais je suis prêt à faire des exceptions.

– Tu veux dire que tu l'apprécies plus qu'Elliott, lui dit Will pour le taquiner.

– Je... euh...

Chester ne savait que répondre. Il était visiblement embarrassé, et Will le regardait d'un air surpris, car cette remarque n'avait rien de sérieux.

– Eh bien, c'est pas comme si on voyait beaucoup Elliott ces temps-ci, hein ? bafouilla Chester. Elle est toujours dans sa chambre à prendre des bains qui n'en finissent jamais, à se faire les ongles et tous ces trucs de filles.

– Elle m'a dit qu'elle avait mal au dos... qu'elle avait les épaules sans cesse douloureuses, acquiesça Will.

– Peut-être que c'est ça, et puis qu'elle est un peu souffrante, suggéra Chester. Mais elle n'est plus la même. On dirait qu'elle s'est ramollie.

– C'est vrai, Chester. Depuis qu'on est là, elle a beaucoup changé. Je suis très inquiet pour elle.

Bartleby et Colly, les deux énormes chasseurs, rejoignirent les deux garçons qui couraient sous la pluie battante en direction de la maison. Il ne leur restait plus qu'un bon kilomètre à parcourir.

– T'as vu, on a une escorte de chats géants, plaisanta Chester en voyant les deux félins se placer de part et d'autre des deux garçons.

La tête haute, les chasseurs cheminaient d'un pas souple et régulier, comme pour leur montrer qu'ils n'avaient aucune difficulté à maintenir cette allure. Will et Chester se mirent à accélérer en réaction, mais les chasseurs en firent de même.

– On ne les battra jamais à la course, glousa Will hors d'haleine, en arrivant à la maison.

Ils grimpèrent les marches de l'entrée principale à toute allure avant de foncer dans le hall. Parry parut presque aussitôt.

– Vos chaussures, les gars ! pressa-t-il en voyant qu'ils avaient déjà laissé des traces de boue sur le sol de marbre noir et blanc. Et regardez un peu l'état de ces deux animaux galeux, ajouta-t-il en lançant un regard furieux aux deux chats, dont le pelage était strié de crasse. Ils s'envoient toutes les perdrix du domaine. Il n'y aura bientôt plus un seul de ces satanés volatiles, ajouta Parry d'un ton plein de rancœur.

Le vieil homme coriace aux cheveux ébouriffés et à la barbe miteuse portait un tablier de cuisine par-dessus le pantalon de son costume en tweed, et tenait à la main une liasse de papiers. Il s'agissait de quelque journal.

– Vous êtes partis plus longtemps que je ne le pensais, remarqua-t-il en jetant un coup d'œil à la comtoise.

Les deux garçons restaient là sans rien dire. Ils se demandaient s'ils devaient mentionner leur rencontre avec Old Wilkie et sa petite-fille, mais ils n'en firent rien.

– Eh bien, je suis ravi que vous preniez votre entraînement au sérieux. J'espère que vous avez de la place pour manger quelque chose, maintenant ?

Ils acquiescèrent vigoureusement.

– C'est bien ce que je pensais. Je vous ai laissé de la soupe sur la cuisinière et il y a une miche de pain frais pour accompagner votre repas. Je suis désolé de ne pouvoir vous proposer mieux, mais j'ai pas mal de travail en ce moment. Il se trame quelque chose.

Parry se précipita alors dans son bureau dont les garçons aperçurent l'intérieur pour la première fois avant qu'il n'en referme la porte d'un coup.

– C'était ton père, là-dedans ? demanda Will.

Ils avaient en effet repéré M. Rawls, courbé sur une vieille imprimante qui devait sacrément dater, à en croire le vacarme métallique qu'elle produisait.

– Oui, je l'ai vu aussi. Je croyais que le bureau nous était interdit, tous autant que nous sommes, répondit Chester, puis il haussa les épaules et s'agenouilla pour retirer ses tennis. Si on réfléchit bien, je ne l'ai pas beaucoup vu ces derniers temps, et si ça se trouve, papa est là depuis le début.

– Je me demande de quoi parlait Parry. Tu crois que tu-sais-qui est encore en train de faire des siennes ?

Cela faisait des mois que l'attaque avait été perpétrée contre le district financier de la City à Londres et qu'il y avait eu des explosions dans le West End, mais les Styx ne semblaient pas avoir poursuivi leur offensive contre les Surfaciens.

– S'il se trame quelque chose, on l'entendra aux infos. Allons chercher notre dîner. On mangera devant la télé, suggéra Chester.

– Super plan, répondit Will.

Compte tenu des mesures de sécurité en vigueur, il fallait emprunter de longues files d'attente pour entrer au palais Garnier, dans le IXe arrondissement de Paris, pour assister à la représentation spéciale de *La Bohême*. Ce soir-là, des précautions supplémentaires avaient été prises, car le président de la République française assistait au spectacle avec sa femme.

Un gendarme inspectait les personnes une à une au scanner manuel avant de laisser entrer le public dans le hall. Une femme attendait patiemment dans la queue.

– Bonsoir madame, lui dit un autre gendarme lorsque vint enfin son tour et qu'elle lui tendit sa pochette pour qu'il puisse la vérifier.

– Bonsoir, répondit-elle pendant qu'un équipier la scannait sous toutes les coutures.

– Anglaise, observa le gendarme avec nonchalance en s'assurant que le billet était valable. J'espère que z'apprécierez le spectacle.

– Merci, répondit Jenny tandis que le gendarme l'invitait à avancer.

Elle se dirigea vers sa place. Elle marchait comme si elle traversait un épais brouillard, incapable de voir le sol à ses pieds. Elle finit par trouver son siège et s'y cala tranquillement dans l'attente du lever de rideau.

Jenny Grainger avait traversé les scanners et les contrôles de sécurité de la gare Saint-Pancras International sans déclencher aucune alarme, avant de monter à bord de l'*Eurostar* pour Paris. Elle n'avait rien fait qui puisse éveiller les soupçons pendant le reste de son voyage, même si elle avait les traits tirés et la peau peut-être un peu jaunâtre. Elle semblait regarder droit devant elle fixement, sans ciller, mais quiconque l'aurait remarqué en aurait conclu qu'elle était épuisée.

À présent, tout le monde se levait dans l'enceinte du palais Garnier, pour accueillir le président français et sa séduisante épouse que l'on menait à leurs places. Pendant ce temps, Jenny fouillait dans son sac. Les lumières s'éteignirent, et enfin le rideau se leva.

Le voisin de Jenny s'agaça de la voir ainsi s'agiter et murmurer frénétiquement pour elle-même. L'observant de plus près, l'homme vit qu'elle semblait en difficulté. Elle avait la main posée sur l'abdomen et se pressait fortement le ventre. Comme il était médecin, il lui demanda tout naturellement si elle avait besoin d'assistance. Mais elle ne répondit pas, et ses chuchotis délirants se firent plus sonores.

Jenny se redressa soudain sur ses pieds, dérangeant toute la rangée pour se précipiter dans l'allée centrale. Mais plutôt que de se diriger vers la sortie, laissant tomber son sac à main, elle se mit à courir vers la scène en direction du Président.

Si elle ne parvint jamais jusqu'à lui, l'explosion tua plus de vingt spectateurs.

Plusieurs témoins déclarèrent par la suite qu'elle avait soudain disparu dans une fulgurance de lumière aveuglante suivie d'une énorme déflagration. Certains pensaient qu'elle s'était pris les pieds dans le tapis, d'autres juraient qu'un membre de l'équipe présidentielle l'avait interceptée. Cette information ne pouvait être vérifiée, puisque l'homme avait été tué sur le coup. Quelle qu'en soit la raison, Jenny n'avait jamais atteint sa cible, et les agents chargés de la protection avaient évacué le Président et la première dame hors de l'Opéra.

Le casier judiciaire de Jenny ne signalait ni affiliation terroriste connue ni intérêt politique quelconque, si ce n'est qu'elle avait appartenu aux Jeunes Conservateurs à une certaine époque. On pensait cependant qu'elle avait réussi à passer une bombe en fraude à l'intérieur du théâtre, ce que contredisaient pourtant les bandes de surveillance vidéo et les preuves relevées par les experts médico-légaux. Il y avait quelque chose d'extrêmement bizarre dans cette histoire. Il semblait que l'épicentre de l'explosion eût été son corps même. L'analyse détaillée de la scène corroborait cette hypothèse, car l'essentiel de sa masse corporelle avait disparu du lieu de l'explosion.

On avait retiré les organes internes de Jenny pour y loger un explosif en deux parties qui, une fois mélangées, se transformaient en une arme puissante. Telle était la théorie, du moins. Cette femme au foyer ordinaire originaire de Londres, qui serait sans doute morte quelques jours plus tard des suites de l'atroce mutilation qu'avait subie son corps, n'était autre qu'une bombe humaine.

De retour chez lui après une journée de travail, il sortit de la station de métro et tourna à droite dans Camden High Street. Avec ses lunettes et sa mise proprette, l'homme observait d'un air studieux les différents groupes de gens qui l'entouraient. Depuis la dernière décennie, le marché de Camden Lock était devenu une destination populaire pour les adolescents vêtus de noir qui traînaient dans les différentes boutiques et halles couvertes. Mais il y avait toujours parmi eux, même à cette heure tardive, quelques touristes qui espéraient pouvoir attraper le dernier bateau pour faire une croisière jusqu'à Little Venice, ou bien assister à l'ouverture des écluses du canal.

Par la sobriété du costume, la tenue de cet homme tranchait avec les bottes en plastique aux couleurs criardes exposées dans les vitrines, et les ceintures de cuir aux grosses boucles en laiton ornées de crânes hurlants ou de balles de revolver en croix. Soudain il s'arrêta, juste avant le pont qui surplombait le canal, puis s'écarta de la bordure du trottoir pour laisser passer une phalange de touristes australiens. Extirpant un téléphone portable de sa veste, l'homme s'adressa à quelqu'un en gloussant.

– Tu parles d'un déguisement ! T'es bien trop vieux pour passer pour un gothique !

À quelques mètres de là, caché dans l'ombre d'un renfoncement entre deux bâtiments, Drake riait de conserve.

– Peut-être bien, mais tu sembles ignorer qu'on les appelle les « emo », maintenant. De toute façon, je suis encore un grand fan des Cure, répondit-il.

Drake se renfonça dans la pénombre, se plaquant contre le mur de briques piquetées datant de l'ère victorienne. Vêtu d'une veste et d'un pantalon militaires amples, Drake portait aussi des Doc Martens. Mais ce n'était pas ça que l'homme avait trouvé si amusant : Drake s'était complètement rasé la tête, arborant un bouc et une moustache. Une paire de petites lunettes rondes à verres miroirs couronnaient le tout.

– Je me suis dit que tu prendrais contact, dit l'homme en reprenant un air grave. J'ai suivi les trois échantillons de Dominion qu'on avait placés...

– Mais ils ont disparu des banques d'agents pathogènes, coupa Drake. Il n'y en aura plus aucune trace dans la banque de données principales non plus.

– Comment ça ? s'exclama l'homme. Comment tu sais ça ? ajouta-t-il en se tournant vers Drake.

– Attention ! s'écria Drake pour le mettre en garde. Ils pourraient être en train de nous espionner.

L'homme se retourna vers la route, acquiesçant comme s'il s'adressait à son interlocuteur à l'autre bout du fil.

– C'est pour ça que j'ai sacrément besoin de ton aide, poursuivit Drake. J'ai besoin de toi, Charlie, oui, de toi, mon immunologue préféré. Il faut que tu me concoctes d'autres doses de vaccin anti-Dominion, et je trouverai un moyen de le distribuer. Et puis j'ai encore un truc auquel j'aimerais que tu jettes un coup d'œil.

– Ton immunologue préféré ? répéta Charlie en feignant l'indignation. Je parie que je suis le seul immunologue auquel tu puisses faire appel, et certainement le seul qui soit assez stupide pour risquer sa vie pour toi. Bon, comment on procède, ce coup-ci ? lui demanda-t-il en reprenant son souffle.

– En rentrant chez toi, tu trouveras un paquet caché derrière ta poubelle. J'y ai laissé des échantillons de sang, et aussi des souches virales que j'ai prélevées dans la Colonie, dit Drake, puis il marqua une pause car une femme passait sur le trottoir à côté de Charlie. C'est une souche particulièrement virulente, un tueur, fais gaffe en la manipulant.

– Nous traitons n'importe quel pathogène comme s'il s'agissait de la peste noire, répondit Charlie.

– Le plus troublant, c'est que tu n'es pas loin de la vérité, murmura Drake d'une voix sombre. Bon, tu ferais mieux de ne pas trop traîner dans le coin. Je passerai te voir un de ces quatre.

– D'accord, dit Charlie, feignant d'appuyer sur une touche de son téléphone pour mettre un terme à une conversation tout aussi fictive, puis il poursuivit son chemin. Au bout d'un temps, Drake sortit derrière deux vieux rockabillies qui traînaient là, avec leurs chaussures en daim et leurs grandes mèches teintes d'un noir de jais improbable. Il les suivit jusqu'à la station de métro Camden, devant laquelle se garèrent soudain plusieurs voitures de police.

Les employés des transports londoniens évacuaient les gens de la station, dont on refermait les portails grillagés pour barrer les accès. Plus d'une douzaine d'agents en tenue anti-émeute étaient descendus de leurs véhicules à la hâte. Ils se tenaient désormais là, sans trop savoir ce qu'ils étaient censés faire. L'un d'eux frappait son bouclier de sa matraque, lorsque l'on annonça par haut-parleur que la station était fermée en raison de la présence d'un colis suspect.

Drake se mêla à la foule qui s'amassait devant la station pour écouter les commentaires agacés des voyageurs. Les événements de ce genre étaient devenus de plus en plus fréquents à Londres, après la première vague d'attaques lancée par les Styx, ou plus précisément par les Néo-Germains conditionnés à la Lumière noire.

Pendant les mois qui avaient suivi les attentats à la bombe dans la City et le West End, le pays, déjà dans une situation financière précaire, avait sombré dans une récession sinistre interminable. L'assassinat du directeur de la banque d'Angleterre avait sérieusement secoué les gens. Même si les attentats perpétrés par des terroristes non identifiés s'étaient calmés, la population n'en demeurait pas moins inquiète. Le peuple avait réclamé un changement de gouvernement, et on avait organisé des élections anticipées. L'absence de majorité au parlement qui en avait résulté avait conduit à un partage du pouvoir qui entretenait de fait un climat d'indécision et de confusion au milieu duquel la spéculation industrielle allait bon train. Conditions idéales pour les Styx, qui poursuivaient leurs projets pendant ce temps, ce que Drake ne savait que trop bien.

– Circulez maintenant, ordonna un policier à la foule. La station est fermée. Il faudra prendre d'autres moyens de transport.

– Qu'est-ce que vous voulez dire ? demanda l'un des rockabillies. Voulez dire qu'il faut prendre le bus ? Z'avez oublié qu'ils sont encore en grève cette semaine, ou quoi ?

Alors que certaines personnes dans la foule se mettaient à hurler en chœur en s'avançant, Drake se dit qu'il valait mieux s'éclipser avant que les choses ne dégénèrent. Ils s'éloigna d'un pas nonchalant. À la suite des attaques perpétrées contre la City, les Styx avaient veillé à ce qu'il soit recherché. Même s'il était sûr que son déguisement lui permettrait d'échapper à tout contrôle superficiel, la police pouvait très bien décider de procéder à des arrestations arbitraires pour disperser la foule, et il ne voulait pas tenter le sort. D'autant qu'il lui restait encore tant à faire !

Chester se réveilla plus tôt que d'ordinaire le lendemain matin, en proie à une douleur dans la jambe.

– J'en ai trop fait, gémit-il en se massant le muscle du mollet.

Ils avaient couru sur une longue distance, Will et lui, la veille. Tout à coup, il cessa de pétrir sa crampe, le regard perdu dans le vide.

– Des douleurs de croissance, dit-il en se remémorant ce que lui disait sa mère lorsque ses jambes douloureuses lui arrachaient des cris en plein milieu de la nuit.

Mme Rawls se précipitait alors dans sa chambre et s'asseyait sur son lit pour lui parler d'une voix apaisante, jusqu'à ce que les douleurs se soient estompées. Elles ne semblaient jamais si terribles lorsqu'elle était là. Il ne savait pas du tout où elle se trouvait à présent, ni même si elle était encore en vie. Il s'efforçait de ne pas songer à ce que les Styx avaient bien pu lui faire subir, car cette pensée était pire encore que la douleur physique. Il gardait l'espoir qu'elle était en sécurité, cachée quelque part.

Après s'être habillé, Chester quitta sa chambre et s'en alla dans le hall, s'efforçant de faire de grandes enjambées pour se détendre les jambes. Il frappa deux coups à la porte de Will en passant pour l'informer qu'il était debout, mais n'attendit pas qu'il lui réponde. En bas, personne ne semblait avoir encore émergé. Chester traîna un moment devant la porte du bureau de Parry qui, comme d'habitude, était fermée. Pour une fois l'imprimante était silencieuse, et il n'entendait aucun autre bruit à l'intérieur. Il poussa la porte de la salle de réception et y entra.

Le feu de cheminée avait réchauffé l'air de la pièce. Mme Burrows était assise en tailleur sur un tapis de voyage au motif écossais, face au foyer. Elle avait les yeux fermés, le visage inexpressif, et même si elle avait dû entendre entrer Chester, elle ne dit rien. Le garçon ne savait que faire : devait-il s'annoncer au risque de la déranger, ou bien se faufiler hors de la pièce et la laisser en paix ? Il tressaillit en entendant un bruit sourd derrière lui. C'était Will qui descendait la dernière volée de marches en bondissant.

– Tu es matinal, dit-il à Chester d'une voix forte. Je parie que tu...

Will ne finit pas sa phrase lorsqu'il vit Chester poser un doigt sur ses lèvres en indiquant Mme Burrows.

– T'inquiète. Elle est juste en train de méditer, dit Will. Elle fait ça tous les matins.

– Elle nous entend ? demanda Chester à voix basse.

– Je crois, même si elle peut choisir de rester en transe si elle le souhaite, répondit Will en haussant les épaules.

Mme Burrows avait les yeux fermés. Elle était tellement figée qu'elle ne semblait pas même respirer, quand elle ouvrit soudain la bouche, laissant échapper un air glacial. De la vapeur d'eau resta en suspension devant son visage, impassible pendant un instant, malgré la température élevée de la pièce.

– Comment est-ce qu'elle fait ça ? murmura Chester.

– Sais pas, répondit Will d'un air détaché, bien plus préoccupé par les borborygmes de son estomac. Je ne sens rien, dit-il en jetant un coup d'œil par-dessus son épaule. Il n'y a rien qui mijote à la cuisine. Je meurs de faim. Je pourrais régler son compte à l'une de ces poêlées dont Parry a le secret.

– Je crois qu'on n'a pas de chance de ce côté-là. Il est bien trop occupé pour cuisiner. Il se trame quelque chose, c'est sûr, répondit Chester en agitant la tête d'un air revêche.

– Il n'y a rien aux infos, pourtant.

La veille, ils avaient passé la soirée à zapper de chaîne en chaîne, sans trouver quoi que ce soit. Will indiqua le tableau noir accroché dans un coin de la salle de réception.

– Peut-être que nous n'aurons pas de *formation commando,* aujourd'hui ?

Parry non seulement encourageait les garçons à rester en forme, mais il s'était également évertué à leur stimuler l'esprit en leur prodiguant des cours chaque matin. Pour ce faire, il faisait appel à ce qu'il connaissait le mieux. C'est pourquoi, aussi étrange que cela puisse paraître, ils recevaient des cours d'orientation, de tactique militaire et de techniques de combat.

– Goulets d'étranglement et tirs croisés, dit Chester en se remémorant ce que leur avait dit Parry sur la théorie de l'embuscade.

– Mon cours préféré, c'était « techniques de conduite offensive », commenta Will en souriant. Voilà un truc que nos profs ne nous enseignaient pas à Highfield.

– Tu te rends compte du nombre de cours qu'on a manqué l'an dernier, dit Chester d'un air songeur. J'ai l'impression que c'était il y a des siècles. C'est à peine si je me souviens de quoi que ce soit… si ce n'est la fois où j'ai remis ce petit morveux de Speed à sa place.

– Je n'en reviens toujours pas que Parry nous ait confié sa chère Land Rover, continua Will, qui n'écoutait pas vraiment son ami. J'ai bien cru qu'elle allait se retourner lorsque j'ai dévalé les côtes à toute berzingue.

– Ouais, répondit Chester en gloussant – il revenait à la réalité. Et il n'était pas franchement ravi quand j'ai arraché le rétro en passant trop près d'un arbre, pas vrai ?

– Non, en effet, pas particulièrement, intervint Parry qui se tenait dans l'embrasure de la porte.

Chester avait l'air tout penaud.

– J'ai bien peur qu'il ne faille vous débrouiller tout seuls, les gars, ce matin. Je suis resté debout toute la nuit à surveiller la situation.

– Alors, ce sont les Styx ? demanda Will.

– En tout cas, ça en a tous les stigmates. Si je ne me trompe pas, ils viennent de passer à la seconde phase de leur plan, dit Parry en fronçant les sourcils. Je n'arrive toujours pas à comprendre pourquoi il y a eu ce hiatus de deux mois juste après cette montée en puissance dans la City et toutes ces attaques frontales.

– Mais ces derniers développements sont graves ? demanda Will.

– Oui, très, et les Styx sont diablement malins.

Les deux garçons échangèrent des coups d'œil en attendant les explications de Parry, mais il avait le regard perdu dans la contemplation du feu de cheminée. Il semblait épuisé, et s'appuyait des deux mains sur sa canne.

– Drake est sur le coup ? demanda enfin Will, espérant obtenir d'autres informations.

– Non, il a disparu des écrans radars.

– Disparu ? répéta Will.

– Il opère en solo, sans doute à Londres. Je lui ai laissé des messages pour lui demander de revenir ici, si jamais il daigne les écouter un jour, répondit Parry en se tournant vers la porte.

– Et mon père ? Il vous aide, maintenant ? demanda Chester d'une voix hésitante.

– Je vous brieferai plus tard… Lorsque j'en saurai plus, marmonna Parry en traversant le couloir pour rejoindre son bureau.

Chapitre Trois

– Non mais tu crois vraiment qu'on peut vivre dans un trou pareil ? s'exclama Rebecca.

La voiture avait quitté l'autoroute, et Rebecca s'était redressée sur son siège, remarquant alors la série de zones commerciales tentaculaires qu'ils traversaient à vive allure.

– Même le nom de l'endroit est moche. *Slough. Sluff. Sloff.* Qui a inventé ça ? dit-elle au moment même où la voiture prenait un virage serré, la projetant à l'autre bout de la banquette.

– Tiens, encore un autre rond-point. La barbe, à la fin !

Rebecca bis ne répondit pas. Elle scrutait le paysage derrière la vitre teintée de la voiture, perdue dans ses pensées tandis que la lumière des réverbères lui striait le visage.

Agacée par l'absence de réaction de sa sœur, Rebecca émit un petit grognement, puis se mit à gratter le cuir de la banquette de ses petits ongles acérés, égratignant le revêtement luxueux.

– Cette toquade commence à devenir un peu trop obscène ! Ne t'imagine pas qu'on n'a rien vu, déclara-t-elle, suscitant enfin une réaction chez sa jumelle qui se tourna aussitôt vers elle.

– Qu'est-ce que tu insinues ? demanda Rebecca bis.

– Ton béguin pour ton petit soldat, répondit Rebecca d'un ton plein de rancœur, en indiquant d'un geste de la tête l'homme qui conduisait la Mercedes.

Il s'agissait du capitaine Franz, le jeune officier néo-germain dont s'était éprise Rebecca bis pendant qu'ils se trouvaient encore dans le monde intérieur.

– C'est l'un des nôtres qui devrait nous conduire, et non ton chéri aux yeux bleus paré de son uniforme de chauffeur trop apprêté. Tu ne lui fais même pas porter sa casquette, de peur de ne plus pouvoir admirer ses délicieuses boucles blondes.

Rebecca fusillait du regard la belle nuque du capitaine Franz qui continuait sa route, apparemment indifférent à la conversation qui se déroulait derrière lui.

– Sornettes ! rétorqua Rebecca bis, fumasse. Ça n'a rien à voir.

– Oh, mais bien sûr. Je suis ta sœur… Tu ne peux pas me mener en bateau, répliqua Rebecca en secouant la tête. Et là, je ne comprends pas.

– Qu'est-ce que tu ne comprends pas, au juste ? demanda Rebecca bis, qui avait remarqué le regard noir de sa sœur, ce qui l'avait profondément troublée.

– Eh bien, pour commencer, qu'est-ce qu'il a de si singulier ? C'est juste un humain comme un autre, pareil à n'importe laquelle de ces limaces surfaciennes. Mais pire encore, on l'a tellement conditionné à la Lumière noire qu'on dirait un zombie, ajouta-t-elle en louchant, la langue pendante comme pour mieux souligner son propos. On dirait une poupée cassée et vidée de sa substance que tu traînes partout pour rigoler, et ce n'est pas sain.

Le capitaine Franz arrêta la Mercedes devant le portail d'une usine. Voyant où ils se trouvaient, Rebecca interrompit sa tirade.

– C'est génial, dit-elle en regardant les bâtiments vastes comme des hangars.

Deux Limiteurs en tenue surfacienne ouvrirent le portail. Après avoir vérifié qui se trouvait à l'intérieur de la voiture, ils firent signe d'entrer au capitaine Franz.

Rebecca se pencha en avant pour aiguillonner le Néo-Germain et lui frappa brutalement l'épaule.

– Hé, le toutou à sa mémère, passe par le côté. Je veux voir l'entrepôt d'abord.

Le capitaine Franz s'exécuta aussitôt, dépassa le petit immeuble de bureaux, puis commença à ralentir.

– Continue à avancer, golio ! Entre par là ! hurla Rebecca, avant de lui asséner un tel coup sur la tête que la voiture fit une embardée. Et regarde un peu où tu vas !

Rebecca bis serrait les dents, mais elle ne dit rien tandis que la Mercedes pénétrait dans l'entrepôt.

– Arrête-toi ici, ordonna brusquement Rebecca.

Le capitaine Franz écrasa la pédale de freinage en faisant crisser les pneus sur le sol de béton peint. À peine étaient-elles descendues de la voiture que le vieux Styx et son assistant se précipitaient déjà vers les jumelles. Les deux hommes arboraient des cols d'un blanc immaculé, visibles sous leurs longs manteaux noirs.

– L'endroit est magnifique, complimenta Rebecca bis en s'adressant au vieux Styx tout en balayant l'entrepôt du regard.

– D'une surface totale de douze mille mètres carrés répartis entre les trois entrepôts. Par ici on accède à l'hôpital de campagne, expliqua-t-il en indiquant les portes situées dans l'angle le plus éloigné du vaste bâtiment. C'est là que nous conditionnons massivement nos sujets à la Lumière noire et que nous procédons à l'implantation des bombes. Comme tant d'autres entreprises dans le coin, cette usine a fait faillite. Nous avons repris le site pour une bouchée de pain. C'est le lieu idéal pour parvenir à notre objectif, et qui songerait à venir nous chercher ici ?

– Quel est le niveau de sécurité du site ? demanda Rebecca.

– Depuis hier, nous avons doublé le nombre de gardes à tous les points d'accès. Plusieurs de nos hommes épaulés par des Néo-Germains montent la garde vingt-quatre heures sur vingt-quatre, répondit le vieux Styx. Nous allons également dresser des barrages sur toutes les routes qui mènent au domaine.

– Quand tout sera-t-il prêt pour nos invitées ? demanda Rebecca.

– Ce premier entrepôt sera prêt d'ici la tombée de la nuit, répondit le vieux Styx dont le regard noir brillait d'impatience.

Ils se turent en regardant passer un cortège de troupes néo-germaines qui déplaçaient des lits d'hôpital pour les disposer en rangs dans la salle.

– Avec toutes les fermetures d'hôpitaux publics que le ministère de la Santé a ordonnées, nous n'avons eu aucun mal à obtenir tous les lits dont nous avions besoin, dit le vieux Styx. On devrait pouvoir accueillir sans problème cent cinquante patients dans cette zone-ci, et au moins autant dans les entrepôts adjacents. Nous apporterons ensuite les humidificateurs d'air pour procéder aux derniers réglages atmosphériques. Nous voulons que tout soit parfait. Notre heure de gloire approche à grands pas, dit-il en rejetant la tête en arrière pour humer l'air, puis il tapa dans ses mains gantées. Enfin !

– Oh, je le sens moi aussi, murmura Rebecca.

Pendant les explications du vieux Styx, la jeune fille n'avait cessé de se masser la base de la nuque, juste entre les omoplates. Lorsqu'elle retira sa main, Rebecca bis vit que sa sœur avait de minuscules gouttes de sang sur les doigts. Elle n'était que trop consciente pour sa part de la douleur sourde qui lui affectait le haut de sa colonne vertébrale, et de l'irrésistible appel de la nature.

La nature styx.

Même si elle et sa sœur n'avaient pas encore franchi le cap de la puberté et ne pouvaient donc prendre part aux événements qui devaient avoir lieu sur ce site, leur désir n'en était pas moins intense. Elles en avaient presque le vertige. C'était comme si un étrange courant électrique battait dans ses veines et lui secouait le corps. Elle ressentait l'appel d'une force antique qui la poussait à prendre part à un cycle qui mettait des siècles, voire des millénaires à s'enclencher.

Rebecca bis s'épongea le front. Elle tressaillit soudain en comprenant qu'elle cherchait malgré elle à résister à cette pulsion. Elle était certes inquiète, mais pourquoi réagir de la sorte ?

Ce n'était pas naturel.

Elle se détourna de sa sœur et du vieux Styx, de peur qu'ils ne perçoivent la lutte intérieure à laquelle elle était en proie.

On entendit un sifflement aigu, les conduites se mirent à cliqueter, puis un message arriva enfin avec un bruit sourd. L'officier en chef s'empressa de sortir de son bureau en se tenant le ventre. Il repéra le bon tuyau, en ouvrit l'écoutille, puis en extirpa une cartouche en forme d'obus de la taille d'un petit rouleau à pâtisserie.

– Qu'est-ce qui se passe, chef ? demanda le second en entrant dans la réception – il revenait du cachot.

– Deux secondes, vous voulez bien, répondit brusquement l'officier en chef. Je ne l'ai pas encore lu, d'accord ?

Ils n'avaient pas eu l'occasion de goûter une vraie nuit de sommeil depuis des semaines, à cause des récents troubles qui avaient affecté la Colonie, si bien que tout le monde était sur les nerfs.

– Je posais juste une question, marmonna le second dans sa barbe.

L'officier en chef dévissa le capuchon qui fermait l'extrémité du cylindre et en extirpa un petit rouleau, mais la fatigue aidant, ce dernier lui échappa des mains. Il se pencha alors pour le ramasser en éructant quelque grossièreté.

– Oh, mon ventre, gémit-il en se redressant, la main pressée sur l'estomac et le teint un peu vert.

– Pas mieux ? demanda le second.

Estimant que cette question était complètement superflue, l'officier en chef lui lança un regard noir. Il déroula enfin le rouleau de papier en le tenant à bout de bras pour accommoder sur les petits caractères.

– Troubles au nord... combats... les Styx demandent la présence de tous les agents disponibles.

Le second ne réagit pas tout de suite, mais il n'était pas surpris qu'il y ait de l'agitation dans la caverne Nord. Il y avait eu de nombreux incidents et des Colons s'étaient battus. Comment le leur reprocher ? Nombreux étaient ceux qui s'étaient fait expulser de chez eux. On avait en effet réquisitionné leurs maisons pour y cantonner les troupes néo-germaines qui arrivaient en masse. Or, les Styx ne proposaient à ces pauvres expulsés que des logements temporaires, dans les champs de champignons où l'on avait érigé à la hâte des cabanes sur la terre humide. Il s'agissait d'un véritable bidonville.

Le rationnement était sévère et une grande partie de la nourriture de la Colonie était redistribuée aux troupes que les Styx entraînaient. Pour parfaire ce mélange déjà explosif, il y avait des épidémies de diarrhée sévères, très probablement dues à la surpopulation chronique des cavernes. L'officier en chef souffrait encore des conséquences de cette situation. C'est pourquoi le second n'était pas du tout surpris qu'il y ait de nouveaux troubles et que les Styx fassent appel à la police de la Colonie pour les calmer.

L'officier en chef le regardait fixement en tapotant sur le comptoir.

– Je peux m'en charger si vous voulez, dit le second.

– Mais je vous l'ordonne, répondit sèchement l'officier en chef.

– Très bien, mon capitaine. Si vous voulez tenir le fort.

Les cellules étaient pleines à craquer de Colons mécontents, mais l'officier en chef se contenta d'un grognement sourd, balayant l'idée qu'il ne pourrait peut-être pas s'en charger seul. Alors qu'il froissait la missive des Styx, un son indescriptible s'échappa de son estomac.

– Faut que je file, geignit-il, puis il se précipita dans son bureau dont il claqua la porte derrière lui.

– Tiens bien ta culotte, murmura le second en le voyant partir en trombe. Ou peut-être qu'après tout ce n'est pas une si bonne idée que ça, dit-il avec un petit gloussement.

Mais sa bonne humeur se dissipa bien vite. Il se pencha sur le comptoir en secouant la tête pour reprendre son casque accroché à une patère. Il l'enfila, puis se pencha à nouveau pour se saisir cette fois de sa matraque. Il en aurait peut-être besoin, là où il allait. Les émeutes étaient de plus en plus violentes.

Il passa les portes en balançant sa matraque, marquant une pause en haut des marches du commissariat en scrutant les maisons de l'autre côté de la route. À la lumière des réverbères aux globes éternellement lumineux, il aperçut un mouvement derrière une fenêtre à l'étage, comme si quelqu'un observait le bâtiment. Ce n'était sans doute rien du tout, mais le second était sur les nerfs. Il n'avait jamais connu une telle atmosphère de rébellion à la Colonie, ni une antipathie aussi forte envers les Styx, la classe dirigeante. Mais les Styx semblaient si concentrés sur leurs opérations en Surface qu'ils ne se souciaient plus guère de ce que pensaient les Colons, ni de leurs réactions. Ils ne voulaient qu'une seule chose, mener leurs projets à bien sans encombre.

Le second descendit l'escalier sans se presser, et lorsqu'il arriva enfin en bas des marches, il entendit un gémissement. Il caressait encore le vague espoir que sa chasseresse, Colly, reviendrait un jour. Elle s'était enfuie après l'explosion des Laboratoires, incident pour lequel le second avait reçu des éloges, car il avait vaillamment poursuivi les attaquants. C'est du moins ce qu'il avait raconté aux Styx, qui semblaient avoir accepté sa version des faits.

Non, ce n'était pas sa chatte, mais un petit chien albinos. Un jeune lévrier au pelage blanc immaculé. Le chien se tenait là, la queue tremblante rangée entre ses pattes, alors qu'il regardait l'homme à la carrure massive de ses yeux roses. Il avait manifestement faim, mais ce qui troublait encore plus le second, c'est que seules les familles les plus riches de la Colonie élevaient des chiens de race tels que celui-ci. Quelqu'un avait dû se trouver tellement à court de nourriture qu'il l'avait abandonné.

– Pauvre petit gars, dit le second en tendant vers le chien une main de la taille d'un régime de bananes.

Le chien gémit, lui renifla les doigts, puis se rapprocha pour se laisser caresser la tête. Alors qu'il descendait la rue, l'animal se mit à marcher à son côté. Le second ne tarda pas à atteindre le portail à la tête de mort. Un Styx vêtu de la tenue camouflage vert-de-gris typique d'un soldat de la Division sortit aussitôt de la guérite. Le second empruntait cet itinéraire pour entrer et sortir de la Colonie plusieurs fois par jour, non seulement pour se rendre au travail, mais aussi pour accomplir ses devoirs officiels. Le soldat styx examina néanmoins sa carte de police tout en jetant des coups d'œil suspicieux en direction du lévrier, comme si le second tentait de passer quelque marchandise en contrebande sous son nez.

Le soldat lui rendit enfin sa carte et leva sa lanterne pour signifier qu'on pouvait ouvrir le portail, qui remonta lentement à l'intérieur de l'immense crâne taillé dans le roc. On aurait cru que cette monstrueuse apparition rétractait ses dents. Le second poursuivit son chemin, entra entre les mâchoires du crâne et s'engagea dans une galerie sombre, principale artère reliant le Quartier à la Colonie. Dans un tel environnement, il appréciait la compagnie du petit chien qui trottait à son côté.

Un bourdonnement sourd lui emplit les oreilles tandis qu'il franchissait le dernier coude de la galerie, et c'est alors que la Colonie se profila devant lui. Depuis ce point élevé, il voyait la Caverne Sud et ses interminables rangées de maisons nappées de brume, mélange de fumée et d'air chaud semblable à un voile de gaze.

– Comment va ? lui cria quelqu'un.

Le second s'arrêta et parcourut du regard les multiples volées de marches en fer forgé qui remontaient le long du mur de pierre et localisa enfin le quatrième officier qui se tenait tout en haut. L'homme était de service à l'entrée de la salle de contrôle des stations de ventilation d'où émanait ce bourdonnement sourd. Comme tant d'autres membres de la police de la Colonie, le quatrième était un homme trapu à la chevelure blanche et ébouriffée. On l'avait posté là depuis que la sécurité avait été renforcée. Drake et Chester avaient en effet utilisé le système d'aération pour répandre dans la Colonie un gaz neurotoxique bénin.

– Comment va ? répéta le quatrième, plus fort cette fois, de crainte que le bruit des ventilateurs ne couvre sa voix.

– Comme d'habitude, répondit le second en criant. Il y a du chahut au nord.

Le quatrième acquiesça.

– Je vois que tu t'es fait un ami, commenta le quatrième en voyant le lévrier.

Le second regarda son nouveau compagnon et se contenta de hausser les épaules en guise de réponse avant de poursuivre son chemin jusqu'en bas de la côte.

À peine eut-il terminé sa descente qu'il entendit des bruits de pas réguliers qui battaient les pavés à l'unisson. Il s'agissait d'un groupe de Néo-Germains – une cinquantaine environ – qui couraient en formation tandis qu'un soldat de la Division à cheval donnait la cadence.

Le lévrier se cacha derrière les jambes du second au moment où la troupe les dépassait avec fracas. Ces hommes agissaient comme des automates, le regard fixé droit devant eux tandis qu'ils se déplaçaient en parfaite synchronie. On les avait tous soumis à d'intenses sessions de Lumière noire, ce qui expliquait leur visage dépourvu de toute expression.

Il était désormais courant de voir de telles manœuvres dans la Colonie, et tout aussi courant de voir ces mêmes hommes s'effondrer pendant leur entraînement. Certains succombaient même parfois à une crise cardiaque. Le second avait eu vent du fait que les Styx poussaient les soldats pour les acclimater à un niveau de gravité plus élevé que celui auquel ils étaient habitués dans leur monde.

– Allez, mon gars. Pas de quoi avoir peur, assura le second en s'adressant au chien tandis que les soldats disparaissaient au loin.

Il s'engagea dans l'une des rues écartées de la Colonie, mais plutôt que de se rendre directement à la Caverne Nord, il effectua un détour par sa maison.

En l'entendant entrer, Elisa émergea du salon.

– Qu'est-ce qui t'amène de si bonne heure ? demanda sa sœur. Tu sais que… commença-t-elle avant de s'interrompre en voyant le petit lévrier. Oh non ! Tu n'as pas fait ça ! s'exclama-t-elle.

– Je ne pouvais pas laisser ce petit gars dehors dans le froid, répondit le second en s'agenouillant pour caresser le chien, et ses articulations se mirent à pétarader comme un vieux fusil. On m'attend dans le Nord, mais je trouverai où il vit à mon retour.

Le lévrier croisa brièvement le regard du second d'un air nerveux.

– Le saint patron des mauviettes, des paumés et des Surfaciens, commenta Elisa en croisant les bras d'un air désapprobateur. J'aurais pourtant cru que tu avais retenu la leçon.

– Où est Mère ? demanda le second officier en grognant avant de se redresser.

– À l'étage. Se repose, commença Elisa avant de s'interrompre à nouveau en se souvenant de ce qu'elle voulait dire à son frère. Tu ne devineras jamais ce qui s'est passé aujourd'hui. Les Smith ont été expulsés.

Le second acquiesça. Les Smith habitaient deux portes plus loin ; ils avaient vécu là depuis des temps immémoriaux, et certainement depuis plusieurs décennies avant sa naissance.

– Mère l'a très mal pris. Il ne reste presque plus personne dans notre rue, maintenant. On nous chasse pour laisser la place à tous ces soldats néo-germains qui ne sont pas fichus de vous répondre quand on leur parle. Ils se comportent comme si on n'existait pas. Ce n'est pas normal, ce qui se passe en ce moment.

Elle était tellement affolée qu'elle en avait la voix tremblante, mais elle baissa bientôt le ton, de peur que quelqu'un ne l'entende.

– Je ne sais même pas s'ils emmènent vraiment nos gens dans le Nord. On raconte au marché que des familles entières disparaissent en bloc. Tu ne peux pas faire quelque chose ? Tu ne peux pas parler aux Styx ? demanda-t-elle alors en posant la main sur son bras.

– Tu plaisantes ? Moi ?

– Oui, toi. La seule raison pour laquelle nous n'avons pas encore été déracinés, c'est que les Styx pensent que tu es un héros. Tu as affronté tous ces Surfaciens lorsqu'ils sont venus au secours de ta gente dame.

Le second avait du mal à soutenir le regard assassin que lui lançait Elisa. Il avait peut-être réussi à tromper les Styx grâce à l'aide de son vieil ami, le gardien des Laboratoires, qui avait corroboré son histoire, mais sa sœur le connaissait trop bien.

– Et s'ils te croient si merveilleux, bon sang, peut-être qu'ils écouteront ce que t'as à leur dire !

Le second se demandait s'il était plus choqué par les jurons de sa sœur ou par le fait qu'elle suggère qu'il soit en mesure de demander des comptes aux Styx sur leur opérations au sein de la Colonie. Il secoua la tête en franchissant le seuil de la porte d'entrée, prenant soin de la refermer derrière lui, car il ne voulait pas que le chien le suive. Il quittait vraiment à contrecœur la chaleur confinée de la maison, mal à l'aise de devoir exécuter ce qu'on attendait de lui dans la Caverne Nord, et plus généralement très malheureux de son sort.

Parry attendit qu'ils se soient tous rassemblés dans le hall. Elliott fut la dernière à arriver en descendant l'escalier d'un pas léger, vêtue d'une robe rouge. Elle avait ramassé ses cheveux noirs et brillants en un chignon. Elle avait énormément grandi depuis qu'elle était arrivée en Surface, prenant plusieurs centimètres, et remplumant même quelque peu sa silhouette garçonnière. Peut-être étaient-ce les parts plus que généreuses que lui servait Parry lors des repas et son insistance pour qu'ils mangent tous correctement, ou peut-être était-ce tout simplement son âge. Quelle qu'en soit la raison, elle n'avait jamais paru aussi féminine à Will et à Chester auparavant, et ils s'efforçaient de ne pas rester là à la contempler bouche bée. Quant à elle, elle ne regardait personne en particulier, et encore moins l'un des deux garçons.

– Bien, suivez-moi, déclara Parry en poussant la lourde porte en chêne de son bureau.

Ils lui emboîtèrent le pas sans rien dire, regardant un peu partout dans la pièce dont on leur avait interdit l'entrée jusqu'alors.

Elle était plus vaste que ne l'aurait cru Will. Il y avait une rangée de coffres le long des murs lambrissés. L'un d'eux était ouvert et contenait des dossiers empilés.

– Salut papa, dit Chester, et M. Rawls, vêtu de ses habits froissés, arborant une barbe d'un jour, se leva de la chaise à côté de l'antique imprimante qui continuait à cliqueter tout en grinçant, à mesure qu'un rouleau de papier aux bordures perforées nourrissait son appétit apparemment insatiable.

Will vit plusieurs moniteurs posés sur un banc à côté de l'imprimante, mais ils étaient tous éteints. Il y avait un autre écran plus loin sur un bureau, mais il était tourné de l'autre côté, si bien qu'on n'aurait su dire s'il était allumé ou non. Sur le mur du fond était accrochée une grande carte d'Écosse sur laquelle les hautes-terres et les basses-terres apparaissaient en couleur pastel. À l'exception de Mme Burrows, tout le monde avait le regard rivé sur la carte.

– Oui, vous êtes en Écosse, dit Parry en élevant la voix pour couvrir le bruit de l'imprimante. À quatre-vingt-seize kilomètres pile au nord de Glasgow, pour être précis. À peu près là, dit-il en pointant la carte du bout de sa canne.

Will sentit un frisson lui parcourir l'échine : qu'ils puissent identifier l'endroit où se trouvait le domaine n'avait visiblement plus d'importance, et cela n'augurait rien de très bon. Parry s'apprêtait à dire quelque chose, lorsqu'il fit soudain claquer sa langue avant de se tourner vers M. Rawls.

– Mettez-moi cette satanée machine sur pause, vous voulez bien ? Je ne m'entends plus parler.

M. Rawls bascula un interrupteur sur l'imprimante, tandis que Parry se perchait sur son bureau.

– Vous vous demandez sans doute pourquoi nous nous sommes enfermés ici avec Jeff pendant les dernières vingt-quatre heures, dit-il en jetant un coup d'œil à M. Rawls qui acquiesça faiblement, puis il frappa deux fois le sol de sa canne. Je lui ai demandé de m'aider, car j'avais besoin de quelqu'un qui s'occupe du Télex. Je travaille toujours sur la liste de distribution du bulletin COBRA, expliqua Parry en esquissant un sourire qui n'avait rien d'amusé. Ceux qui nous gouvernent m'ont gardé dans la course. Dans mon ancien métier, on ne prend jamais vraiment sa retraite.

– COBRA est un comité gouvernemental que l'on convoque chaque fois que la sécurité du pays est en danger, expliqua M. Rawls qui avait vu le froncement de sourcils interrogateur de son fils.

– Ne serait-il pas plus rapide de diffuser l'information sur Internet ? demanda Will en regardant tour à tour la vieille imprimante posée derrière M. Rawls, puis le moniteur.

– Le Web n'est jamais sûr, dit Parry. Pour remonter la trace de ce Télex, il faudrait déterrer les kilomètres de câbles dédiés auxquels il est relié, ajouta-t-il en prenant une profonde inspiration. Bien, je commence par quoi ? Mon fils, que vous connaissez sous le surnom ridicule de Drake, s'est toujours obstiné à m'exclure de sa lutte contre les Styx. Il a même été jusqu'à raconter un peu partout que j'avais perdu les pédales pour me protéger, expliqua-t-il en haussant les sourcils. Mais ma sécurité n'est plus en jeu, car la donne a changé. Pourriez-vous leur montrer les derniers bulletins COBRA ? demanda-t-il à M. Rawls.

– Bien sûr. Il y a un peu plus d'un jour ont commencé à émerger des rapports sur des incidents survenus un peu partout en Europe : de multiples tentatives d'assassinat visant des chefs d'État et des personnages politiques clés. En France, le Président et sa femme ont échappé de justesse à la mort, mais plusieurs dizaines d'hommes politiques ont été tués lors de deux autres attentats qui ont visé les parlements espagnols et italiens. Qui plus est, à Bruxelles ont été éliminés plusieurs membres de divers pays qui siégeaient au Parlement européen.

– Mais ils n'en ont rien dit à la télé hier soir, dit Will.

– Et ce matin, on n'a même pas pu voir les infos. La plupart des chaînes affichaient le même avertissement indiquant qu'elles étaient indisponibles, ajouta Chester.

– Je ne suis pas surpris, dit Parry. Mais commençons par le commencement. Jeff, continuez, s'il vous plaît.

– D'accord, dit M. Rawls. Les nouvelles de ces tentatives d'assassinat ont été étouffées, car elles étaient très sensibles : la piste remontait en effet chaque fois ici.

– En Grande-Bretagne, clarifia Parry. Des Anglais ordinaires sont devenus des kamikazes… ils se sont transformés en bombes humaines. Étant donné la nature non ferreuse des composants des explosifs qu'ils portaient en eux, le matériel de détection conventionnel n'a servi à rien.

– Des bombes humaines ? Comment ça fonctionne ? demanda Mme Burrows en plissant le front.

– Une tentative avortée au parlement allemand à Berlin a permis de capturer vivante l'une des kamikazes, dit M. Rawls. On a découvert qu'on avait prélevé plusieurs organes vitaux des cavités thoraciques et abdominales de cette femme.

Parry tendit le bras au-dessus de son bureau pour attraper une feuille sur le Télex, puis il chaussa ses lunettes avant de lire le texte à haute voix.

– *Lobectomie du poumon droit*, puis il releva la tête pour expliquer. L'examen médical a révélé qu'on lui avait ôté tout un poumon par voie chirurgicale. *Cystectomie, splénectomie, cholécystectomie*, c'est l'ablation de la vessie, de la rate et de la vésicule biliaire, poursuivit Parry après avoir consulté sa feuille une seconde fois. Enfin, et c'est encore ce qu'il y a de plus monstrueux, il lui manquait à peu près la totalité du côlon, remplacé par un pontage de fortune. On lui avait arraché les intestins.

Will remarqua les grimaces de Chester, qui avait l'air un peu pâle.

– Elle serait morte de toute façon ? demanda Mme Burrows.

– Oui, ce n'était qu'une question de jours, répondit M. Rawls. Elle pouvait encore boire et absorber des fluides, mais elle ne pouvait digérer aucun solide. Mais avant même que le manque de nourriture ne l'achève, sans les soins médicaux d'un spécialiste, elle aurait sans doute été tuée par une infection, ou encore par l'immense traumatisme qu'elle avait subi.

– Comme un poisson qu'on vide. On l'avait éviscérée, nettoyée… dit Parry en ôtant ses lunettes, puis il se frotta le front. Elle transportait à l'intérieur de son corps deux récipients en plastique remplis de produits chimiques. Une fois mélangés grâce à l'action d'un levier mécanique à la taille, ils auraient détoné avec une puissance considérable. On avait entouré le mélange explosif d'une cartouche de céramique pour élargir le rayon de l'explosion et faire ainsi plus de victimes.

– Ce sont donc les Styx qui ont fait ça, intervint Mme Burrows en secouant la tête. Ils ont soumis des innocents à la Lumière noire avant de procéder à cette boucherie pour transformer leurs corps en bombes. Mais pourquoi ?

– Pourquoi ? tonna Parry avec une telle férocité qu'il prit tout le monde par surprise. Pour que le gouvernement britannique ne puisse donner aucune explication au reste du monde sur les raisons qui ont poussé des citoyens apparemment non radicaux, tout à fait ordinaires, à se lancer dans des actes de terrorisme gratuits ! rugit-il. À cause de notre politique de contrôle des frontières jugée autrefois laxiste, les États-Unis et bien d'autres nations considèrent notre pays comme le creuset de groupes dissidents. Les Styx se contentent d'accomplir la prophétie, dit-il.

Puis il reprit son calme et poursuivit :

– C'est pourquoi toutes les frontières du Royaume-Uni doivent être fermées à treize heures aujourd'hui, et tous les vols sont suspendus. Il est très probable qu'on instaure la loi martiale dans tout le pays.

On entendit tout à coup un bruit de clochette et Parry extirpa un objet de sa poche dont il consulta l'écran LED. De la taille d'un jeu de cartes, cela ressemblait plus à un pager qu'à un téléphone mobile.

– Ça ne prendra qu'un instant, dit-il en se penchant sur son bureau pour jeter un coup d'œil au moniteur qui y était posé.

– Mais qu'est-ce que ça veut dire ? en profita pour demander Chester.

– Ça veut dire que les rideaux de fer vont tomber comme des couperets, isolant notre petite île du reste du monde… Nous serons sous contrôle militaire, expliqua Parry en rangeant l'objet dans sa poche. L'armée s'occupera de l'ordre public.

– C'est à ce moment-là que les Styx vont frapper, dit Elliott à voix basse.

C'étaient les premiers mots qu'elle prononçait depuis son arrivée, captivant l'attention de toute l'assemblée.

– Je sais comment raisonnent les Cols d'albâtre. Ils vont envahir votre pays en se servant de tous les Néo-Germains qu'ils ont ramenés avec eux, et puis vos propres soldats, une fois qu'ils les auront soumis à la Lumière noire.

– Mais même s'ils disposent de forces terrestres considérables, il leur reste quand même un sacré boulot, commenta Parry d'un air perplexe. Non, ce ne peut être ça. Il doit y avoir autre chose dans leur plan, mais je ne vois pas quoi, et ça me rend complètement dingue ! J'essaie pourtant de trouver ce que c'est, conclut-il en s'éloignant de son bureau.

Il se tenait à présent devant eux. Il avait l'air extrêmement las, et il n'était certainement pas à l'image de la forteresse imprenable que Will avait connue jusqu'alors.

– Je ne sais pas ce qu'ils trament, mais ils ne l'emporteront pas au paradis ! C'est hors de question, déclara Mme Burrows.

– Exactement ! Si nous ne les arrêtons pas, qui va s'en charger ? répondit le vieil homme en se tournant vers la porte du bureau qu'il avait laissée ouverte. Vous arrivez à point nommé.

Une silhouette vêtue de noir parut soudain. Imaginant le pire, Will et Chester s'apprêtaient à réagir : un Styx ! Mais Mme Burrows attrapa son fils par le bras pour l'arrêter.

– Waouh ! souffla Chester.

Les deux garçons venaient de reconnaître l'homme à la tête rasée qui arborait un bouc au menton.

– Qui va les arrêter ? demanda Drake en reprenant les paroles de son père. Mais c'est *nous,* bon sang !

Elliott se précipita pour l'embrasser, puis elle recula d'un pas, un immense sourire accroché aux lèvres. Elliott était de retour, un instant du moins, celle que Will et Chester regrettaient tant.

– T'as l'air d'un vrai renégat, maintenant ! gloussa-t-elle avec une pointe de mesquinerie, voire de méchanceté.

– Ah ! Mais admirez-moi un peu ça ! répondit-il en regardant sa robe et la manière dont elle avait arrangé ses cheveux. Une vraie jeune femme.

Drake entra dans la pièce pour saluer les garçons, Mme Burrows et M. Rawls, puis il prit place à côté de Parry.

– Je vois qu'il vous a admis au cœur du sanctuaire, dit Drake en balayant la pièce du regard avant de s'adresser à nouveau à eux. J'ai encore des nouvelles pour vous. Juste avant l'aube, plusieurs centres de télédiffusion, plateformes Internet et autres principaux commutateurs téléphoniques ont subi des frappes simultanées.

– C'est pour ça qu'on n'arrivait pas à capter quoi que ce soit à la télé, comprit Chester.

– C'est ça, c'est un défaut de service. Les Styx prennent pour cible nos centres de communication et d'information, et les choses vont vraiment mal à Londres, je vous le dis. Les gens sont terrorisés et pris de panique. Ils dévalisent les magasins, qui ne sont plus réapprovisionnés. Les services publics sont au mieux irréguliers. Les ordures s'entassent dans les rues, on a fermé les écoles, et il n'y a plus qu'un personnel minimal dans les hôpitaux. Il y a même eu deux coupures de courant, des quartiers entiers de Londres ne bénéficient que d'un service électrique intermittent depuis une semaine. Oui, c'est vraiment dur, là-bas. Il y a aussi deux ou trois rumeurs qui circulent, selon lesquelles plusieurs membres du gouvernement auraient disparu.

– Décapitation. Un cas d'école, intervint Parry.

Will et Chester échangèrent un regard perplexe. Ils se demandaient si Parry faisait allusion à son ouvrage favori sur l'insurrection, par Frank Kitson.

– On fait sauter ceux qui se trouvent au sommet, *la tête*, et le reste du pays, c'est-à-dire *le corps*, ne sait plus comment s'organiser, poursuivit Parry en faisant mine de se trancher la gorge d'un geste de la main.

– Sauf qu'il est plus que probable que la tête retrouve sa place, dit Drake, mais cette fois, ce seront les Styx qui prendront les commandes.

– Je ne comprends pas. Avec tout ce qui se passe en ce moment, pourquoi n'allons-nous pas voir les autorités pour leur dire qui est derrière ces événements ? suggéra Chester.

– Ou comment nous faire tous tuer en moins de deux, répondit Drake. Le problème, c'est qu'on ne peut pas savoir qui sont ceux qu'ils ont déjà touchés. On ne sait pas à qui on peut faire confiance.

– Moi, je sais, intervint Parry en frappant dans ses mains. Il est temps de réveiller de vieux fantômes.

Drake croisa le regard de son père, comme s'il savait à quoi il faisait référence, puis il leva le doigt. On aurait dit qu'il venait de se rappeler quelque chose.

– En parlant de vieux fantômes, j'en oublie les bonnes manières, dit-il en sortant de la pièce à grands pas pour réapparaître une seconde plus tard, accompagné d'un homme cagoulé.

Tous ceux qui étaient dans la pièce avaient connu cette situation, car Drake avait insisté pour qu'ils passent une cagoule, eux aussi, lorsqu'il les avait conduits chez son père. L'homme avait les mains entravées par une attache en plastique que Drake trancha d'un coup de couteau. Puis, d'un geste spectaculaire, il retira la cagoule.

Will et Elliott retinrent soudain leur souffle.

– Colonel ! s'exclama la jeune femme en le reconnaissant aussitôt, même s'il était vêtu d'un costume croisé de la City fort coûteux – mais qui ne lui seyait guère.

– C'est le Néo-Germain qui vous a aidés ? demanda Chester à Will, qui ne lui répondit pas, les yeux rivés sur cet homme en qui il n'avait pas confiance.

Même si le colonel Bismarck les avait arrachés, Elliott et lui-même, aux griffes des Styx grâce à l'un de ses hélicoptères, cet homme se trouvait désormais en Surface uniquement parce qu'il avait dû participer aux attaques.

Le colonel cligna des yeux, peu habitué à la lumière, puis il entra dans la pièce.

– C'est un honneur que de vous revoir, dit-il en s'inclinant devant Elliott, tout en faisant claquer ses talons avant de lui prendre la main.

Puis il salua Will, qui n'esquissa pas le moindre geste pour lui serrer la main.

– C'est peut-être un coup monté, un piège des Styx, dit Will. Vous n'auriez jamais dû l'emmener ici. Il a été conditionné à la Lumière noire.

Drake, quant à lui, semblait parfaitement détendu en sa présence.

– Oui, mais même s'il a subi une programmation intensive, il semble qu'un coup à la tête l'ait arraché à sa transe. Il a vu ce que les Styx faisaient à ses hommes, s'en servant pour effectuer le sale boulot, et il veut se venger.

Le colonel Bismarck acquiesça, tandis que Drake poursuivait ses explications.

– Eh oui, tu as raison, Will. Le colonel sait qu'il pourrait constituer un risque pour nous. Il a accepté de rester sous les verrous pendant son séjour avec nous, d'autant plus qu'il a une idée de notre situation géographique maintenant, ajouta-t-il en jetant un coup d'œil à la carte sur le mur.

– *Willkommen,* dit Parry, regardant le colonel avec intérêt.

Il reconnaissait manifestement là un autre militaire comme lui-même.

– *Danke,* répondit le colonel Bismarck.

– Et comment es-tu tombé sur le colonel ? demanda Parry à son fils.

– Quelqu'un ici s'est montré un peu trop désinvolte avec le numéro d'urgence qui donne accès à mon serveur secret, expliqua Drake avec un sourire. Heureusement, le colonel l'avait conservé sur un morceau de papier rangé dans son ceinturon, et les Styx ne l'ont pas trouvé.

– C'est ce que tu crois, murmura Will.

– Et le colonel a laissé un message destiné à une certaine personne qui se trouve dans cette pièce, poursuivit Drake en ignorant cette remarque.

Tout le monde échangea des regards amusés jusqu'à ce qu'Elliott prenne enfin la parole.

– J'espérais qu'il n'aurait jamais besoin de s'en servir, marmonna-t-elle tandis que Will la fusillait du regard. Mais j'avais l'intuition que lui et ses hommes ne tarderaient pas à faire surface.

Will s'apprêtait à dire quelque chose, mais Drake le prit de vitesse.

– Eh bien, je suis content que tu aies agi ainsi, Elliott. Le colonel est un atout supplémentaire dans le combat qui nous attend contre les Styx. Et nous avons une main des plus médiocres pour le moment.

À un bon kilomètre de là, Bartleby grimpait au tronc d'un chêne antique, enfonçant ses longues griffes dans l'écorce à mesure qu'il montait toujours plus haut. Il finit par atteindre une fourche, puis miaula en direction de Colly en contrebas, laquelle se mit à grimper à sa suite. Une fois Colly à son côté, Bartleby s'avança sur une grosse branche suspendue au-dessus du mur d'enceinte du domaine de Parry. Les humains comprenaient pourquoi ils ne devaient pas s'aventurer trop loin, mais cela n'avait aucun sens pour les chasseurs et leur appétit vorace, toujours en quête de nouvelles proies.

On les avait laissés largement livrés à eux-mêmes, libres de parcourir le domaine, et ils avaient eu tout le temps de décimer les perdrix que Parry élevait spécialement pour la saison de la chasse. À dire vrai, ces oiseaux pas très malins n'avaient aucune idée de la nature des deux prédateurs qui les chassaient, dévorant la quasi-totalité de leur population. Mais maintenant que les perdrix se faisaient plutôt rares, l'instinct naturel des chasseurs les poussait à élargir leur terrain de chasse.

Une fois au-dessus du mur, Bartleby s'avança encore de quelques pas, tandis que la branche ployait sous le poids conjugué des deux chats. D'un coup de tête, il invita Colly à sauter la première. La chatte aurait souri si elle avait pu. Bartleby était un partenaire plein de considération. Il ne voulait pas qu'elle se blesse en sautant de trop haut, notamment compte tenu de son état.

Colly atterrit sans encombre, mais une fois libérée de son poids, la branche remonta d'un coup, forçant Bartleby à sauter à son tour alors qu'il n'était pas encore prêt. Il finit par toucher le sol avec un bruit sourd fort peu élégant, agitant la queue en tous sens pour contrôler sa chute. Colly se précipita vers lui pour se frotter le museau affectueusement contre sa joue.

Bartleby laissa échapper un petit gémissement, profitant de cet instant, comme l'aurait fait n'importe quel autre mâle, pour s'attirer la compassion de sa compagne et en tirer parti au maximum. Il se lécha ostensiblement le coussinet de la patte antérieure, blessé par une pierre pointue. Après quelques secondes cependant, Colly en eut assez de cette comédie et lui donna un petit coup sur la tête.

Ce geste suffit à le faire réagir et Bartleby se concentra alors sur leurs affaires. Il fallait commencer par le commencement : il choisit un endroit adéquat pour lever la patte et l'arroser d'un bon volume d'urine. Après avoir bel et bien marqué son nouveau territoire, il se mit à avancer la truffe collée au sol, comptant sur son odorat très développé pour localiser son prochain repas.

Mais cela n'avait rien d'aisé. Ils se trouvaient sur les marges d'une forêt de sapins qui s'étendait jusqu'au sommet de la colline face à eux, et la senteur aromatique qui se dégageait des aiguilles putrescentes sur le sol lui rendait la tâche difficile alors qu'il cherchait une piste. Il en fallait plus pour le décourager, cependant.

Même si les chasseurs n'avaient piégé qu'un petit chevreuil qui avait commis l'erreur fatale de prendre un raccourci par le domaine de Parry, ils en avaient aperçu toute une harde qui paissait dans la forêt. Ils avaient tous deux la gueule écumante à l'idée de goûter à nouveau à ce délicieux gibier. Mais pour Bartleby, la récompense ultime serait le cerf qu'il avait entendu, à la nuit tombée, pousser son brame caractéristique pour rassembler ses femelles.

Bartleby gravit la colline, parcourant le terrain de long en large en cherchant à détecter une piste. Colly le suivait à une distance d'environ six cents mètres en arrière. De temps à autre, ils s'arrêtaient pour se chercher du regard entre les troncs des sapins. Parry et Drake auraient été fiers de leurs talents tactiques : les deux chats visaient à prendre leur proie en tenailles sans qu'elle ne se doute de rien, la cernant par l'avant et par l'arrière. L'un des deux chasseurs chargeait, provoquant la panique de l'animal qui tombait alors directement dans la gueule de l'autre.

Quelque part un oiseau poussa un cri rauque et les deux chasseurs relevèrent la tête en entendant le froissement de ses ailes contre les branches hautes. Une petite brise s'insinuait entre les arbres et Bartleby riva ses yeux à la pente devant lui. Il se plaqua contre le sol, la truffe frémissante tout en surveillant la zone. Ses oreilles tressaillirent. Il n'en fallait pas plus pour informer Colly.

Bartleby était sur une piste.

Ses omoplates ondulaient à mesure qu'il avançait, plaçant prudemment une patte devant l'autre.

Colly le perdit rapidement de vue entre les arbres, mais elle attendit. Les deux piliers de la chasse sont la patience et la maîtrise du temps. Puis, estimant qu'il devait être en place, elle commença à avancer en silence parmi les branches qui bruissaient dans le vent. Elle se figea soudain en entendant un petit bruit sourd. Une pomme de pin venait de tomber sur le sol. Inutile de s'inquiéter. Elle reprit donc son avancée.

Malheureusement, le sommet de la colline n'était pas aussi boisé et ne lui donnait que peu d'occasion de se mettre à couvert. Elle prit donc son temps. Elle ne voulait pas effrayer la proie trop tôt : si jamais elle ne se précipitait pas vers l'endroit où l'attendait Bartleby, la partie serait finie. Leur gibier filerait entre les mailles du filet.

C'est alors qu'elle aperçut un arbre qui jonchait le sol un peu plus haut. Elle ajusta son allure pour éviter que la proie qui se trouvait de l'autre côté ne la repère.

Elle avançait en frôlant le sol de son poitrail. Cependant, chose étrange, elle ne parvenait pas à avoir une image nette de la bête à partir de son odeur. Bartleby et elle connaissaient l'odeur de l'urine et des excréments de chevreuil, mais même si elle en percevait de faibles effluves, ils n'étaient pas aussi puissants qu'elle ne l'aurait cru. Peut-être était-ce un chevreuil isolé et non une harde complète. Peu lui importait. Un seul animal leur fournirait bien assez de viande pour la nuit.

Estimant qu'elle devait s'être suffisamment avancée, elle planta ses pattes dans le sol, prête à bondir puis, crachant et grognant pour faire autant de bruit que possible, elle s'élança à toute allure.

Les Limiteurs ne sont pas comme les soldats surfaciens.

Quel que soit l'environnement dans lequel ils opèrent, ils s'y intègrent complètement, consomment et se servent de tout ce qui les entoure, jusqu'à se fondre dans le décor. Les deux Limiteurs avaient pris l'odeur de la forêt de sapins, car ils s'y cachaient depuis des semaines. Pour se nourrir, ils avaient mangé non seulement du lapin et de toutes les sortes d'oiseaux qu'ils avaient trouvées, mais aussi les champignons et autres spécimens de la flore abondante. Comparé aux Profondeurs, c'était un véritable fast-food. À une ou deux reprises, ils avaient également mangé la viande crue d'un chevreuil dont Bartleby avait détecté de faibles traces.

Colly avait décollé du sol avec assez d'élan pour bondir par-dessus le tronc d'arbre couché, lorsqu'elle vit soudain quelque chose qui clochait : l'éclat de la lentille d'un télescope sur un trépied. Derrière le télescope parut alors la tête de mort du Limiteur.

Une milliseconde plus tard, elle vit l'éclat de sa faucille.

Poussant un miaulement avertisseur, elle se cambra en agitant les pattes, cherchant désespérément à modifier sa trajectoire. Le tronc d'arbre couché était devant elle. Si seulement elle parvenait à redescendre assez bas pour atterrir dessus au lieu de le survoler, elle pourrait s'en servir comme d'un tremplin et repartir dans la direction opposée.

Le Limiteur avait levé sa faucille, prêt à frapper.

Alors qu'il s'apprêtait à la lancer, Colly entendit le râle de Bartleby. Pour sauver sa compagne, il avait attaqué. Telle une boule de muscles à la peau grise, il avait bondi sur le dos du Limiteur à la vitesse de l'éclair, plongeant profondément ses griffes dans son cou.

Mais la faucille était déjà partie.

D'une seule rotation, la lame luisante entailla le flanc de Colly, puis rebondit sur quelques mètres avant de se ficher dans un arbre. Ce n'était qu'une blessure superficielle, mais la chasseresse hurlait encore sous le choc.

À son cri, Bartleby se déchaîna comme un ouragan. Il s'enroula sur la tête du Limiteur, lui labourant le visage de ses pattes arrière. Le Limiteur portait une sorte de bonnet de laine, mais alors que Bartleby s'apprêtait à mordre dedans, le second Limiteur lança sa faucille qui vint se ficher dans le cou du chasseur, pile à la base du crâne. C'était un coup habile et bien visé, la lame lui trancha la colonne vertébrale.

Bartleby poussa un gémissement aigu qui cessa presque aussi vite qu'il avait commencé, dans un ultime râle d'agonie.

Le félin était mort avant même de retomber mollement sur le sol.

Colly savait ce que signifiait ce râle.

Elle se mit à courir sans fin jusqu'à ce qu'elle retrouve l'arbre dont ils s'étaient servis pour franchir le mur, puis elle rejoignit la maison ventre à terre.

Parry était assis à la table de la cuisine. Chaussé de ses lunettes de lecture, il scrutait un livre de cuisine à la couverture abîmée et tachée. « Arrosez le rôti toutes les… », lisait-il, quand il s'arrêta soudain en voyant Colly franchir le seuil à toute allure pour buter contre ses jambes et se tapir sous la table.

– Bon sang ! Ces satanés minous sont encore après nos vivres ! cria-t-il en se levant d'un bond.

Mme Burrows inclina la tête en prenant une profonde inspiration nasale.

– Non, ce n'est pas ça, dit-il rapidement en se détournant aussitôt du plan de travail, les mains encore pleines de farine.

– Pas du tout, ajouta-t-elle en s'accroupissant à côté de la chasseresse. Elle est très effrayée.

S'essuyant les mains sur son tablier, elle caressa doucement Colly dont la peau était ruisselante de sueur.

– Qu'est-ce qui ne va pas, ma fille ?

C'est alors qu'elle sentit l'odeur du sang sur la chasseresse.

– Vous voulez bien prendre un torchon propre dans le placard ? Merci, dit-elle à Parry.

Il haussa les sourcils avant de s'exécuter.

– Qu'est-ce qui s'est passé ? demanda Mme Burrows à la chatte qui avait enfoui sa tête entre ses pattes.

Colly était encore pantelante, épuisée d'avoir couru si vite pour rejoindre la maison.

– Tenez, dit Parry en tendant le torchon à Mme Burrows qui se mit à éponger le sang et la sueur sur le corps de la chatte.

– Quelque chose ne tourne pas rond, répéta Mme Burrows tandis que Colly se tournait sur le côté avec un gémissement.

– Qu'est-ce qui vous fait dire ça ?

– Je le sais, c'est tout. Elle est très effrayée, et elle est blessée.

– C'est grave ? demanda Parry en se mettant à genoux. Laissez-moi regarder.

– Non, rien de méchant. Juste quelques égratignures et une petite coupure au flanc, lui dit Mme Burrows. Mais il y a quelque chose qui cloche. Je le sens.

– Comme quoi ? s'enquit Parry en la regardant éponger l'animal.

– Eh bien, où est Bartleby ? Ils sont inséparables depuis qu'ils se sont rencontrés. Quand les avez-vous vus l'un sans l'autre ?

– Ces saletés d'animaux vont et viennent comme bon leur semble, répondit Parry en haussant les épaules. L'autre chat s'est peut-être fait piéger quelque part, ou bien il aura eu un accident, grogna-t-il en se relevant. Je vais demander aux garçons d'aller jeter un coup d'œil pour voir s'ils le trouvent. Peut-être que Wilkie l'aura vu, conclut-il alors qu'il s'apprêtait à sortir de la pièce.

Mme Burrows posa la paume de sa main sur le ventre légèrement tendu de Colly, laissant une empreinte de farine sur la peau lisse de la chatte.

– J'espère vraiment qu'il ne lui est rien arrivé, dit Mme Burrows en fronçant les sourcils d'un air entendu. Pas maintenant.

Chapitre Quatre

Situé à l'intersection de deux routes principales, *The Buttock & File* était l'un des bars les plus populaires de la Colonie, mais il était complètement désert quand le second longea l'établissement. C'était jadis une taverne pleine de vie, lieu de rencontre pour les Colons après une journée de travail, mais à présent, les portes étaient verrouillées et l'endroit, silencieux.

À plusieurs rues de là, le second s'arrêta net après avoir tourné à l'angle d'une maison. Cette zone mal éclairée était l'une des plus pauvres. La porte d'entrée de la plupart des maisons mitoyennes était ouverte, mais elles étaient toutes plongées dans le noir. Cependant, ce n'était pas ce qui l'avait stoppé dans son élan. Rangé sur le côté de la rue, il y avait un escadron de cinquante Néo-Germains en uniforme. Tels des mannequins en vitrine, ils attendaient en file indienne, les yeux écarquillés, regardant droit devant eux.

Il ne semblait pas y avoir de Styx de service, mais la garnison à l'intérieur du complexe où vivaient les Styx se profilait dans le lointain. De minuscules étincelles de lumière teintée de violet s'échappaient du bâtiment ramassé, tel l'éclat d'étoiles lointaines dans une constellation inconnue. Le second secoua la tête. On n'avait jamais fait un usage aussi intensif de la Lumière noire.

Peu après, il traversa la petite galerie qui permettait d'accéder à la Caverne Nord. On voyait au loin la grappe de cabanes entourées d'un cercle de globes lumineux posés sur des trépieds marquant le périmètre du bidonville. La Caverne Nord était une zone agricole où l'on cultivait la plupart des produits frais de la

Colonie. Jusqu'à une époque récente, c'était aussi l'une des cavernes les moins densément peuplées. Le second vit en s'approchant qu'on avait encore construit de nouvelles bâtisses rudimentaires, ce qui portait leur nombre à plusieurs centaines au moins. Mais malgré la taille de cette nouvelle ville, il y avait très peu de Colons à l'extérieur.

Le second avait ce sixième sens que développent ceux qui travaillent dans la police. Si des troubles avaient eu lieu, tout était fini à présent. Un silence de plomb régnait sur l'endroit. Il poursuivit le long du sentier et aperçut le troisième officier avachi sur le sol d'une aire dégagée au milieu du fouillis de cabanes. Il se tenait la tête.

– Ça va ? demanda le second en se précipitant vers lui.

– J'ai pris quelques coups de poing, répondit le troisième d'une voix tremblante. Rien de grave.

– Qui t'a fait ça ? demanda le second en voyant son visage ensanglanté.

– Eux, dit-il en indiquant la zone qui se trouvait juste à côté des cabanes.

Apercevant des cadavres, le second décrocha sa lanterne de police de son ceinturon et partit inspecter les lieux. Ils étaient trois, étalés parmi les cèpes pourrissants qui avaient été foulés au pied et réduits en une purée grise. Non loin des corps, une table pliante gisait sur le côté. Des cartes à jouer étaient éparpillées dans la boue.

– Cresswell, dit le second dans sa barbe en retournant le cadavre le plus proche sur le dos. Le forgeron. On lui a tiré une balle dans la nuque.

Le troisième marmonna quelque chose. Malgré ses blessures, le second l'ignora. Il n'avait pas de temps à consacrer à cet homme. Le troisième était un nullard qui n'avait pas du tout l'étoffe d'un policier. Un oncle qui siégeait au Conseil des gouverneurs l'avait propulsé de grade en grade, et c'est pourquoi aucun de ses collègues ne l'appréciait.

Le second était le premier à admettre qu'il n'était pas le plus brillant de la Colonie, mais il avait ce que sa sœur appelait « les méninges du terrain ». Il connaissait la rue et il était assez rusé pour s'en sortir. Il avait été promu à son grade actuel grâce à sa détermination et à des années de labeur acharné.

Le troisième se remit à marmonner quelque chose.

– Tais-toi un peu, ordonna le second en examinant le cadavre suivant. Grayson… maçon, dit-il.

Lorsqu'il fit rouler le corps pour en inspecter la blessure par balle, l'as de cœur glissa de la manche où l'homme l'avait caché.

– Et là, c'est le cousin de Cresswell, Walsh, indiqua le troisième qui s'était relevé en vacillant tout en se tenant la tête.

– Oui, c'est ce que je vois. Un autre tir de précision dans le cou, observa le second.

Il s'agissait en effet d'Heraldo Walsh, homme trapu et très musclé qui portait un foulard rouge caractéristique noué autour du cou. Le second se gratta le menton en recollant les morceaux de la scène.

– Cresswell et Grayson jouaient donc aux cartes… avec pour mises ces blagues de tabac, dit-il en inclinant la tête pour regarder les paquets de feuilles d'aluminium qui gisaient parmi les cartes éparpillées. Ils se sont disputés, sûrement parce que Grayson essayait de l'embobiner, et Walsh est donc venu en aide à son cousin.

– Lorsque je suis intervenu pour m'interposer, ils s'en sont tous pris à moi, dit le troisième. Une foule s'était massée là. J'ai cru qu'ils allaient me lyncher.

– Ces jours-ci, les gens n'ont plus aucun respect pour la loi, souffla le second.

Cependant, il manquait encore une pièce essentielle pour compléter le puzzle. Il pensait connaître la réponse, mais il fallait qu'il pose la question.

– Et qui a tiré les coups de f…

Le second s'interrompit. Il venait d'apercevoir le Limiteur qui était l'auteur des coups de feu. Le soldat s'était matérialisé derrière lui tel un fantôme, fusil à l'épaule. Ce n'était pas très surprenant en soi. Tout le monde savait qu'on avait enrôlé des Limiteurs pour faire cesser le chapardage dans les champs de cèpes plus loin dans la caverne.

La présence du Limiteur expliquait comment ces hommes avaient été tués avec une précision aussi extrême, mais le second restait toutefois très perplexe. Il était de notoriété publique que les Styx payaient Heraldo Walsh, qui espionnait les Colons pour leur compte, provoquant parfois des troubles lorsque ça les arrangeait. Walsh n'était certes pas un citoyen modèle, mais il avait mené une vie de rêve jusqu'à ce jour : on lui passait bien plus de choses qu'aux autres Colons, étant donné la marge de manœuvre que lui accordaient les Styx.

– Vous en avez mis du temps à venir ! rugit le Limiteur d'une voix grave.

Le second s'apprêtait à expliquer qu'il était venu depuis le Quartier, lorsque le Limiteur donna un coup de pied dans la tête d'Heraldo Walsh. Le second n'avait guère de raison de travailler avec des Limiteurs, et à dire vrai, ils le terrorisaient. Il s'arma de courage avant de s'adresser à lui, car il avait besoin de connaître tous les faits pour établir un rapport sur cet incident.

– Ces hommes ont attaqué un policier, mais je ne vois aucune arme sur eux. Était-il nécessaire de les tuer ?

Le Limiteur se tourna brusquement vers le second et le fixa de ses yeux de braise enfoncés dans un visage grisonnant et couvert de cicatrices. Le second était un policier aguerri qui avait vu bon nombre d'horreurs dans sa vie, mais il frissonnait à présent. Il avait l'impression d'entrevoir l'enfer même à travers la lucarne de ces yeux.

– C'est à vous de vous occuper des vôtres, gronda le Limiteur. Vous n'étiez pas là.

– Oui, s'étrangla presque le second avant de détourner les yeux. Il faudra que nous menions une enquête. Nous allons transporter les cadavres jusqu'au... poursuivit-il alors même qu'il aurait dû garder le silence.

– Aucune enquête, le coupa le Limiteur d'une voix qui évoquait un grondement de tonnerre en serrant sa carabine comme s'il songeait à s'en servir à nouveau, mais cette fois-ci contre le second. Laissez les corps là où ils sont. Ils serviront d'exemple.

Le Limiteur disparut en un instant dans la pénombre.

– Pas d'enquête, marmonna le second.

Les Styx infligeaient donc la peine de mort de façon sommaire, sans autre forme de procès. Il échangea un regard avec le troisième, mais les deux hommes gardèrent le silence. Il ne leur revenait pas de remettre en question le choix des Styx.

– Consternant, soupira le second en avançant lentement entre les corps figés dans la mort.

Les enfants se réveilleraient le lendemain matin et les trouveraient alors couverts de limaces, du moins si des chasseurs errants ne leur avaient pas déjà arraché quelques morceaux de viande pendant la nuit.

Le second renvoya le troisième chez lui pour qu'il récupère, puis il passa plusieurs heures à patrouiller entre les cabanes. Personne ne se montrait après cet incident, mais il entendait les pleurs des femmes derrière les portes, et aussi le grondement de voix dissidentes empreintes de colère. Les occupants des quelques cabanes dont les portes étaient restées ouvertes fumaient leurs pipes rougeoyantes en lui lançant des regards pleins de ressentiment.

L'un de ses collègues finit par prendre sa relève. Les pieds endoloris par ces rondes, le second retourna chez lui. Alors qu'il entrait doucement, de peur de réveiller quelqu'un à cette heure avancée, il entendit du bruit dans la cuisine.

– Bonsoir, Mère, dit-il en entrant dans la pièce emplie de vapeur, surpris de la voir là.

– Oh, bonsoir, fils, dit-elle en tressaillant avant de se détourner du poêle. Tu dois être épuisé. Va donc te détendre près du feu. Elisa et moi, on a déjà dîné, mais j'ai gardé ton assiette au chaud. Tu peux la manger sur tes genoux.

Le second s'affala volontiers dans son fauteuil dans le salon. Il jeta un coup d'œil méfiant à la pelle de Will qu'on avait laissée bien en vue au-dessus du buffet. Après l'avoir découverte dans la pièce, sa mère et sa sœur l'avaient volontairement exposée là en souvenir, presque en guise d'avertissement à son égard. Il trouvait sa présence réconfortante. Elle lui rappelait Celia.

– Tiens, mon chéri, dit sa mère en posant sur les genoux de son fils un plateau sur lequel trônait un énorme saladier.

Le second mourait de faim et il s'empressa d'attraper la cuiller et d'engouffrer sa nourriture à grand bruit, ce qui correspondait aux manières de table épouvantables en vigueur dans la Colonie.

Pendant qu'il mangeait, sa mère n'arrêtait pas de jacasser.

– J'en reviens pas ! Les Styx se sont pointés au vingt-trois et ils ont dégagé les Smith. C'était triste à voir. Mme S. qu'emportait ses robes sous l'bras, et j'en avais cousu pour elle, tiens, d'ailleurs. Sa fille, elle s'est donnée en spectacle, fallait voir ça ! Elle hurlait, pleurait comme une Madeleine et pis tout le tintouin. Fallait l'entendre ! Mais M. S. est allé là où ils l'ont emmené, la tête baissée comme s'il allait à la potence. Ça m'a fendu le cœur de les voir. Je parie que c'était affreux dans le Nord aussi, dit-elle avec un geste de dégoût, comme si elle ne voulait rien en savoir, puis elle attendit avec impatience que son fils lui raconte tout, mais comme il n'en faisait rien, elle se remit à parler. Tu sais quoi, je t'en aurais pas voulu si t'étais parti du côté des fleurs de pissenlits avec cette Surfacienne. Ils se fichent pas mal de notre sort, les Styx, en ce moment. C'est pas un endroit pour les jeunes, même si Elisa et toi, ben vous êtes plus vraiment de la première fraîcheur non plus.

Le second cessa de mâchonner, la cuiller suspendue devant sa bouche. La vieille femme ne parlait jamais ainsi de la Colonie ou des Styx. C'était l'un des membres les plus respectueux de leur société, si bien qu'en temps normal, elle ne tolérait pas une seule remarque négative sur quiconque se trouvant dans une position d'autorité.

– Mère ! Tu ne penses pas ce que tu dis ?

Elle courba la tête. Après sa sieste, elle n'avait pas peigné sa chevelure grise de plus en plus clairsemée, si bien qu'on aurait dit un nid d'oiseau ravagé par le vent.

– Mais si, je le crains bien, murmura-t-elle d'un ton pessimiste. Si… Je crois que tout est fini pour nous maintenant.

– Mais non, tu ne crois pas vraiment ça.

Il y avait une note de reproche dans la voix du second, même s'il parlait la bouche pleine. S'apercevant tout à coup que la sauce gouttait sur sa tunique bleue, il se redressa pour que le contenu de sa cuiller retombe sur le plateau. Il renifla en humant l'arôme du ragoût.

– C'est savoureux, dit-il en complimentant sa mère pour lui remonter le moral. Tu t'es vraiment surpassée. Mais, ajouta-t-il en fronçant les sourcils, normalement, nous ne mangeons jamais de rat en semaine, n'est-ce pas ?

Il remua la sauce aqueuse dans son bol et vit quelque chose qui remontait à la surface. Même si sa chair avait viré au gris terne sous l'effet de la chaleur, une partie du minuscule globe oculaire du lévrier avait conservé une nuance de rose.

Le second laissa tomber la cuiller dans son bol.

– Non, tu n'as pas fait ça !

Sa mère se leva de sa chaise, battant rapidement en retraite vers la porte.

– Les temps sont durs. Il n'y a pas assez de nourriture pour…

– Espèce de vieille sorcière monstrueuse ! s'écria le second en lançant son plateau en travers de la pièce. T'as fait cuire mon fichu chien !

– On m'a dit que mon père vous avait laissé sa voiture. Faites-moi donc l'honneur, dit Drake en lançant les clés de la voiture à Will. Et conduis doucement, car je veux vous briefer tous les deux pendant le trajet, dit-il en indiquant le sentier qui menait dans les bois. Je vais vous présenter à de vieux amis, poursuivit-il alors qu'ils avaient démarré. Ils n'ont pas vraiment l'habitude d'avoir de la visite. Il faudra donc que vous fassiez preuve de tact.

– Pourquoi ? C'est qui ? demanda Chester depuis la banquette arrière.

– Ils habitent le domaine, car ils n'avaient nulle part ailleurs où aller. Ils ont tous travaillé avec Parry par le passé. Ça remonte aussi loin que ses expéditions en Malaisie. Ils sont beaucoup à être… comment dire ?… fatigués par les combats. En outre, on a estimé que certains d'entre eux posaient trop de problèmes pour qu'on les autorise à réintégrer le reste de la société. C'est pourquoi Parry a promis aux autorités de leur donner un logement ici.

– Ça veut dire qu'ils sont dangereux ? risqua Will après avoir digéré ces informations.

– Potentiellement, oui. Vous ne pouvez pas même imaginer la manière dont ces hommes ont servi leur pays. Ils ont connu le côté obscur, et personne n'en revient indemne.

Drake demanda à Will de s'arrêter. Le garçon venait justement de voir la pancarte DANGER accrochée au portail. Il ralentit, s'arrêta, et coupa le contact de la Land Rover. Drake n'esquissa pas le moindre geste pour sortir du véhicule, et les deux garçons restèrent donc assis sur leurs sièges.

– Mais vous les connaissez vraiment bien, ces gens-là ? demanda Will.

– Ils étaient dans le coin lorsque j'étais petit. Ma mère est morte jeune, et ils ont aidé Parry à s'occuper de moi, d'autant qu'il partait souvent à l'étranger. C'était un peu comme ma famille élargie, expliqua Drake avec un sourire. Des oncles des plus étranges, mais extraordinairement intéressants.

– Mais pourquoi est-ce qu'on doit les rencontrer ? demanda Chester. Pourquoi est-ce que vous ne leur présentez pas mon père et Mme Burrows ?

– Vous avez énormément changé, mais vous ne vous en rendez pas du tout compte, n'est-ce pas ? dit Drake en se tournant sur son siège pour pouvoir s'adresser à Will comme à Chester.

– Qu'est-ce que vous voulez dire ? demanda Will en échangeant un regard avec Chester.

– Lorsque je vous ai pris sous mon aile dans les Profondeurs, vous n'étiez que deux enfants aux visages poupins qui n'avaient pas la moindre idée de ce qu'ils faisaient. Mais ce n'est plus le cas à présent, dit-il en leur laissant le temps d'absorber ses paroles avant de poursuivre. Je sais que les choses n'ont pas été simples pour vous avec les Styx à vos trousses.

– Vous pouvez répéter, s'il vous plaît ? marmonna Chester.

– Et ça se voit, dit Drake. Ces hommes verront cela en vous. Ils sont passés par là eux aussi au cours de leur vie. J'ai besoin qu'ils comprennent que la menace est bien réelle pour les convaincre de monter à bord... J'ai besoin qu'ils viennent avec nous, si nous voulons avoir la moindre chance de battre les Styx.

Ils sortirent alors du véhicule.

– Assurez-vous bien de n'avoir aucun objet électrique sur vous. Rien qui ne fonctionne avec du courant, comme une lampe torche par exemple, recommanda Drake en se tournant vers eux.

Les deux garçons vérifièrent alors leurs poches.

– Juste ça, mais elle n'a qu'une petite pi... déclara Will en se souvenant de sa montre électronique.

– Enlève-la quand même, l'interrompit Drake. Il ne faut pas l'approcher avec quoi que ce soit de ce genre s'il ne s'y attend pas.

– De qui parlez-vous ? demanda Chester, qui commençait à s'énerver.

– Nous allons d'abord rencontrer le capitaine Sweeney, connu sous le nom de Sparks, mais vous ne devrez pas l'appeler comme ça. En tout cas, pas pour le moment.

Will défit le bracelet de sa montre et la laissa sur le siège de la voiture. Puis Drake ouvrit le portail et s'engagea le long du sentier sur lequel Will et Chester avaient couru quelques jours plus tôt pour atteindre les bois.

– Par ici, indiqua Drake au moment où Will aperçut le toit couvert de mousse qu'il avait repéré la fois précédente.

Drake quitta le chemin et se mit à descendre un talus. Il s'enfonça dans ce qui ressemblait à un enchevêtrement impénétrable de fougères, au cœur duquel se trouvait un étroit sentier qui les conduisit à la maison de ferme, au fond d'une petite vallée.

On avait peine à croire que quiconque pût vivre dans cette bâtisse complètement délabrée. Les fenêtres étaient intactes, mais rendues presque opaques par les lichens qui poussaient dessus.

– Restez derrière moi, et mieux vaut ne pas parler. S'il vous demande quoi que ce soit, parlez à voix basse, et j'ai bien dit « basse ».

Drake frappa à la porte si doucement que c'est à peine si ses coups émirent le moindre bruit, puis il la poussa et elle tourna sur ses gonds rouillés. Drake entra dans la pénombre, suivi de Will et de Chester qui s'avançaient à l'aveuglette en traînant les pieds derrière lui, tout en se demandant dans quoi ils s'aventuraient. Le seul bruit dans la pièce venait de leurs bottes écrasant la poussière sur le sol de pierre brute. L'atmosphère était humide et sentait le moisi. Incapables de voir quoi que ce soit, les garçons restaient tout près de Drake. Tout à coup, Will sentit sa main sur son bras pour lui signifier qu'il devait s'arrêter.

– Bonjour, Sparks, dit Drake d'une voix douce. J'espère que nous ne vous dérangeons pas.

– Pas de problème, je vous attendais. Ton père m'a dit que vous viendriez, répondit une voix bourrue du fond de la pièce.

Will et Chester tendirent l'oreille alors que Drake s'avançait en direction de la voix, mais ils avaient beau scruter l'obscurité, ils ne parvenaient pas à distinguer qui se trouvait là tapi dans les ténèbres. Quelqu'un craqua une allumette et la lumière d'une lanterne à huile se mit à briller faiblement derrière un abat-jour strié de traces de carbone.

Derrière la silhouette de Drake qui se découpait dans le noir, ils apercevaient à peine un autre homme. Même s'il était difficile de discerner grand-chose à la lueur de la lanterne qui sifflait, l'homme mesurait au moins quinze centimètres de plus que Drake et il avait la carrure d'un ours.

– Ça fait bien trop longtemps, gronda l'homme avec une note d'affection manifeste dans la voix.

– C'est vrai, répondit Drake.

– Tu les as amenés tous les deux avec toi. J'imagine que tu veux que je sorte pour qu'on puisse faire connaissance comme il se doit ?

Will et Chester rebroussèrent chemin vers la porte d'entrée, guidés par Drake qui ouvrait la marche. Tel un spectre qui se manifeste à contrecœur, l'homme parut dans la lumière. En dépit de la crasse qui lui couvrait le visage, les garçons remarquèrent une série de cercles concentriques sous chacun de ses yeux, comme s'il avait quelque chose sous la peau. Les lignes étaient presque noires, et l'effet, assez désarçonnant. On aurait dit qu'il avait le visage décoré en vue de quelque rituel tribal.

Will ne pouvait s'empêcher de penser à l'oncle Tam qui était d'une carrure assez semblable. Cependant, Sweeney aurait sans doute pu donner du fil à retordre à ce dernier. Il avait des épaules massives et des poignets épais et musculeux visibles sous son pull de laine militaire.

Il portait également un pantalon lâche au motif de camouflage maculé de taches et une casquette militaire prévue pour le froid, dont les rabats pendaient sur ses oreilles et dont l'intérieur doublé d'une feuille métallique renvoya un éclat de lumière au moment où il l'ôta.

– Ça aide ? demanda Drake.

– Pas vraiment, grommela Sweeney en guise de réponse.

À présent que l'homme avait ôté sa casquette, Will constata qu'il avait aussi le front strié d'un réseau de lignes en relief. Il était difficile de lui donner un âge quelconque, étant donné l'étrangeté de son visage, mais Will estima qu'il devait avoir au moins soixante ans d'après ses cheveux gris et clairsemés.

– Vous a parlé de moi, hein ? demanda Sweeney en indiquant Drake du pouce tout en plissant ses yeux étranges.

Les garçons secouèrent la tête sans rien dire.

– C'est ce que je pensais, dit-il en s'éclaircissant la voix. Il y a quarante ans de cela, j'étais dans les marines, les SBS pour être plus précis. Mais dans la famille, on souffre de myopie dégénérative, et j'avais la vue qui baissait. J'avais donc le choix entre une décharge pour raison médicale, ou un poste de gratte-papier derrière un bureau jusqu'à la fin de ma carrière. C'est alors que cet expert du programme de recherche de l'armée s'est pointé à la caserne et qu'il a demandé à me voir. C'était comme si on me proposait une guérison miraculeuse. Il a promis de me soigner les yeux pour que je puisse reprendre un service actif. L'armée était toute ma vie, et je ne me voyais pas faire autre chose. J'ai donc sauté sur l'occasion. Mais vous savez ce qu'on dit…

– Ne vous portez jamais volontaire pour quoi que ce soit, intervint Drake en souriant.

– Je ne te le fais pas dire ! Quoi qu'il en soit, ça avait à voir avec l'amélioration des perceptions à des fins militaires, expliqua Sweeney en décrivant un huit autour de ses yeux à la manière dont un prêtre vous donne sa bénédiction. Vous voyez, en m'implantant ces gadgets par voie chirurgicale dans la rétine et les oreilles pour ensuite augmenter la conductivité de mon système nerveux, et puis celle des synapses que j'ai dans la caboche, ils ont réussi à m'ajuster la vue et l'ouïe bien au-delà des limites de la perception humaine. J'ai aussi des réflexes très rapides, et c'est l'un des effets secondaires de cette opération, ajouta-t-il en s'éclaircissant la voix, visiblement mal à l'aise. J'étais le troisième soldat sur lequel les chirurgiens avaient posé leurs pattes, et lorsque mon tour est venu de me faire ouvrir le ciboulot pour qu'ils refassent l'installation à l'intérieur, Dieu merci, ils s'étaient ressaisis. Plus ou moins, en tout cas. Les autres cobayes n'ont pas eu cette chance. L'un d'eux est mort sur la table d'opération et l'autre s'est retrouvé paralysé de la tête aux pieds.

Will et Chester gardaient le silence comme le leur avait demandé Drake. Apeurés et fascinés, ils se contentaient de regarder fixement l'homme qui poursuivait son récit.

– Donc… je suis rapide, je vois et j'entends des choses que vous ne percevez pas, dit Sweeney en baissant les yeux en direction de la casquette qu'il tenait dans ses mains.

– C'est sacrément pratique pour les opérations de nuit et les expéditions au fin fond de la jungle, expliqua Drake.

– Oui, et c'est comme ça qu'ils m'ont déployé, opina-t-il. J'ai passé trois décennies à rôder dans le noir, dit Sweeney en relevant les yeux. Tout est amplifié... surchargé... si je ne m'y attends pas, les bruits forts peuvent me causer des douleurs atroces, expliqua-t-il alors que se dessinaient une série de chevrons sur son front plissé. Mais au bout du compte, ce qui vous attaque, c'est qu'il n'y a pas d'interrupteur. Ils n'avaient pas songé à la surcharge sensorielle que ça entraînerait vingt-quatre heures sur vingt-quatre et sept jours sur sept. Y a de quoi devenir maboule !

Sweeney pointa vaguement le doigt en direction des bois et inclina la tête sur le côté.

– En cet instant précis, j'entends des insectes qui forent sous l'écorce de ces arbres. J'ai l'impression qu'il s'agit de marteaux piqueurs, dit-il avant de se tourner vers l'endroit d'où étaient venus Drake et les deux garçons. Et puis il y a le véhicule que vous avez garé devant le portail... j'entends le bloc moteur qui refroidit, comme si des icebergs explosaient là-dedans, et y a pas moyen de faire cesser ça, conclut-il en se touchant les tempes.

– Vous entendez vraiment tout ça ? demanda Will d'une voix douce.

– Oui, et quant à mes yeux, je supporte la lumière du soleil, mais pendant des périodes limitées seulement.

– Moi, c'est pareil, marmonna Will.

Sweeney le regarda d'un air perplexe avant de poursuivre ses explications.

– L'inconvénient majeur cependant, c'est que tout ce qui utilise du courant peut faire des ravages dans les circuits que j'ai dans le ciboulot. J'ai pas le choix, du coup, faut que je vive dans cette maison sans électricité. J'utilise de l'huile de lampe pour le peu de lumière dont j'ai besoin, et je me fais à manger sur un poêle à bois. J'ai parfois l'impression de vivre au Moyen Âge, bon sang !

– Et n'essayez pas de jouer à cache-cache avec Sparks. Il vous battrait haut la main, recommanda Drake avec un grand sourire en essayant d'égayer quelque peu l'atmosphère. Il est capable de vous localiser au son de votre respiration.

– Allons, je t'ai laissé gagner de temps en temps, répondit Sweeney avec un gros rire tonitruant, puis il passa son énorme bras autour des épaules de Drake et le serra si fort que ses pieds décollèrent du sol.

Après l'avoir relâché, Sweeney se pencha vers lui.

– Il faut qu'on cause, toi et moi, dit-il en jetant un coup d'œil en direction de Will et Chester. Ravi de vous avoir connus, les gars.

– Je vous retrouve à la voiture, dit Drake, et les garçons remontèrent la pente, le laissant seul avec Sweeney.

Une fois que Drake les eut rejoints, ce fut au tour de Chester de conduire. Puis, estimant qu'ils étaient assez loin pour que Sweeney ne puisse plus les entendre, Will prit la parole.

– On ne peut pas lui retirer tous ces trucs de la tête pour qu'il soit à nouveau normal ?

– Peut-être, mais il ne voulait pas se faire trifouiller une deuxième fois le cerveau. Si l'on retire les fils après tout ce temps, il pourrait s'ensuivre un tas de problèmes, répondit Drake en regardant Will par-dessus son épaule. Sparks est sacrément tendu, et il lui arrive d'être un peu grincheux, mais il nous sera très utile si j'arrive à le convaincre de reprendre du service.

– Tant qu'il reste de notre côté, répondit Will en grimaçant.

– Je vois ce que tu veux dire, acquiesça Drake. Par certains aspects, il est semblable à ta mère, et avec ces deux-là dans l'équipe, nous aurions ce qui se rapproche le plus d'un radar à Styx. Ce qui tombe plutôt bien, vu la personne à qui nous rendons visite maintenant.

– Et qui c'est ? demanda Will.

– Le Pr Danforth, répondit Drake. Il travaillait sur les systèmes de défense électronique comme les radars de basse altitude et les systèmes de sécurité intégrés destinés aux armes nucléaires. Maintenant, il bricole chez lui… enfin, plus ou moins. Le professeur est l'homme le plus intelligent que j'aie jamais connu, un vrai génie sur toute la ligne. Arrête-toi là, ordonna Drake en indiquant le dernier bâtiment d'une rangée de maisons.

La Land Rover s'arrêta avec un grincement sourd, et Will vit alors une toute petite maison. Des paniers de primevères rouges et jaunes étaient suspendus à côté de la porte et des fenêtres.

– Est-ce qu'il y a des choses qu'on doit savoir avant de le rencontrer ? demanda Chester au moment où ils sortirent du véhicule pour s'avancer vers la maison.

– Non, rien en particulier. Il est assez inoffensif, mais il ne supporte pas qu'on le touche. Il a peur d'attraper quelque chose, dit Drake en se dirigeant vers la porte d'entrée.

Drake posa la main sur un panneau de verre intégré dans la porte, les verrous se rétractèrent dans le chambranle avec un bruit mat et la porte s'ouvrit.

Ils pénétrèrent alors dans un intérieur très lumineux qui contrastait nettement avec la maison de Sweeney. L'atmosphère était chaude et sèche, et les murs peints en jaune foncé arboraient de petites aquarelles qui représentaient des scènes de campagne. Il y avait encore d'autres tableaux disposés sur l'encadrement de la cheminée juste au-dessus de l'âtre. Les meubles de style géorgien étaient si bien cirés qu'ils brillaient.

Un homme se leva de son fauteuil. Il portait des lunettes épaisses, un gilet brun-roux et un pantalon fauve. Il travaillait sur quelque chose à la lumière de la fenêtre. Il posa l'objet sur la table à côté de son fauteuil avant de s'avancer vers eux. Il avait des gestes d'oiseau et les épaules tombantes, évoquant le souvenir de quelque vieil oncle.

Drake dominait sa silhouette minuscule de toute sa hauteur.

– Après toutes ces années, ton scanneur palmaire fonctionne encore à merveille, dit Drake en levant la main, doigts écartés, comme s'il s'agissait d'une forme particulière de salut entre eux. Et tu as gardé mon empreinte dans le système.

– Bien sûr ! Contrairement à ton père, je n'ai jamais cru qu'il t'était arrivé quelque incident malencontreux. Je savais qu'un jour tu serais de retour parmi nous. Le diable sait protéger les siens, ajouta Danforth en gloussant, puis il se détourna de Drake. Et voici les garçons dont il a parlé… je veux dire Parry, pas le diable, même si je me demande parfois s'ils ne font pas qu'un. Albinisme… dit-il en accommodant sur Will derrière ses culs-de-bouteille. Tu es donc Will Burrows… Oui… « Sa tête et ses cheveux étaient blancs comme de la laine blanche, comme de la neige ; ses yeux étaient comme une flamme de feu », récita le professeur, le regard soudain perdu dans le vague.

Puis Danforth recommença à examiner Will.

– Albinisme… également connu sous le nom d'achromie, achromasie ou achromatose. Fréquence d'environ un cas sur dix-sept mille, maladie génétique héréditaire récessive, dit-il dans un flot ininterrompu de paroles.

– Euh… bonjour, marmonna Will, fort déconcerté de susciter une telle attention, lorsque le professeur se tut enfin.

Will lui tendit machinalement la main, mais Danforth recula aussitôt d'un pas en grommelant quelque chose qui ressemblait à « Œuf… casser mon œuf ».

– Et tu dois être Rawls, dit enfin Danforth en s'éclaircissant bruyamment la voix alors qu'il se tournait vers Chester. Bien, bien.

Agacé d'avoir oublié ce que lui avait dit Drake au sujet de la phobie du professeur concernant les contacts physiques, Will examinait l'objet sur lequel travaillait cet homme au moment de leur entrée dans la pièce, et vit une dentelle étalée sur un petit coussin d'environ vingt-cinq centimètres carrés et de laquelle pendaient de nombreux fuseaux. L'ouvrage était loin d'être fini, mais les motifs que Danforth avait déjà noués arboraient une géométrie des plus compliquées.

– Un anachronisme, je sais, mais cela contribue à mes processus mentaux, expliqua le professeur qui avait remarqué l'intérêt de Will. La réflexion est une activité essentiellement préconsciente.

Will acquiesça. Danforth tourna alors la tête vers Drake.

– J'ai appris tout ce qu'il sait à ce freluquet. Je lui ai enseigné les bases de l'électronique avant qu'il ne sache nouer ses lacets. J'en ai fait mon apprenti.

– L'apprenti de Merlin, dit Drake avec un sourire affectueux. Comment pourrais-je oublier ? Nous avons commencé par un poste de radio à galène, et nous sommes rapidement passés à la robotique et aux drones explosifs.

– Des drones explosifs ? demanda Chester.

– Des avions radiocommandés conçus selon les spécifications militaires en vigueur et qui transportaient nos explosifs maison, expliqua Drake. Parry a mis fin à nos vols d'essai au-dessus du domaine lorsque l'un des drones s'est écrasé dans la serre, manquant de faire exploser la tête d'Old Wilkie.

Le professeur s'agitait avec impatience comme si tout cela commençait à l'ennuyer.

– Oui, eh bien, j'ai reçu ton paquet avec les composantes et le schéma. C'est fascinant, je dois dire.

Danforth ôta ses lunettes et se mit à les essuyer avec une méticulosité obsessionnelle. Ce maniérisme était si familier à Will qu'il manqua de s'étouffer. Danforth lui rappelait tant le Dr Burrows, feu son père ! Chester avait lui aussi perçu la ressemblance à peu près au même moment que son ami. Croisant le regard de Will, il lui fit un petit signe de la tête.

Danforth se lança soudain dans un flot ininterrompu de paroles, comme s'il donnait un cours.

– Les Styx, en suivant une évolution parallèle à la nôtre dans le champ scientifique, ont produit une technologie révolutionnaire. Dans les années soixante, l'armée américaine essayait désespérément de développer ce qu'ils ont accompli du point de vue subsonique et sur le plan du contrôle des esprits. Et je peux vous garantir que les Américains seraient prêts à payer une fortune pour mettre la main sur…

– Mais es-tu arrivé à quoi que ce soit avec la Lumière noire ? l'interrompit Drake.

– Si je suis arrivé à quoi que ce soit ? répéta le professeur comme si cette question constituait un affront. Qu'est-ce que tu t'imagines ? Viens par là.

Avec sa drôle d'allure, Danforth sautilla vers le mur du fond où se dressait une bibliothèque puis, imitant le geste de Drake lorsqu'il avait posé la main sur le scanneur de la porte d'entrée, Danforth appliqua sa paume contre ce qui ressemblait à un miroir. La section médiane de la bibliothèque émit un déclic, puis s'ouvrit, révélant une pièce cachée.

– Je te parie que c'est comme dans *Le Laboratoire de Dexter*[1], murmura Chester avec insolence à l'attention de Will, tandis qu'ils suivaient Danforth dans une pièce remplie de matériel électronique qui s'entassait du sol au plafond.

Une batterie de voyants ahurissante clignotait sur les divers appareils selon différentes séquences. Mais ils n'étaient pas encore parvenus à bon port, car le professeur se dirigea vers un étroit escalier

1. Série de dessins animés américaine *(N.d.T.)*.

en bois au coin de la pièce. Une fois en haut des marches, Will et Chester se retrouvèrent dans un grenier qui mesurait plus de trois cents mètres de long et coiffait manifestement l'ensemble de la rangée de maisons. Il était également rempli d'appareils dont la plupart étaient toutefois cachés sous des draps destinés à les protéger de la poussière. Tout au fond du grenier, derrière quelques bancs d'essai, trônait une chaise métallique rivée au sol. Lorsque Danforth parvint à hauteur de la chaise, il poussa une table roulante sur laquelle étaient posés de nombreux boîtiers électroniques.

Le professeur bascula un interrupteur, et une ligne verte ricocha sur un petit cadran circulaire avant de former une onde sinusoïdale. Il souleva ensuite ce qui était de toute évidence un harnais destiné à maintenir la tête de quelqu'un. Il comportait deux tampons pour les yeux et se trouvait relié à l'équipement posé sur la table roulante par toute une série de fils électriques.

– Si je suis arrivé à quoi que ce soit ? répéta encore Danforth d'un ton indigné en agitant l'appareil devant Drake. Bien sûr que oui ! Voilà ce que tu m'avais demandé, un antidote à la Lumière noire.

Danforth appuya sur un bouton situé à l'arrière du harnais et les tampons se mirent à bourdonner en émettant une intense lumière violette, qui éblouit soudain Will lorsque Danforth se retourna vers eux, le dispositif à la main. Il avait ressenti un léger picotement à l'arrière des yeux, puis une montée de pression rapide, comme si quelque chose comme un rayon tracteur tentait d'extirper ses deux globes de leurs orbites.

Il soupira malgré lui et effectua un pas en arrière en chancelant. Il n'avait eu qu'un aperçu de la lumière, mais c'est comme si la boule d'énergie hérissée de pointes s'était à nouveau frayé un chemin à l'intérieur de son crâne.

– Non, grogna-t-il, submergé par une multitude de souvenirs réprimés des sessions de Lumière noire auxquelles l'avaient soumis les Styx lorsque Chester et lui-même étaient emprisonnés dans le Cachot.

– Ça t'a affecté ? demanda Drake, qui l'observait alors qu'il récupérait.

– Oui, répondit Will en déglutissant.

– Bien, bien, c'est donc bien plus puissant que tout ce qu'ont pu faire les Styx, roucoula Danforth, ravi.

– Tu prétends que ce dispositif purge quiconque a subi la Lumière noire ? demanda Drake en s'abritant les yeux des tampons lumineux.

– En théorie, oui, répondit Danforth en éteignant le casque. Les capteurs auxiliaires mesurent les ondes alpha de l'activité cérébrale normale du sujet, dit-il en jetant un coup d'œil à l'onde verte qui courait sur le petit écran. Ensuite, j'utilise une boucle récursive pour effacer tout ce qui est superflu, c'est-à-dire tout ce que les Styx ont pu lui implanter dans le cerveau.

– Et tu es sûr que ça marche ? demanda Drake. Sans aucun effet secondaire indésirable ? Sans perte de mémoire ou faculté mentale d'aucune sorte ?

– Oui, d'après mes calculs, ça marchera, répondit le professeur avec un soupir impatient. Me suis-je jamais trompé ?

– J'imagine qu'il n'y a qu'une seule façon de le vérifier, répondit aussitôt Drake en laissant tomber sa veste sur le sol avant de s'installer sur la chaise. Allons-y !

Les deux garçons étaient sidérés.

– Drake, vous croyez vraiment que c'est une bonne… ? intervint Chester.

– Comment voulez-vous qu'on sache si ça marche ? l'interrompit Drake. Difficile de le tester sur un lapin, pas vrai ?

– Mais on pourrait peut-être l'essayer d'abord sur Bartleby, suggéra Will. Il a subi la Lumière noire, lui aussi.

Mais Danforth n'avait pas le temps d'écouter de telles objections. Il inclina la tête vers Drake tout en agitant le harnais en direction de Chester, de peur qu'il ne s'approche un peu trop près de lui.

– Enfile-lui ça, et assure-toi que les capteurs sont bien fixés sur ses tempes, sinon les mesures ne seront pas fiables, ordonna le professeur.

– D'accord, répondit Chester à contrecœur, puis il disposa le harnais sur le crâne chauve de Drake, tandis que Danforth effectuait des réglages sur les boîtiers électroniques.

– Viens me donner un coup de main, merci ! dit le professeur d'un ton sec en se tournant vers Will. Sangle-le et assure-toi qu'il est bien attaché.

Will regarda Chester d'un air perplexe, puis s'exécuta, s'assurant que Drake avait bien les bras et les jambes attachés à la chaise par les différentes sangles. S'ensuivit un instant de silence tandis que le professeur effectuait les ultimes réglages. Will fut à nouveau frappé par sa ressemblance avec son père défunt. Il ne semblait pas plus préoccupé par le fait qu'il y avait quelqu'un sur cette chaise, qui pourrait être blessé si jamais cette procédure devait avoir l'effet inverse du résultat escompté. Pire encore, Danforth connaissait Drake depuis qu'il était enfant, et il avait manifestement eu une très grande influence sur lui. Il devait être pour quelque chose dans le fait que Drake se soit spécialisé dans l'optoélectronique, et qu'il ait fait de longues études à l'université. Cependant, le professeur ne s'intéressait qu'à une seule chose, vérifier si son dispositif fonctionnait. Le Dr Burrows se comportait de même, prêt à tout sacrifier si nécessaire pour parvenir à satisfaire sa quête de connaissance et son désir de découverte.

– Tous les systèmes sont parés, annonça Danforth en basculant un interrupteur.

Pendant plusieurs secondes, rien ne se passa. Drake resta immobile sur sa chaise, les yeux couverts par les tampons.

Will sentait la colère et la rancœur monter en lui. Il aurait voulu frapper Danforth, arrêter la procédure et libérer Drake de la chaise, mais c'est alors que l'homme-oiseau prit à nouveau la parole.

– Je viens d'effectuer les mesures corrigées, annonça-t-il. C'est parti pour la purge, dit-il en appuyant sur un bouton d'un geste vif.

Drake tressaillit à plusieurs reprises, puis il hurla de toutes ses forces tandis que son corps se cambrait sur la chaise. Tous ses muscles se contractèrent, à tel point qu'il aurait presque pu briser les sangles qui lui entravaient chevilles et poignets.

Le bourdonnement des boîtiers semblait faire vibrer tout ce qui se trouvait dans le grenier. Will avait du mal à regarder le visage de Drake, car un peu de lumière violette s'échappait des bordures des tampons qu'il avait sur les yeux.

– Oh non, marmonna Chester en voyant la sueur qui dégoulinait du visage de Drake et lui trempait la chemise.

– On voit qu'il a subi un sacré conditionnement, remarqua Danforth avec flegme, comme s'il parlait du temps qu'il faisait. Je vais augmenter l'amplitude à présent, pour terminer la purge, et il tourna alors un bouton.

Drake avait la bouche ouverte, mais il n'en sortait plus aucun son. Il avait les tendons du cou et des poignets si contractés qu'on aurait cru qu'ils allaient lui rompre la peau, et c'est alors qu'il se mit à bafouiller.

– Mon Dieu… écoutez ! C'est du styx ! s'exclama Chester. Il parle en styx !

Will écouta avec étonnement, tandis que Drake remuait les lèvres, laissant échapper des sons étranges venus du fond de sa gorge, semblables à du papier qu'on déchire. Il était si surprenant d'entendre un non-Styx parler leur langue !

– Nous devrions enregistrer le…

– Mais c'est que nous faisons, coupa Danforth, en indiquant le plafond juste au-dessus de la chaise où l'on avait fixé un dôme tapissé de miroirs.

– Elliott pourra peut-être nous dire ce qu'il raconte, suggéra Chester tandis que le professeur agitait la main dans les airs.

– Ce devrait être bon, annonça-t-il.

Il bascula un bouton. Le bourdonnement diminua et la lumière violette s'éteignit dans les tampons. Le corps de Drake retomba mollement en avant.

– Enlève-lui tout cet appareillage, ordonna Danforth à Chester qui s'exécuta aussitôt, ôtant le harnais et les capteurs posés sur la peau ruisselante de Drake.

– Drake ? Vous m'entendez ? demanda Will d'une voix inquiète après avoir défait les sangles qui le maintenaient sur sa chaise. Tout va bien ? dit-il encore en lui secouant le bras.

Drake ne broncha pas. Il avait la tête posée sur le torse. Il semblait au tapis.

– Qu'est-ce qu'on fait maintenant ? demanda Will en reculant d'un pas.

– Donne-lui une gifle, dit le professeur en se pétrissant les mains, comme si l'idée même de devoir le toucher lui était répugnante.

– Vraiment ? demanda Chester.

– Oui, gifle-le, confirma Danforth.

– Très bien, répondit Chester, relevant la tête de Drake avant de le frapper.

– Mets-y toute ta force, mon garçon. Frappe-le plus fort que ça, siffla Danforth.

Mais Chester se vit épargner cette tâche, car Drake releva soudain la tête.

– Il est réveillé, dit Chester, soulagé.

– Combien de doigts ? demanda le professeur en présentant trois doigts devant le visage de Drake. Combien en vois-tu ?

– Quatre, et vingt merles en prime, répondit Drake d'une voix avinée, les yeux mi-clos.

– Gifle-le encore, dit Danforth.

Chester déglutit avant de s'exécuter, mais Drake intercepta sa main avant qu'elle n'atteigne son visage.

– Je plaisantais, bon sang ! s'exclama Drake en se relevant de sa chaise, puis il s'épongea le front. Je vais parfaitement bien.

Will regardait Drake d'un air désapprobateur.

– Je sais, je sais, dit Drake avant de prendre une profonde inspiration. En d'autres circonstances, je n'aurais pas pris un tel risque. Mais vu ce qui nous attend, il faut que je fasse tout ce que je peux pour augmenter nos chances de gagner.

– Vous êtes sûr que vous ne vous sentez pas différent ? demanda Will en le dévisageant. Vous avez une drôle de voix.

– Non, ça va. Vraiment. Je me suis mordu la langue, c'est tout, répondit Drake qui semblait quelque peu bizarre, mais peut-être était-ce dû au soulagement de s'en être sorti sain et sauf.

Will et Chester ne purent s'empêcher d'éclater de rire, cependant.

– Les deux font la paire, commenta Drake en se tâtant le bout de la langue, puis son sourire s'effaça. J'imagine que nous ne saurons pas si ça a vraiment marché tant que nous ne serons pas retombés sur les Styx.

– Homme de peu de foi, commenta Danforth avec irritation.

Drake poussa un grognement en se levant de sa chaise. Il lui fallut quelques secondes pour retrouver ses appuis, puis il se tourna pour examiner les boîtiers électroniques sur la table roulante.

– Tu peux miniaturiser ce kit ? Nous avons besoin d'un dispositif portable pour pouvoir déprogrammer des sujets sur le champ de bataille.

– J'ai déjà commencé à travailler sur une version de poche, répondit le professeur. Bien, à qui le tour ? demanda-t-il en regardant Will d'un air froid et détaché.

– Eh bien… moi… j'imagine, répondit Will, la gorge serrée.

– Ça ne devrait pas être trop douloureux, dit Drake, s'efforçant de rassurer le garçon qui ôtait sa veste pour s'installer sur la chaise.

Souviens-toi que nous avons déjà neutralisé la pulsion suicidaire qu'ils avaient implantée en toi.

– Oui, c'est vrai, Will, acquiesça Chester en essayant d'avoir l'air optimiste. Tu n'as plus envie de te jeter du haut des immeubles, n'est-ce pas ? dit-il en plaçant le harnais sur la tête de son ami en s'assurant que les capteurs étaient bien posés contre ses tempes.

– Pas jusqu'à cet instant précis, marmonna Will dans sa barbe.

– Tiens... mords donc dans ce mouchoir, conseilla Drake qui venait de lui sangler les bras et les jambes. Je ne voudrais pas que tu perdes le bout de ta langue.

– Merci, dit Will à travers le mouchoir. Tout ce que je sais, c'est que ça va être horrible.

Il entendait le professeur qui actionnait des interrupteurs, mais ne voyait rien derrière les tampons qui lui obstruaient la vue.

– Tais-toi et reste tranquille, gronda Danforth. Bien, je viens de mesurer l'activité cérébrale corrigée, et maintenant...

Au moment où il bascula l'interrupteur principal, les ténèbres virèrent au violet profond et s'engouffrèrent dans la tête de Will. Il ressentit ensuite une douleur aiguë sans pouvoir l'attribuer à une zone quelconque de son corps. À dire vrai, il n'était plus conscient de son corps, il basculait dans un immense espace peuplé de jets de lumière blanche, exactement semblables aux flashes d'un appareil photo de plus en plus rapprochés. Entre chaque explosion de lumière, Will apercevait deux silhouettes noires. Il comprit soudain qu'il revoyait les deux Styx qui l'avaient soumis à la Lumière noire, des mois auparavant, après sa capture dans le Quartier. Mais le plus étrange était encore que la scène semblait se dérouler à l'envers.

Il ressentit une nouvelle douleur, comme si sa tête allait exploser, quand tout s'arrêta soudain. Il vit alors Drake et Chester penchés au-dessus de lui.

– Ça va ? demanda Drake.

– Oui, dit Will malgré sa bouche sèche et ses bras endoloris.

– J'ai bien cru que tu allais me faire exploser les tympans à force de hurler, dit Chester d'une voix douce. T'as bien failli souffler le toit en recrachant le mouchoir. Dieu merci, tu vas bien !

– Pourquoi ? Qu'est-ce qui s'est passé ? demanda Will en remarquant le visage livide de son ami. Et où est passé le professeur ?

– Ça fait dix minutes que tu es dans le cirage, lui répondit Drake.

– Ah, il est revenu à lui, dit le professeur qui revenait manifestement du rez-de-chaussée. Nous n'aurons pas besoin des sels ni de la trousse de premier secours, dit-il d'un ton irrité.

– Tu nous as fichu une sacrée frousse, dit Drake. Les Styx ont dû te faire subir un conditionnement bien plus poussé que je ne l'aurais cru. Nous ne saurons probablement jamais ce que c'était, maintenant qu'on l'a extirpé de ta tête.

– Tu parlais styx… c'était carrément flippant ! commenta Chester d'un air de dégoût.

– Quoi ? Moi aussi ? dit Will. Bizarre. Je ne me souviens vraiment de rien du tout.

Ce fut alors au tour de Chester de se soumettre à la Purge de Danforth, car c'est ainsi qu'ils désignaient désormais ce dispositif. Au départ, c'est à peine s'il sua une seule goutte, mais soudain son visage se mit à ruisseler et il commença à hurler lui aussi, puis à bafouiller dans une langue qui ressemblait à du styx. À la fin du traitement, c'est tout juste s'il était encore conscient.

– J'imagine qu'ils m'avaient aussi fourré quelque chose dans la tête lorsqu'on était détenus au Cachot, dit-il après avoir bu de l'eau et récupéré un peu.

– J'en ai bien peur. Ils ne manquent pas une occasion, n'est-ce pas ? dit Drake. La seule consolation, c'est que tu as réagi moins violemment que Will ou moi-même. Je suppose donc qu'ils t'avaient moins conditionné.

– Extinction des feux, annonça Danforth en éteignant le dernier boîtier sur la table roulante, et le bourdonnement s'évanouit à son tour. Résultat très satisfaisant, je dirais.

– Et Jiggs ? Il est dans le coin ? demanda Drake au petit homme singulier alors qu'ils quittaient tous la maison du professeur.

– On ne se parle pas en ce moment, répondit Danforth. Il nous observe probablement depuis ces arbres là-bas. Il passe la nuit là-haut ces temps-ci, tu sais, comme un babouin. Il ne supporte pas d'être enfermé, depuis son mandat à la geôle de Wormwood Scrubs.

– Bien, répondit Drake comme si tout cela n'avait rien de surprenant. Tu le salueras de ma part si jamais tu le croises.

– Peu probable, rétorqua le professeur en refermant la porte.

Will et Chester traînaient derrière Drake qui se dirigeait vers la Land Rover, scrutant la zone boisée et se demandant bien pourquoi Jiggs avait été envoyé en prison, mais surtout quel genre d'homme pouvait dormir dans un arbre.

– Vous n'arriverez pas à le repérer, dit Drake, pas même à trois mètres, commenta-t-il sans même adresser un regard aux deux garçons. C'est son boulot. Il se cache. Et il fait ça très bien.

Chapitre Cinq

Bartleby manquait à l'appel depuis deux jours, si bien que Will et Chester partirent à nouveau en excursion pour le retrouver, cette fois-ci accompagnés de Mme Burrows.

– Il pourrait être n'importe où, dit Chester en marchant sur le sentier boueux qui longeait les joncs en bordure du lac. Et s'il est tombé dans l'eau et qu'il s'est noyé, nous ne le retrouverons jamais, ajouta-t-il en s'arrêtant pour scruter l'eau. Il cherchait peut-être à attraper un poisson.

– Il n'est pas aussi imprudent, et puis il sait nager. Je suis sûr qu'il va bien, où qu'il soit, dit platement Will qui s'efforçait de rester positif, mais Chester n'était guère convaincu.

– Si tu le dis, murmura-t-il.

– Je parie qu'il va revenir à la maison comme si de rien n'était, ajouta Will en hochant la tête.

– Non ! s'exclama tout à coup Mme Burrows.

Les deux garçons se tournèrent vers elle, attendant la mauvaise nouvelle, mais elle faisait référence au nouveau sens olfactif qu'elle essayait d'utiliser pour localiser le chasseur.

– Peut-être quelques traces de son passage, là où il a marqué son territoire, mais je ne détecte rien de récent.

Mme Burrows se tourna vers l'est en levant la tête bien haut, puis l'inclina lentement jusqu'à ce que son regard aveugle pointe en direction de l'île au milieu du lac. Elle portait une longue robe de coton blanc que Parry avait trouvée dans une malle de vêtements dans l'une des chambres d'ami. Elle avait quelque chose d'une sainte alors qu'elle se tenait là sur la berge, les cheveux ondulant dans la brise qui agitait le tissu de sa robe.

– Vous ne pensez pas que Bartleby a laissé tomber Colly et s'est enfui dans les collines ? demanda Chester. C'est un chat, après tout, et les chats ne sont pas vraiment fiables.

– Comme les maris, répondit Mme Burrows d'une voix lointaine, quand elle tourna soudain la tête vers l'ouest comme si elle avait entendu quelque chose.

Les garçons attendirent, espérant qu'elle avait repéré la trace du chasseur, mais elle resta silencieuse.

– Maman, c'est lui ? demanda enfin Will.

– Quelque chose d'autre... très lointain... je ne saurais dire... peut-être un cerf, dit-elle d'une voix douce.

– Parry nous a dit qu'Old Wilkie n'avait rien trouvé non plus lorsqu'il avait fait ses rondes, intervint Chester en brisant un jonc. Mais dites-moi... vous ne pensez pas qu'il puisse y être pour quelque chose ? interrogea Chester d'un air pensif.

– Il y a peut-être des insectes là-dedans, indiqua Will d'un ton espiègle, sachant que son ami avait une peur quasi phobique de tout ce qui rampait. Et qu'est-ce que tu veux dire ? Pourquoi veux-tu qu'Old Wilkie fasse du mal à Bart ?

– Eh bien... Parry nous a dit que l'épagneul d'Old Wilkie avait disparu, et tu sais qui en est responsable, non ? répondit Chester en laissant aussitôt tomber le jonc avant de se frotter les paumes, puis il se mit à les examiner soigneusement.

– Tu crois qu'il mentirait à Parry ? Ça fait des années qu'Old Wilkie travaille pour lui. C'est improbable.

Mme Burrows était toujours tournée vers l'ouest où la forêt de sapins recouvrait la petite montagne telle une nappe verte. L'endroit où les Limiteurs avaient installé leur poste d'observation.

– Oui... un chevreuil... ce doit être un chevreuil, décréta-t-elle. Je rentre maintenant, annonça-t-elle en descendant la pente en direction de la maison.

– D'accord, maman, dit Will. On essaiera d'autres endroits.

Chester attendit que Mme Burrows soit hors de portée de voix pour parler.

– Tu sais que c'est une perte de temps, Will. On ne le retrouvera pas. Pourquoi est-ce qu'on ne l'attire pas avec un lapin ou un poulet ? On pourrait aussi attacher une chèvre devant la maison et attendre qu'il en détecte l'odeur. Ça devrait le faire revenir assez vite.

– J'ai un mauvais pressentiment à propos de tout cela, répondit Will qui n'accordait aucun crédit aux suggestions de son ami. Jetons un coup d'œil rapide en haut de cette colline, dit-il en longeant le lac avant de gravir la pente raide.

À l'écran, Chester hurlait si fort que la bande-son crépitait. Il avait le visage complètement déformé. Elliott reprit position sur sa chaise. Elle croisa les bras sur sa poitrine et s'agrippa les épaules pour se masser une zone douloureuse du bout des doigts.

– Tu as du mal à regarder ça ? demanda Drake en interrompant le film.

– Non, ce n'est pas ça. J'ai un peu mal au dos ces derniers temps.

Elliott avait été la dernière à subir la Purge de Danforth, même si elle n'avait provoqué aucune réaction chez elle, établissant le fait que les Styx n'avaient jamais employé leur technique de contrôle mental sur elle. Tout le reste des hôtes du domaine avaient été purgés à trois exceptions près. Drake craignait que ce ne soit trop traumatisant pour Mme Burrows qui avait été exposée à des doses excessives de Lumière noire dans la Colonie. C'est pourquoi il l'en avait dispensée. Parry n'aurait accepté pour rien au monde de subir ça. Il avait dit à Drake qu'il n'avait jamais laissé quiconque s'approcher de son cerveau, pas même Danforth, auquel il faisait implicitement confiance. Et enfin Jiggs, puisque personne ne savait où il se trouvait.

Drake avait rapporté des copies des bandes enregistrées dans le grenier du professeur. Il les repassait maintenant en compagnie d'Elliott sur un moniteur installé dans la salle de billard. Danforth avait fait deux versions de chaque vidéo : l'une était un enregistrement direct, tandis que l'autre tournait à l'envers. En effet, les victimes qui avaient subi l'exposition la plus intense à la Lumière noire semblaient parler à rebours.

– C'est si bizarre de vous entendre, Chester et les autres, en train de parler styx, commenta Elliott.

Ils avaient déjà examiné l'enregistrement des sessions de Drake, Will et du colonel Bismarck, mais Elliott n'avait pas pu glaner plus de quelques phrases largement déformées et dépourvues de sens. En tout cas, rien qui puisse lui donner un indice quant à la nature de leur conditionnement.

– On peut continuer ? demanda Drake.

Elliott acquiesça.

Drake appuya sur la télécommande et ils écoutèrent les mots styx que Chester prononçait d'une voix rauque.

– Ça n'a aucun sens, dit Elliott en haussant les épaules. Essentiellement des mots bizarres, mais même quand il en dit plus, ça ne veut toujours rien dire, dit-elle en écoutant attentivement. C'est comme si quelqu'un parlait dans son sommeil.

Drake prit une profonde inspiration. Il s'était résigné à l'idée que ces enregistrements ne lui révéleraient rien d'intéressant.

– Nous arrivons à la fin de la session de Chester de toute façon…

– Attends ! cria Elliott en se redressant d'un coup. Rembobine ça !

Will et Chester avaient grimpé assez haut sur la colline pour voir la maison qui se trouvait dans le lointain.

– Bart ! T'es là, Bart ? appela Will tandis que Chester lambinait derrière lui.

Ils entendirent un petit cri aigu et quelqu'un surgit alors de derrière un gros chêne.

– Stephanie ! s'écria Chester.

Elle avait un téléphone portable à la main, et portait un imperméable bleu marine au col relevé. Elle avait noué un ruban autour de ses cheveux roux et lustrés à cause du vent. Will remarqua alors qu'elle portait une paire de chaussures noires à hauts talons, ce qui lui semblait pour le moins incongru, compte tenu du fait qu'ils se trouvaient au milieu de nulle part.

– Oh, salut ! dit-elle de mauvaise grâce en essayant de cacher le téléphone derrière son dos. Qu'est-ce que vous faites ici ? Attendez… Je sais. Vous cherchez cette espèce de chien que Parry a perdu. Papy le cherche aussi.

– C'est ça, répondit Will. L'espèce de chien a disparu.

– Eh bien, je ne l'ai pas vu, répondit Stephanie d'un ton indifférent.

Elle adressa un regard légèrement sarcastique aux deux garçons, puis elle détourna la tête comme pour signifier qu'ils n'avaient rien à faire là.

– Et qu'est-ce que tu fais ici au juste ? demanda Chester en s'efforçant d'être amical.

Stephanie ne répondit pas, et se contenta de lui lancer un regard noir comme si sa question était impertinente.

– T'étais en train de téléphoner, n'est-ce pas ? dit Will d'un ton accusateur.

Voyant qu'elle s'était fait prendre la main dans le sac, Stephanie se radoucit.

– J'essaie juste de capter le réseau sur cette saleté de truc, avoua-t-elle en montrant le téléphone qu'elle avait dissimulé derrière son dos. Papy est totalement déraisonnable, quoi. Il raconte que Parry a des ennemis et que les téléphones sont totalement interdits dans le domaine, expliqua-t-elle en haussant les épaules. Mais moi, quoi, je connais personne que ça intéresse le moins du monde. Vous ne direz rien à papy, n'est-ce pas ? Ni à Parry ? ajouta-t-elle avec un air de sainte-nitouche, comme si elle avait déjà réussi à les convaincre et que son secret était bien gardé.

– Bien sûr que non, répondit Chester de bon cœur.

– Qui est-ce que t'étais en train d'appeler, alors ? demanda Will d'un air suspicieux.

– J'essaie de récupérer les messages de mes amis, mais le signal est trop faible. Ce soir il y a, quoi, une soirée géante à Londres. Ils y seront tous, et moi, quoi, je me retrouve coincée dans ce...

Elle se tut. Il était inutile qu'elle poursuive, car tout le monde avait compris ce qu'elle pensait du domaine.

– Une soirée ? répéta Chester.

– Oui. Des mecs cool qu'on a rencontrés à Eton seront là, et puis d'autres de Harrow. J'arrive totalement pas à croire que j'y vais pas, quoi.

La note de désespoir perceptible dans sa voix l'avait fait grimper d'une octave.

– Et vous, vous allez où ? s'empressa-t-elle de demander.

– À l'école ? demanda Chester, l'œil étincelant, mais c'est à peine s'il arrivait à aligner plus de trois mots.

– Highfield, répondit Will.

Elle fronça les sourcils, puis décrivit un geste dans les airs comme pour tracer une carte.

– C'est plus ou moins au nord... au nord de Londres, n'est-ce pas ? demanda-t-elle en se mordant la lèvre avec compassion.

– Non, pas là-bas, corrigea Will en riant. Ça se prononce Highfeld. C'est en Suisse.

– En Suisse ? reprit-elle, perplexe. Je n'ai jamais entendu parler de...

– Non, c'est très improbable, interrompit Will en se rengorgeant. C'est un lieu confidentiel. Totalement génial. On va même skier tous les matins avant la classe.

– Vraiment ? Mes parents ne m'ont jamais emmenée au ski, avoua-t-elle d'un air sombre. Je veux vraiment y aller.

Stephanie ne voyait pas que pendant ce temps Chester agitait frénétiquement la tête en direction de Will pour qu'il arrête ces sornettes, mais Will n'avait aucune intention de s'en tenir là.

– Et mon ami, il est, je veux dire, une mégastar sur les pistes. Notre professeur de ski pense qu'il est tellement génial sur les champs de bosses qu'il est sûr et certain qu'il fera partie de la prochaine équipe olympique, expliqua Will avec un sifflement tout en imitant les gestes des skieurs qu'il avait vus à la télévision.

– Vraiment ? s'exclama-t-elle d'une voix aiguë, en se tournant si promptement vers Chester qu'elle faillit bien le surprendre en train de gesticuler. Du slalom dans les champs de bosses ! C'est trop génial, quoi ! dit-elle en battant des cils face au garçon perplexe. Maintenant, je vais pouvoir raconter que j'ai rencontré un skieur olympique.

– Hum, je ne suis pas si bon que ça, marmonna Chester. Et puis il faut vraiment qu'on y aille maintenant, dit-il en attrapant Will par le bras pour l'entraîner au bas de la colline. Pourquoi t'as raconté tout ça ? Pourquoi tu lui as menti ?

– Elle est tellement coincée. Eton. Harrow. Elle croit qu'on n'est bons à rien juste parce qu'on ne fréquente pas ces écoles-là. Mais en réalité, on ne va tout simplement pas à l'école, car une armée d'assassins complètement tarés qui vivent sous terre, quoi, veulent nous arracher la tête. Tu préférerais que je lui raconte ça ? Tu crois que ce serait mieux, quoi ?

– Arrête de dire « quoi » toutes les trois secondes, tu veux bien, dit Chester avec une patience à toute épreuve. Moi, je la trouve sympa.

Will regarda par-dessus son épaule et vit que Stephanie les regardait encore. Il lui fit signe et elle lui rendit son salut avec enthousiasme. Will fléchit les genoux, puis il fit mine de godiller dans la pente. Stephanie partit d'un rire aigu qui n'avait rien de déplaisant.

– Et arrête ça aussi, bon sang, souffla Chester en dévalant la colline d'un pas lourd.

Après avoir fini d'examiner le dernier film pour Drake, Elliott était repartie dans sa chambre. Elle était assise devant sa coiffeuse surplombée d'un miroir et passait en revue les objets que Mme Burrows avait réussi à faire acheter à Parry à force de le harceler. Ces petits flacons de vernis à ongles avaient quelque chose de gratifiant. Elle se mit à les disposer à côté de son mascara, de son fond de teint et de ses tubes de rouge à lèvres. Il y avait aussi le flacon de parfum dont Mme Burrows lui avait fait cadeau.

Elliott admira à la lumière la petite bouteille de verre travaillé, puis elle en huma le contenu. Ce parfum était l'objet qui lui était le plus cher. Il évoquait des souvenirs de sa mère, qui faisait toujours l'effort de se parfumer avec les senteurs assez peu sophistiquées vendues à la parfumerie de la Caverne Sud. Elliott sourit en se souvenant des sentiments ambivalents qu'elle entretenait pour les parfums de la Colonie. Le fils du parfumeur, qui avait alors le même âge qu'elle, lui avait en effet dit qu'ils étaient confectionnés à partir d'un mélange de jus de champignons fermentés et d'urine de chasseurs. Elle n'avait jamais su s'il disait la vérité ou non.

Elliott reposa le flacon de parfum, bâilla puis s'étira. Son séjour dans les Profondeurs lui semblait dater de plusieurs siècles. Depuis son arrivée chez Parry, elle se sentait complètement différente. Elle goûtait à un moment de répit, après avoir lutté pour survivre pendant si longtemps, sans jamais savoir ce qui l'attendait au prochain détour, qu'il s'agisse d'un renégat hostile, d'un Styx ou de quelque prédateur à l'affût. Les Surfaciens tenaient tant de choses pour acquises, à vivre leur vie dans un environnement tellement inoffensif où ils disposaient de nourriture à satiété.

Mais par-dessus tout, ces mois passés chez Parry lui avaient permis d'être propre. Après toutes ces années de crasse et de vêtements sales, elle exagérait peut-être un peu de prendre de longs bains, deux à trois fois par jour à certaines occasions, mais c'était un luxe qui lui était inconnu jusqu'alors.

Elle avait toujours su au fond d'elle-même que cela ne saurait durer.

Quelque chose viendrait tout bouleverser au bout du compte, et ce quelque chose se rapprochait inexorablement d'elle, de Will et de Chester, et de tous les autres. Elle n'aurait pas le choix et devrait alors endosser son ancien costume. Pour sa survie, et celle de ceux qu'elle aimait.

Elle poussa un soupir et se tourna vers la longue carabine posée contre la coiffeuse. Elle tendit la main pour s'en emparer, en actionna la culasse pour s'assurer qu'elle n'était pas chargée. Depuis la fenêtre de sa chambre, elle avait vue sur l'une des statues de Parry sur la pelouse, à l'arrière de la maison, réplique de saint Georges combattant le dragon dans une lutte mortelle. Elle colla son œil à la lentille de sa lunette qu'elle régla pour ajuster la distance, puis elle plaça le réticule sur la tête du dragon. Clic ! Elle venait d'appuyer sur la détente.

– Voilà tout ce que je sais faire, dit-elle en abaissant son arme avant de la poser sur ses genoux.

Elle fit glisser son doigt sur le canon cabossé et les nombreuses entailles sur la crosse en bois. Toutes ces marques correspondaient à des moments périlleux, autant de défis qu'elle avait réussi à surmonter.

Jusqu'à présent.

Elle pivota sur son siège pour s'admirer dans le miroir de sa coiffeuse. Elliott aux cheveux bien mis et à la peau immaculée, vêtue d'un pull rouge en angora et d'une jupe à mi-genoux. Elle continua à regarder fixement son reflet comme s'il appartenait à quelqu'un d'autre. Ce n'était pas elle. Cette sensation était si puissante que lorsqu'elle secoua la tête, elle fut presque surprise que son reflet ne reste pas figé. Elle s'attendait presque à ce qu'il lui parle.

– Et je ne te connais pas, dit-elle en détournant vivement le regard, comme si cette étrangère la dévisageait.

Elle se leva, glissa sa carabine sur la coiffeuse et fit tomber quelques-uns des objets qui se trouvaient posés là, flacons et autre nécessaire de maquillage, puis elle partit chercher ses vieux vêtements.

À l'instant où Will et Chester entrèrent dans la maison et virent Elliott au pied des escaliers, ils comprirent que quelque chose n'allait pas. Non seulement elle était munie de sa carabine, mais elle ne portait plus ses vêtements féminins. Elle s'était à nouveau coupé les cheveux court. On leur avait rendu l'Elliott sur laquelle ils avaient compté pendant tant de mois lorsqu'ils étaient sous terre.

– Ho ho ! On dirait qu'il va y avoir du grabuge, souffla Will.

– Par ici, ordonna Elliott en indiquant le salon, sans laisser le temps à Chester de lui demander ce qui se passait.

Tout le monde était déjà rassemblé là, assis sur des chaises tout autour du feu, à l'exception de Parry.

Will adressa un regard interrogateur à Drake.

– Nous attendons mon père, dit-il.

C'est alors que Parry entra en trombe et se mit aussitôt à parler.

– Tous les appels passés depuis le bureau sont enregistrés dans le journal de bord, dit-il en brandissant une liasse de feuilles qu'il tenait à la main. Comme vous vous en doutez, cette ligne ne sert pas aux appels sensibles. On l'utilise pour des tâches quotidiennes ordinaires comme commander du fioul pour le chauffage central et autres.

Il chaussa ses lunettes de lecture pour examiner la feuille du dessus.

– Un numéro est apparu peu de temps après votre arrivée. Je n'y ai guère prêté attention à l'époque, mais après une nouvelle vérification, j'ai découvert deux autres appels au même numéro, d'une durée de une minute environ chaque fois. Or, ils n'ont rien à voir avec mes affaires.

– Mais aucun d'entre nous n'a reçu l'autorisation d'entrer dans le bureau jusqu'à très récemment, dit Mme Burrows en se tournant vers Drake. Vous êtes sûr que ce n'était pas vous ?

– Je n'étais même pas présent lorsque le deuxième et le troisième appel ont été passés, répondit-il. La seule explication possible est la suivante : quelqu'un s'est introduit dans mon bureau pour passer ces appels en secret.

Ils échangèrent tous des regards perplexes.

– Mais pourquoi voulez-vous que l'un d'entre nous fasse une chose pareille ? Et à qui étaient adressés ces appels ? demanda Mme Burrows.

– Un numéro à Londres, mais plus moyen d'obtenir la ligne, répondit Parry.

– Je sais qui a passé ces appels, dit Drake, mais ne lui en veuillez pas. Il agissait de manière inconsciente.

– Vous avez dit qu'*il* agissait ? s'exclama Will.

– Oui, et les appels ont pris fin après qu'il a subi la Purge de Danforth, acquiesça Drake.

Will se tortillait sur sa chaise en se demandant s'il voulait parler de lui.

– Les Styx m'ont donc programmé, ou quelqu'un d'autre, pour…

– Elliott et moi-même avons visionné tous les films des sessions purgatives, interrompit Drake en lui faisant signe de se taire, et j'ai le regret de vous dire, ajouta-t-il en se tournant vers Chester, que nous avons découvert ceci. Tu as mentionné plusieurs chiffres de ce numéro de téléphone au milieu d'autres mots styx qu'Elliott a pu traduire.

– Quoi ?… Non ! s'écria Chester, livide. Moi ?

– Oui, toi. Il est très probable que les Styx t'aient conditionné pour que tu les appelles et leur indiques le lieu où tu te trouvais. Il se peut que tu les aies appelés sans le savoir bien avant que nous n'arrivions ici, expliqua Drake sans lui faire le moindre reproche. Il y a de fortes chances pour qu'ils sachent où nous sommes à présent.

– Mais j'aurais jamais fait ça ! dit Chester en reculant d'un pas chancelant.

– Ne culpabilise surtout pas. Tu n'y pouvais rien, lui dit Elliott en s'approchant pour lui prendre la main.

– Non, ce n'était pas moi, dit Chester d'une voix étranglée. Je m'en souviendrais.

– Non, répondit Drake Tu ne t'en souviendrais pas.

Chester se contenta de le regarder, les yeux embués de larmes tandis qu'il essayait de dire quelque chose pour se défendre.

– Oh, mon Dieu, je suis tellement désolé, lâcha-t-il avant de quitter la pièce en courant avec M. Rawls à sa suite.

– Tout s'est bien passé, dit Parry sans la moindre trace d'humour, puis il s'adressa aux autres. Nous sommes donc en état d'alerte maximale, et nous ne pouvons rester plus longtemps ici. Notre couverture est grillée.

– Mais s'il s'agit bien des Styx, pourquoi ne nous ont-ils pas encore attaqués ? demanda Will.

– Je ne sais pas. Peut-être que nous figurons sur leur « liste de choses à faire » et qu'ils s'occuperont de notre cas quand ils auront un moment de libre, répondit Parry sur un ton quelque peu sarcastique – il n'était visiblement guère enchanté de ce dernier rebondissement. J'ai déjà prévenu Wilkie et les autres. Danforth est en train de vérifier les systèmes de surveillance vidéo et les capteurs thermiques tout autour du domaine pour s'assurer que nous sommes entièrement opérationnels.

– Une chose est sûre, reprit Drake, c'est que nous constituons une cible prioritaire pour les Styx. Ils ne veulent surtout pas qu'on se pointe au mauvais moment et qu'on s'invite à la fête. Lorsqu'ils arriveront, et j'ai bien dit lorsque, il faudra qu'on file à toute allure. Tout le monde doit faire ses valises. Et vous devriez tous prendre une arme dans l'armurerie au sous-sol.

– Bon sang, quelle poisse, à la fin ! grommela Parry en grimaçant. Nous sommes trop nombreux. Il nous faudra plus d'eau et de vivres que ça une fois qu'on sera dans l'autre endroit, et je ne peux pas régler ça d'un coup de baguette magique.

Sur ce, Parry frappa le sol de sa canne avant de se précipiter hors de la pièce sans cesser de se plaindre et de marmonner dans sa barbe.

Chapitre Six

– Je me sens mieux, maintenant que j'ai retrouvé mon vieux copain, déclara Will en tenant son Sten sur ses genoux, puis il releva les yeux vers Chester. Mais toi, ça va, après toutes ces histoires de Lumière noire ?

– Ce qui me fait le plus flipper dans tout ça, c'est que je ne me souviens pas du tout d'avoir passé le moindre coup de fil, bon sang ! répondit Chester en haussant légèrement les épaules. Même pendant tout ce temps que j'ai passé dans la maison de Norfolk avec cette cinglée de Martha… il y avait un téléphone là-bas… j'ai peut-être appelé les Styx. Je n'aurais pas pu leur dire grand-chose, car je ne savais pas du tout où j'étais. Lorsqu'elle m'a assommé d'un coup sur la tête, je croyais appeler mes parents. Mais peut-être que non, peut-être qu'elle avait raison de…

– Arrête ! Tu vas finir par perdre la boule aussi, si tu n'oublies pas. Ça n'a plus d'importance, c'est fait. Et puis rappelle-toi ce qu'ils m'ont collé dans la tête, c'est pire !

– Tu as raison, acquiesça Chester. Allez, à toi de jouer !

Ils se trouvaient dans le salon, disputant leur deuxième partie d'échecs devant la vue rassurante du foyer où crépitait une bûche. Drake leur avait demandé de rester éveillés jusqu'aux petites heures, au cas où des inopportuns auraient décidé d'effectuer une petite visite au domaine.

Will s'apprêtait à déplacer sa reine, quand il retira soudain sa main, distrait par le spectacle des flammes qui dansaient dans l'âtre.

– Puisqu'on parle de Martha, tu te souviens de toutes les fois où nous avons joué aux échecs dans sa cabane ?

Chester opina.

– On croyait vraiment qu'Elliott allait mourir, poursuivit Will, le regard perdu dans le feu.

– Tu l'aimes beaucoup, n'est-ce pas ? demanda Chester avec nonchalance tout en évaluant sa position sur l'échiquier.

– Oui, j'imagine, mais toi aussi, non ? demanda Will après un temps de réflexion.

– Hum… je ne crois pas qu'elle m'apprécie autant que toi, répondit Chester le regard toujours posé sur ses pièces.

– Je n'en suis pas si sûr, marmonna Will, puis il se concentra à nouveau sur le jeu en grognant : les choses ne tournaient pas comme il l'aurait souhaité.

– Tu devrais peut-être lui parler.

Will déplaça enfin sa reine.

– Non, pas avec tout ce qui se passe en ce moment, dit Will avec franchise, car il sentait qu'il pouvait faire confiance à son ami. Cela ne ferait que rendre les choses encore plus… plus compliquées, expliqua-t-il.

Il jeta alors un coup d'œil à Chester. Peut-être avait-il abordé le sujet parce qu'il éprouvait lui-même des sentiments pour Elliott, et qu'il voulait obtenir sa bénédiction. Mais Chester ne dit rien. Ce n'était donc sans doute pas ce qui avait motivé sa question.

– Il faut que je te dise… Je ne suis pas certain d'être fait pour ces trucs… les relations, avoua Will. Pas après ce qui s'est passé avec mes parents.

Will avait songé au Dr Burrows et à sa femme, Mme Burrows. Coincés dans leur mariage léthargique et sans amour, ils avaient vécu deux vies parallèles des années durant. Comment oublier leur acrimonie mutuelle lorsqu'il était rentré à Highfield en compagnie du Dr Burrows ? Mme Burrows s'était montrée très claire, elle n'était pas prête à reprendre son mari.

– Lesquels ?

– Quoi ?

– Oui, quels parents ? Tu veux dire tes vrais parents ? demanda Chester.

Will se mit à songer à ses parents biologiques, et à ce que lui avait dit Cal : M. Jerome n'avait pas fait allégeance à sa femme lorsque leur nouveau-né était en proie à une fièvre chronique et mortelle, mais aux lois de la Colonie. Folle de chagrin, Sarah Jerome avait abandonné son mari après avoir commis l'impensable, et elle s'était alors enfuie en Surface.

Will éclata de rire, quand même cette réaction pût sembler irrévérencieuse.

Surpris, Chester releva la tête vers lui.

– N'importe. Ils étaient tous aussi nuls les uns que les autres, répondit Will.

Ils entendirent des pas dans le couloir et Parry parut dans l'embrasure de la porte.

– Alertes multiples ! beugla-t-il en direction des garçons, alors que son pager sonnait si rapidement que c'est à peine si l'on distinguait les bips les uns des autres.

Parry se mit à frapper le gong posé sur la table du couloir, dont les vibrations rythmiques emplirent soudain toute la maison. Il fonça alors dans son bureau avec les deux garçons à sa suite. M. Rawls, qui s'occupait encore du Télex, était déjà debout. Parry se rua sur le moniteur de son bureau et frappa les touches du clavier pour passer en revue les images des différentes caméras.

– Là-bas ! J'en ai un dans l'infrarouge ! cria Parry. Ils sont à l'intérieur de l'enceinte.

Will voyait distinctement une silhouette noire qui filait sous un arbre. Il retint son souffle en voyant l'image prise par une autre caméra. Il s'agissait d'un homme qui se tenait bien visible devant les portes principales du domaine.

– Regarde un peu cette arme, dit Will qui reconnut aussitôt la longue carabine à la lunette renflée des Limiteurs. Ce sont eux !

– Oh, mon Dieu, souffla Chester. C'est vrai !

– Eh bien, ce n'est sûrement pas le vicaire qui fait sa ronde, et il y a une autre équipe, indiqua Parry : quatre hommes au moins s'avançaient à l'abri d'un mur. Nous avons plusieurs intrusions dans le périmètre. Toutes au sud. T'as vu ça ? Ils sont là, conclut Parry en regardant Drake entrer en compagnie du colonel Bismarck.

– Il est temps de filer, acquiesça Drake.

Parry contourna la table de son bureau, consulta sa montre et s'avança dans la pièce.

– Les Styx sont à pied. Il leur faudra donc entre huit et neuf minutes pour arriver ici. Suis la procédure d'évacuation dont on a parlé, ordonna Parry. Attire-les vers l'est pendant que nous empruntons le collecteur d'eaux pluviales jusqu'au Bedford. Et si Sparks n'est pas là, pars sans lui. Il saura se débrouiller tout seul.

– Jiggs et Danf… ?

– Jiggs aime autant faire cavalier seul, et Danforth est déjà parti, interrompit Parry en montrant son pager, puis il chassa les autres d'un geste. Allez ouste ! Dehors ! ordonna-t-il.

Il mit un genou à terre, puis ouvrit un panneau dissimulé dans le sol à côté de son bureau. Il tourna la petite clé cachée dans un petit renfoncement.

– Je viens d'amorcer les charges. Ils ne tireront rien de cette pièce.

Drake, Will, Chester et M. Rawls retrouvèrent Elliott et Mme Burrows au bas des escaliers.

– J'ai senti la menace avant même que ne sonne le gong. J'ai dit à Elliott de s'habiller, et j'imagine que nous partons, dit Mme Burrows.

– Oui, confirma Drake. Ne prenez rien d'autre que votre kit, dit-il en inspectant les armes et les sacs à dos alignés au fond du couloir. Mon père va vous emmener au Bedford.

Il lança un coup d'œil au colonel Bismarck comme s'il s'apprêtait à dire quelque chose, mais il se reprit et s'adressa à Will.

– Tu as ta lunette à portée de main ?

Will indiqua le haut de son sac à dos.

– Bien, dit Drake. Nous avancerons sans lumière pendant presque tout le trajet et j'aurai besoin d'un copilote. Partant, Will ?

– Euh… oui, répondit Will, flatté qu'il l'ait choisi lui, plutôt que le colonel.

Will récupéra son sac à dos et deux autres sacs de matériel pour Drake, mais il n'eut pas le temps de faire ses adieux aux autres comme il l'aurait voulu. Il embrassa rapidement sa mère, puis se tourna vers Elliott, mais trop occupée à se préparer, elle ne le remarqua même pas. Will et Drake se précipitèrent alors dans le couloir qui menait à la cuisine. À la surprise de Will, Drake laissa les lumières allumées dans la pièce, et alluma même l'éclairage extérieur après avoir franchi la porte de derrière.

– Tu vas agiter ça une fois qu'on sera en route, dit Drake en lui tendant un puissant projecteur. Il faut qu'ils nous voient.

– Vraiment ? s'étonna Will.

– Je ne t'ai pas dit qu'on jouait les lièvres ? répondit Drake en gloussant. Nous allons attirer les Styx pour donner le temps à Parry de s'éclipser et de rejoindre le Bedford.

Ils se dirigèrent vers l'arrière de la maison où se trouvait une cabane que Will n'avait jamais pris la peine d'inspecter. Drake ouvrit grandes les portes et c'est alors que Will sentit l'odeur de l'essence. À la faible lumière de la lune, il distingua un véhicule anguleux doté d'un pare-brise, mais dépourvu de toit.

– Ma vieille Jeep, dit Drake en lançant son matériel sur le siège arrière. Je l'ai depuis que je suis adolescent.

– Ouh ! s'exclama Will en voyant une drôle de tête se profiler dans le noir.

– Ne perds pas ta culotte, mon gars, grogna Sweeney avant de se tourner vers Drake qui était déjà au volant. J'ai entendu que nos invités étaient en train de remonter l'allée. J'ai aussi entendu des bribes d'un truc que j'ai pas reconnu. Peut-être bien des mots, mais c'était sacrément moche.

– Ils parlent en styx. C'est à ça que ressemble leur langue.

– Ah, dit Sweeney avec un gros rire. Les Moustix font de drôles de bruits, alors !

– Bougez-vous un peu, tous les deux. En voiture ! ordonna Drake qui s'apprêtait à mettre le contact, quand il hésita soudain.

– Vas-y, soupira Sweeney en enfonçant sa casquette sur ses oreilles. Les systèmes électriques des véhicules ne sont pas trop douloureux, même si le courant qui circule dans l'alternateur me fait sacrément grincer des dents.

– Non, ce n'est pas à ça que je pensais. Pourquoi les Limiteurs communiqueraient-ils au cours d'une opération ? Ils sont bien trop doués pour ça, dit-il en haussant les épaules, puis il démarra la Jeep, pleins phares. C'est le moment d'agiter ton projecteur, Will.

Drake fit vrombir le moteur pour produire un maximum de bruit, puis il sortit la Jeep de la cabane en marche arrière avant de rejoindre l'allée principale devant la maison. Les gravillons crissaient sous les roues, tandis que Will orientait le puissant faisceau du projecteur le long de la colline que graviraient sans doute les Styx.

– Ça devrait suffire, Will. Ils ne peuvent pas avoir loupé ça ! cria Drake pour couvrir le rugissement du moteur.

Il vira de l'autre côté de la maison en écrasant le champignon pour s'assurer que la Jeep franchirait sans problème le fossé de drainage. Ils atterrirent avec fracas de l'autre côté et traversèrent plusieurs champs, quand une clôture se dressa soudain devant eux. Mais Drake ne s'arrêta pas pour autant. La Jeep l'enfonça d'un coup avant de dévaler une pente.

– C'est le nouveau portail nord, dit-il en riant. Extinction des feux maintenant, Will. C'est le moment de nous éclipser. On court sans un bruit à partir de maintenant, les gars, ajouta-t-il en rabattant sa lentille au moment même où il éteignait les phares de la Jeep.

Tout le monde suivit Parry qui se précipitait au bas de l'escalier menant au sous-sol. Il traversa le couloir poussiéreux et mal éclairé, dépassa la salle de gym, les caves à vin et arriva enfin devant l'armurerie. Lorsqu'il parvint à la hauteur d'une porte blindée au bout du couloir, il marqua l'arrêt pour vérifier que tout le monde avait bien suivi.

– Je me demande pourquoi sa présence ne me surprend pas, dit-il en voyant Colly qui pointait son museau derrière Mme Burrows.

Sans attendre de réponse, il se tourna vers la porte et souleva une barre de métal couverte de toiles d'araignées.

– Je vais peut-être avoir besoin d'aide, dit-il à Chester en indiquant les poignées sur le côté de la porte.

Ils tentèrent de la soulever, mais en vain, elle refusait de bouger. Puis, à la seconde tentative, la porte s'ouvrit d'un coup dans une explosion de poussière et de rouille. Chester sentit un souffle d'air humide et distingua dans les ténèbres une conduite en brique à la lumière de la lampe torche de Parry.

– Cette glissière mène à la conduite principale. Mais faites attention, c'est un rien glissant, recommanda Parry avant d'aider

Chester à entrer dans l'ouverture. Laisse-toi aller tout du long, ajouta-t-il.

Chester se retrouva sur une pente visqueuse inclinée à environ quarante-cinq degrés. Muni de son encombrant sac à dos, son Sten accroché à l'épaule, il éclaira le gouffre de ténèbres avec la lampe torche tout en rampant sur les fesses. Il n'avait pas franchi plus de quelques mètres que la pente devint si humide et glissante qu'il perdit le contrôle de sa descente. Il essaya de s'allonger sur le dos en freinant avec les talons pour ralentir sa chute, mais en vain. Il dévalait la pente toujours plus vite, jusqu'à ce qu'il se retrouve les pieds plongés dans plusieurs centimètres d'eau avec force éclaboussures.

– Oh, trop génial, vraiment, grommela Chester en s'essuyant le visage dégoulinant d'une eau putride.

Alors que Chester ajustait son sac à dos, un énorme rat brun apparut soudain dans la lumière, lui arrachant un cri de frayeur. Le rat apeuré détala aussitôt.

– Tout va bien ? lui lança Parry, qui avait entendu son hurlement.

– Mais pourquoi faut-il toujours que je me retrouve dans des endroits pareils ? marmonna Chester en frissonnant, puis il répondit à Parry en agitant sa lampe torche. Oui, tout va bien !

Il aida ensuite les autres à mesure qu'ils descendaient le long de la glissière en s'assurant qu'ils ne se blessaient pas en arrivant en bas. Cela ne semblait poser aucun problème à Mme Burrows qui se servait à présent de son nouveau supersens. Parry passa en dernier.

– C'est le principal collecteur d'eaux pluviales qui relie le lac au fleuve, dit-il à peine arrivé en bas. Un bel exemple d'ingénierie hydraulique édouardienne. Mais maintenant, faut qu'on mette le turbo, conclut-il avant de partir en petites foulées dans l'eau boueuse.

Ils lui emboîtèrent tous le pas, tandis que le faisceau de leurs lampes ricochait sur les parois de l'ancienne galerie de vieilles briques. Parry claudiquait légèrement et il était manifeste qu'il avait du mal à se déplacer rapidement. M. Rawls était tout aussi lent, perdant l'équilibre à plusieurs reprises et basculant dans l'eau. Chester était chaque fois là pour l'aider à se relever.

En moins de dix minutes, ils parvinrent au bout de la galerie. Transis par le vent froid dans leurs vêtements trempés, ils émergèrent au milieu d'un fossé dont les parois verticales étaient presque entièrement recouvertes par des fougères et autres végétaux. À environ cinq mètres d'eux, Chester repéra la silhouette noire d'un camion qui se découpait au bout du fossé qui s'élargissait à cet endroit. Old Wilkie apparut de l'autre côté du véhicule, fusil à la main, et se mit à chuchoter avec Parry.

Les autres s'approchèrent de la bâche qui recouvrait l'arrière du Bedford, quand Stephanie passa la tête à l'extérieur. Ils étaient tous complètement trempés et maculés de boue. Pendant un instant, elle les contempla d'un air consterné.

– Hé, salut toi ! Papy m'avait pas dit que tu serais de la partie, lança-t-elle à Chester en le voyant.

– Euh… ouais, répondit Chester.

– C'est trop génial ! Y a jamais rien de cool dans ce trou, et moi, j'adore tous ces trucs d'espions, quoi. Les fusils et les expéditions nocturnes top secrètes. J'ai l'impression d'être dans un film !

– Tu ne me présentes pas ton amie ? demanda Elliott.

Chester s'apprêtait à faire les présentations en bredouillant, lorsque Stephanie remarqua Colly et laissa échapper un petit cri.

– T'as retrouvé ton espèce de chien ?

– Un peu moins de bruit, derrière, rugit Parry.

– Oh, désolée, répondit Stephanie d'une voix toujours aussi stridente, en posant la main sur sa bouche avec un air idiot. Faut toujours que je m'attire des ennuis avec ma voix puissante.

– Non, ce n'est pas l'espèce de chien, répondit Chester. C'est… euh… l'autre espèce de chien. Il y en a deux.

Stephanie acquiesça, consciente qu'Elliott la regardait fixement.

– Bon, viens donc t'asseoir à côté de moi. Je veux avoir mon skieur à côté de moi, dit Stephanie en sifflant comme l'avait fait Will auparavant pour imiter le bruit du vent, puis elle rit de bon cœur.

– Zoum ! Zoum !

– Zoum ? reprit Elliott en fronçant les sourcils.

– Skieur ? demanda M. Rawls.

Chester leur adressa un regard désespéré, puis il déchargea son sac à dos dans le Bedford avant d'y grimper à son tour.

– Et je refuse d'être à côté de ces porcs et de ces vaches mortes, quoi, décréta Stephanie avec fermeté.

À présent qu'il se trouvait sous la bâche lui aussi, Chester vit une douzaine de cageots et de barils en plastique bleu superposés à l'arrière de la camionnette. On avait suspendu juste au-dessus des carcasses d'animaux enveloppées dans une sorte de toile.

– Beurk ! s'écria Stephanie en montrant les carcasses qui oscillaient doucement. Un truc trop dégueu pourrait dégouliner sur mon manteau.

– Non… oui… en effet, acquiesça Chester en se demandant ce qu'on lui avait dit au juste sur la situation.

– On part maintenant ? demanda le colonel Bismarck à Parry en se rapprochant.

– Oui, tout le monde dans le Bedford. Au bout de deux cents mètres environ, le fossé débouche dans le fleuve, dont les eaux sont hautes à cette époque de l'année. On va tous se faire tremper, les informa Parry. Et j'aimerais que vous m'accompagniez, dit-il au colonel.

– *Ja*, bien sûr, répondit le colonel en tapotant son fusil d'assaut.

Après avoir chargé leur matériel dans la camionnette et fixé le hayon, ils se répartirent de part et d'autre sur les banquettes. Parry rejoignit Old Wilkie dans la cabine et démarra le moteur. Ils descendirent la pente jusqu'à ce qu'ils émergent enfin du fossé. Parry enclencha la vitesse inférieure, au moment où la camionnette franchissait un talus de graviers avant de s'enfoncer dans le fleuve, secouant les passagers comme dans un panier à salade. Même s'il était difficile de voir quoi que ce soit dans l'obscurité qui régnait sous la bâche, on entendait le clapotis de l'eau qui submergeait le plateau de la camionnette et leur léchait les pieds.

Drake quitta la piste et poursuivit sur quelques mètres dans les arbres. Puis Will l'aida à dissimuler la Jeep sous les branchages que Drake venait de couper avec sa machette.

Ils rejoignirent Sweeney qui les attendait sur la piste. Il avait noué les cordons des rabats de sa casquette militaire et tenait la tête inclinée sur le côté, tournée vers l'endroit d'où ils venaient.

– Rien pour l'instant, dit-il à Drake en ouvrant son sac à bandoulière. Je vous ai apporté de jolis cadeaux, les Moustix.

Il sortit alors un immense couteau de combat d'une trentaine de centimètres de long, puis il le mit entre ses dents à la manière d'un pirate tout en continuant à fouiner au fond de son sac.

– Vous ne portez pas d'arme ? demanda Will.

– Je n'ai jamais vraiment aimé les armes à feu, dit Sweeney en esquissant un sourire, le couteau toujours entre les dents. Je préfère travailler avec ça, ajouta-t-il en lui montrant son énorme main, puis il fit mine de la refermer sur la gorge de quelque ennemi tandis que ses phalanges craquaient comme des bouchons de champagne. Ça me permet d'être plus créatif. Ah, enfin ! s'exclama-t-il en extirpant les deux grenades qu'il cherchait. Des ananas tout frais !

– Merci, dit Drake en prenant l'un des deux explosifs comme si de rien n'était.

Puis ils se mirent en position, Will et Drake à l'affût d'un côté de la piste, et Sweeney de l'autre. Drake avait dit à Will qu'il fallait qu'il se concentre sur la zone située juste à côté de la piste, car aucun Limiteur digne de ce nom n'approcherait jamais directement par là. Agrippé à son Sten, Will montait ainsi la garde. Les troncs d'arbre et les arbustes apparaissaient voilés d'une teinte orangée à travers sa lentille qui lui permettait de voir les environs comme en plein jour. Il se demandait comment Sweeney percevait la réalité pour sa part, grâce à sa vision augmentée.

Au bout d'une heure à écouter le crépitement de la pluie, l'excitation de Will était retombée. Son cœur ne battait plus la chamade à l'idée de prendre de court ces Limiteurs, ce à quoi s'ajoutait l'inconfort de sentir l'air humide pénétrer ses vêtements. Après deux heures de ce supplice, Drake le ramena enfin sur la piste.

– Toujours rien ? interrogea Drake en voyant paraître Sweeney qui secoua la tête.

– Pas l'ombre d'un marsouin ! À part ce jeune gars qui bâille et se tortille comme s'il était assis sur une fourmilière.

– Désolé, marmonna Will.

– Ils ont eu largement le temps de nous rattraper, songea Drake à voix haute en regardant la piste. Il est impossible qu'ils aient manqué notre départ et ils savaient forcément dans quelle direction nous étions partis.

– Ils se sont peut-être planqués tout autour de la maison, pensant qu'on serait assez bêtes pour y retourner, suggéra Sweeney.

– Peut-être, dit-il en examinant la grenade que lui avait donnée Sweeney.

Après avoir fait marche arrière, Drake attendit que Will et Sweeney grimpent dans la Jeep, et voilà qu'ils repartaient à vive allure en s'éloignant du domaine de Parry.

– Des arbres… marmonna Will dans sa barbe.

La forêt défilait kilomètre après kilomètre. Il n'y avait pas grand-chose à regarder, et pendant ce temps-là Sweeney se tenait à l'arrière. Ses yeux étrangement cernés étaient clos et il avait posé son sac sur ses genoux. Il faisait sacrément froid, songea soudain Will en enroulant son écharpe autour de son visage, mais cela ne servit pas à grand-chose. Il fallait qu'il se détende. Les Limiteurs ne pouvaient connaître le terrain aussi bien que Drake, après tout. Will finit par céder à la fatigue et s'endormit.

Il se réveilla en sursaut, en s'agrippant pour ne pas tomber, lorsque Drake prit un virage à pleine vitesse qui fit basculer le véhicule sur deux roues. Les premiers signes de l'aube approchaient et le ciel se teintait d'un bleu cobalt. Un autre virage encore, et voilà qu'ils dévalaient une pente à toute allure. Will repéra alors un gué qui coupait la piste, et fut soudain distrait par le cri de Sweeney. Il se retourna, mais l'homme avait disparu avec son sac à bandoulière.

Drake écrasa la pédale de freinage et le véhicule s'arrêta brusquement.

– Qui est-ce ? chuchota Will.

À une centaine de mètres devant eux se dressait une femme en plein milieu du gué. Elle leur envoyait des signaux avec sa lampe torche. Will entendit Drake murmurer « Mme Rawls ». Il passa en marche arrière et fit ronfler le moteur. Will ne comprenait pas pourquoi Drake ne remontait pas la pente aussi vite que possible.

– Qu'est-ce que vous attendez ? demanda-t-il d'un ton impatient. C'est forcément un piège.

– Trop tard. On vient de tomber dedans, répondit Drake à voix basse.

Il laissa le moteur allumé, mais glissa sur son siège pour se mettre à couvert, aussitôt imité par Will qui était prêt à se servir de son Sten.

Mme Rawls appela Drake à plusieurs reprises, mais il ne répondit pas, scrutant les arbres alentour à la pointe de son Beretta, tout en s'approchant prudemment du gué.

– Et maintenant ? demanda Will.

– On improvise, murmura Drake, qui dégoupilla la grenade avec les dents pour en armer le mécanisme.

Il recracha la goupille, mais garda la grenade serrée dans son poing, puis se tourna vers Will.

– Couvre mes arrières !

Will n'avait pas besoin d'une telle recommandation et pointait déjà son arme sur la piste derrière eux.

– Drake, tout va bien ! criait Mme Rawls en agitant sa lampe torche.

Mis à part la mère de Chester, il n'y avait pas âme qui vive. Sweeney avait disparu lui aussi, mais cela n'avait rien de surprenant. Le vieux soldat faisait ce pour quoi il avait été entraîné.

– Tout va bien ! répéta Mme Rawls en abaissant sa lampe. Vraiment, Drake, c'est bon !

– Emily, répondit Drake sans cesser de scruter les arbres, qui est avec vous ?

– Bonjour Drake, dit Eddie en émergeant de derrière un arbre de l'autre côté du gué avant de se diriger vers Mme Rawls.

– Plus un geste ! ordonna Drake en pointant son revolver sur la tête du Styx. Je me disais que ça ne pouvait être que vous.

Eddie leva lentement les mains en l'air pour lui montrer qu'elles étaient vides.

– Je ne suis pas armé. Je veux juste parler avec vous.

Will était censé surveiller l'arrière, mais il ne put s'empêcher de jeter un coup d'œil à l'ancien Limiteur. Il ne l'avait jamais vu auparavant. Cet homme était maigre comme un clou, à l'image de tous les Styx. Coiffé d'une casquette, il portait un trois-quarts marron foncé et des bottes Wellington. Il aurait pu passer pour un châtelain campagnard parti en promenade, à part ses joues creuses et ses yeux de jais.

– Ce n'est pas une embuscade. Si c'était le cas, je ne serais pas là en train de discuter avec vous, dit Eddie en baissant les bras. Je dois absolument vous parler. C'est bien plus important que n'importe quelle rancune que nous pourrions garder l'un envers l'autre.

Drake se tenait d'un côté du gué et Eddie de l'autre, tandis que Mme Rawls se trouvait entre les deux hommes avec de l'eau jusqu'aux chevilles.

– Comment avez-vous su que je passerais par là ? demanda Drake.

– Déduction tactique, répondit Eddie. J'ai placé la maison sous surveillance et j'ai bien entendu effectué une reconnaissance du terrain alentour.

– Bien entendu, répondit Drake d'un ton sarcastique.

– Ce trajet de secours n'avait rien d'évident, et j'ai donc estimé que c'était justement celui-là que vous emprunteriez. Vous savez, ils ont tenté d'activer Emily pour leur offensive contre la City, mais je suis intervenu. J'ai pris bien soin d'elle.

– C'est vrai ? demanda Drake ? Il vous a sauvé la vie ?

– Oui, confirma Mme Rawls, et elle sourit.

Elle n'avait certainement pas l'air mal en point, et ne semblait pas avoir subi la moindre contrainte.

– Et je vous l'ai ramenée, dit Eddie. En gage de réconciliation.

– Désolé, Emily, pas un pas de plus. Vous avez peut-être été conditionnée à la Lumière noire, indiqua Drake en voyant s'avancer Mme Rawls. Will, garde ton arme pointée sur elle.

– Bonjour, Mme Rawls, bredouilla maladroitement Will en tournant son Sten vers elle. Comment allez-vous ?

– Fort bien, merci, Will.

– Elle n'a pas été soumise à la Lumière noire. En tout cas, moi je n'ai rien fait, déclara Eddie.

Ils restèrent ainsi face à face sans rien dire. On n'entendait plus que le murmure du ruisseau, et parfois le cri d'un oiseau dans le lointain.

– Très bien, où sont les autres ? demanda Drake. Vous n'avez pas surveillé la maison ni même effectué une reconnaissance détaillée du terrain alentour sans avoir d'autres hommes sous la main.

– Absolument exact, répondit Eddie en esquissant un geste de la main. Si vous permettez ?...

– Mais je vous en prie !

Eddie claqua des doigts et un grondement de moteurs à l'avant et à l'arrière de la piste retentit alors. Deux gros véhicules de l'armée américaine se profilèrent dans un craquement de broussailles.

– Des Humvee ? s'écria Drake d'un air paniqué.

Les deux engins s'arrêtèrent, bloquant les deux extrémités de la piste. Ils étaient recouverts d'une peinture vert mat et leurs vitres étaient teintées. Les moteurs se turent et les portes s'ouvrirent pour laisser descendre des Styx. D'autres émergèrent de sous les arbres. Il y en avait huit en tout.

– Des Limiteurs ? demanda Drake, d'autant plus inquiet.

– En effet.

Aucun des soldats styx ne portait son uniforme brun grisâtre, mais ils étaient vêtus au contraire de divers habits surfaciens, vestes Barbour, parkas et bottes de marche. L'un d'eux portait même un jean. Mais avec leurs visages taillés à la serpe et leurs orbites creuses, l'identité de ces soldats d'élite ne laissait plus aucun doute. Ils ne portaient pas d'armes, ce qui ne les rendait pas moins effrayants aux yeux de Will. Il avait l'estomac noué par la peur. La dernière fois qu'il les avait croisés en aussi grand nombre, son père avait été sauvagement abattu par l'une des deux Rebecca.

– Où voulez-vous que nous nous placions ? demanda Eddie.

– Qu'ils se mettent à côté de vous, que je puisse garder un œil sur tout ce petit monde, répondit Drake en indiquant son interlocuteur d'un geste de la tête.

Les Limiteurs se rendirent consciencieusement au bord du gué et se rangèrent derrière Eddie. Will remarqua que l'un des Limiteurs avait le visage presque entièrement recouvert de pansements et que son œil gauche semblait avoir été suturé, ce qui lui donnait un air encore plus épouvantable.

– Tout monde est là ? demanda Drake, en pointant son revolver sur le groupe.

Eddie semblait hésiter, tandis qu'il inspectait les hommes qui se trouvaient derrière lui. Il s'apprêtait à parler, lorsque Drake l'interrompit.

– Sparks, tu peux sortir maintenant, dit-il en élevant à peine la voix.

– Ah, et moi qui commençais tout juste à me mettre en jambes, répondit-il avec un gloussement sourd dont l'écho retentit entre les arbres.

Sweeney parut sur la piste, un Limiteur sur chaque épaule.

– J'ai chopé deux Moustix. Un peu mous du genou, pas vrai ?

Il les portait comme des plumes. Eddie tourna vivement la tête en direction de l'homme trapu qui venait de paraître.

– Tu ne les as pas blessés ? demanda Drake.

– Non, ils n'étaient pas armés, et je me suis dit que c'était pas la peine. Ils dorment comme des bienheureux... Bienheureux, d'accord, mais moches comme des poux, ajouta-t-il en examinant tour à tour les deux Limiteurs inconscients sur ses épaules. Bien, je te les dépose où, alors ? À côté de Grand Chef moustix ? demanda-t-il en regardant Drake.

– Non, pose-les là-bas, indiqua Drake en souriant à Eddie qui regardait Sweeney avec intérêt. Dites bonjour à Sparks, un vieux copain à moi. J'en ai d'autres comme lui.

Eddie haussa les sourcils, manifestement étonné que les soldats styx aient été pris par surprise.

– Il en manque encore un, dit-il.

– Jiggs, intervint Sweeney.

– Jiggs est ici ? interrogea Drake, ébahi.

– Oui. Il a mis un autre de ces bozos au tapis.

– Le brave homme, dit Drake en riant d'un air flegmatique, puis il examina les Limiteurs alignés qui attendaient patiemment. Pourquoi ces grandes manœuvres, Eddie ? C'est pour une randonnée pédestre ? demanda-t-il froidement. Je ne peux qu'en déduire que tous ces Limiteurs sont passés de votre côté, mais comment êtes-vous sûr de pouvoir leur faire confiance ?

– Ils sont loyaux envers moi, confirma Eddie sans l'ombre d'un doute dans la voix. Souvenez-vous de ce que je vous ai dit. Il y en a d'autres qui partagent mon sentiment. Ces hommes ont tous fait défection pour me rejoindre en raison de leurs convictions. Ils estiment que ce dérapage est inapproprié et qu'il convient d'y mettre un terme.

– Tout va bien, Will ? demanda Drake qui venait de remarquer le visage tendu de l'adolescent.

Non, Will n'allait pas bien. Il se demandait si l'un de ces Limiteurs se trouvait là au sommet de la pyramide à observer le meurtre du Dr Burrows. Il avait fait part à Chester de ses vives critiques au sujet de cette alliance temporaire entre Drake et Eddie, lorsqu'ils avaient organisé une opération conjointe dans la Cité éternelle, mais il n'en avait rien dit à Drake lui-même. Il lui était impossible de croire en l'existence d'un bon Styx.

– Will, répéta Drake.

– Oui… ça va, mentit Will en serrant les dents.

– C'est donc toi, Will Burrows, dit Eddie d'une voix douce. J'ai beaucoup entendu parler de toi.

– Vraiment, grogna Will, perturbé par l'attention que lui accordait le Styx.

– De toi, et de ta famille : Tam, ta mère Sarah… et puis Cal, ton frère. C'est à son sujet que nous te devons des excuses.

– Cal ? s'étrangla Will, incapable d'en dire plus.

– Oui, à propos de son chasseur. Je crois que l'animal s'appelait Bartleby.

– Comment ça, *s'appelait* Bartleby ? s'écria Drake, mais Eddie poursuivit ses explications.

– Il y a eu une grave défaillance, inexcusable dans notre protocole, à l'un des postes d'observation que j'ai mis sur pied sur les collines entourant le domaine, et ton chasseur a triomphé de l'une de nos équipes. Le Limiteur qui était alors de garde s'est laissé surprendre par l'animal, qui l'a attaqué.

– De quoi est-ce qu'on parle au juste ?

– Malheureusement, Bartleby a été tué, répondit Eddie en pointant son doigt crochu en direction du Humvee garé en bordure de la piste derrière Will.

Will pivota sur lui-même, et tel un automate, il se mit à avancer en direction du véhicule. Il ne voulait pas voir ce qui l'attendait, mais se sentait obligé de regarder. Il y avait une forme étendue sur le capot. Will releva sa lentille de vision nocturne, rendue inutile par l'arrivée de l'aube.

En se rapprochant, il vit qu'il s'agissait de Bartleby, dont la carcasse était étendue sur l'avant du véhicule, les pattes ficelées avec de la corde, comme s'il s'agissait de quelque trophée de chasse. Un réseau de veines d'un bleu cobalt semblable à l'azur matinal courait sous sa peau couleur ardoise qui semblait avoir éclairci dans la mort. Ses yeux ambre avaient perdu toute leur intensité, pâles comme du lait caillé, la pupille opalescente fixée sur le vide.

Will ne parvenait pas à accepter que le félin fût immobile, lui qui avait toujours été si vif, caracolant sans cesse dans sa quête permanente de nourriture, toujours prompt à faire quelque bêtise, tel un enfant espiègle.

– Bart… murmura Will.

Il s'attendait presque à ce que le chat se réveille comme autrefois, lorsque Will le tirait de l'une de ses siestes. Mais non, il n'en serait rien. Il tendit la main et caressa l'une des grosses pattes de Bartleby.

– Mon bon vieux Bartleby, dit-il, la gorge serrée par l'émotion. Mon pauvre ami.

Will marmonnait ces mêmes mots en secouant la tête, alors même qu'il rebroussait chemin en direction du gué en traînant les pieds, épuisé par la colère et le chagrin. Tous les yeux étaient rivés sur lui, mais ils ne disaient mot, quand Eddie brisa soudain le silence.

– Je suis sincèrement désolé pour cet accident.

– Désolé ? Vraiment ? rugit Will.

Will entendait encore la voix de son frère défunt dans sa tête, avide de vengeance.

Tue ces saletés de Cols d'albâtre, Will ! Qu'ils en aient pour leur compte ! lui hurlait Cal.

Rien ne pourrait l'arrêter. Il pourrait abattre Eddie et ces soldats, et ce serait sans retour. Il n'enfreindrait pas la loi. Drake et Sweeney pourraient enterrer leurs cadavres dans la forêt, comme on le ferait sans doute pour Bartleby.

– Vous êtes désolé ? répéta Will en mettant l'homme au défi de répondre. Et ça, c'est désolant ? dit-il en agitant son Sten d'un air menaçant en direction d'Eddie.

Il brûlait d'appuyer sur la détente.

Il avait les yeux embués de larmes à présent.

– Vous m'avez tout pris, encore et toujours. Tout ce que vous savez faire, c'est tuer... Je...

Will commença à appuyer sur la détente.

– Will ! s'écria Drake.

– Tout doux... ne fais rien que tu puisses regretter ensuite, mon gars, dit Sweeney en fondant sur lui, puis il agrippa le canon du Sten pour le dévier vers le sol.

Will n'opposa aucune résistance, et laissa Sweeney lui ôter doucement l'arme des mains.

– N'agis jamais sous le coup de la colère, Will.

– Je veux me racheter, continua Eddie.

– Quoi ? s'exclama Drake, déconcerté.

– Laissez-moi vous débarrasser de ceci, proposa Eddie après avoir traversé le gué en pataugeant. Vous n'en avez plus besoin maintenant, ajouta-t-il en indiquant la grenade que Drake tenait à la main.

Drake lui adressa un regard perplexe.

– Je ne vais certainement pas m'en servir contre nous, lui assura Eddie. Je ne suis pas suicidaire.

Drake fronça les sourcils, mais laissa le Styx s'emparer de la grenade. Will n'en revenait pas. Plus étrange encore, il percevait quelque chose qui n'avait rien à voir avec de l'animosité entre les deux hommes, mais plutôt une forme de camaraderie, de l'amitié même. Will en avait gros sur le cœur.

Eddie rejoignit la rangée de Limiteurs et tendit la grenade au Styx dont le visage était couvert de pansements, qui l'accepta sans rien dire.

– Ce soldat veut exprimer ses regrets, annonça Eddie, et c'est alors que le Limiteur se mit à remonter la piste avant de s'enfoncer dans la forêt.

– Non ! hurla Drake, qui venait de comprendre ce qui allait se passer, puis il se tourna vers Sweeney. Sparks ! Tes oreilles ! hurla-t-il.

Il eut à peine le temps de finir sa phrase que le Limiteur sautait avec la grenade. Il y eut un éclair suivi par une explosion étouffée au moment où le corps du soldat décollait du sol. Toute l'assemblée se retrouva sous une pluie de terre et d'échardes de bois. Mme Rawls hurla et un arbre grinça avant de s'abattre sur le sol.

– Aïe ! C'était puissant ! se plaignit Sweeney, les mains sur les oreilles.

– Ce n'était pas nécessaire, Eddie, remarqua Drake d'un air sévère.

Eddie, comme les autres Limiteurs, gardèrent le même visage impénétrable.

– Non, tel est le prix à payer pour négligence dans le service, expliqua Eddie. Et je viens également de répondre à votre question, Drake. Chacun de ces hommes me témoignera une obéissance absolue. Leur loyauté envers moi est indéniable. C'est pour cette raison qu'ils sont ici. Ils feront tout ce que je leur dirai.

Eddie s'adressa alors à Will qui le regardait les yeux écarquillés, encore à demi accroupi pour se protéger des retombées de l'explosion.

– Comme je viens de le dire, nous sommes vraiment navrés de la mort du chasseur. Maintenant que le responsable a été puni, j'espère que nous nous sommes quelque peu rachetés, puis il se tourna vers Drake. Est-ce qu'on peut discuter, maintenant ?

– Tant que vous ne recommencez pas des trucs comme ça.

Le Sten ressemblait à un jouet entre les énormes mains de Sweeney. Will et Drake le laissèrent en arrière pour qu'il surveille Mme Rawls et les Limiteurs. Eddie avait suggéré diplomatiquement qu'ils aillent discuter à l'intérieur du Humvee de l'autre côté du gué, ce qui épargnerait à Will la vue du corps sans vie de Bartleby.

Will grimpa sur le siège avant, côté passager. Il n'était jamais monté dans un Humvee, et scrutait le spacieux intérieur du véhicule.

– Est-ce que ça va, Will ? demanda Drake en s'installant sur l'un des sièges à l'arrière.

Will se retourna et acquiesça, mais Drake examinait déjà les armes rangées à l'arrière du véhicule. Le casier comptait près d'une douzaine de carabines styx et ce qui se faisait de mieux dans le domaine des armes surfaciennes. Juste à côté, il y avait aussi du matériel de communication qui semblait avoir coûté pas mal d'argent.

– Je parie que vous avez dû fourguer quelques diamants pour payer tout ça, dit Drake en voyant Eddie grimper sur le siège à son côté.

– J'ai deux autres véhicules comme celui-ci à Londres, répondit Eddie. Et quelques voitures blind…

Drake venait de lui décocher brusquement un coup de poing en pleine face, à la stupéfaction de Will, qui ne s'y attendait pas du tout.

– Ça, c'est pour m'avoir soumis à la Lumière noire, dit Drake en se frottant les phalanges.

Eddie avait les larmes aux yeux. Il fouilla dans la poche de son pantalon pour en extirper un mouchoir et s'épongea le nez. Il avait une trace de sang au-dessus de la lèvre supérieure.

– J'imagine que je l'ai méri…

Mais Drake lui asséna alors un second coup de poing, frappant encore plus fort cette fois-ci. Le mouchoir partit valdinguer dans le véhicule. Eddie saignait vraiment du nez à présent.

– Et ça ? demanda Eddie d'une voix plus nasillarde que jamais.

– Ça, c'est pour Chester, rugit Drake. C'est mesquin de l'avoir soumis à la Lumière noire lui aussi.

– Quoi ? s'exclama Will. Vous voulez dire que ce n'étaient pas les vrais Styx ?

– Non, n'est-ce pas, Eddie ? poursuivit Drake d'un ton accusateur.

– J'imagine que je méritais ça aussi, acquiesça Eddie sans montrer le moindre ressentiment face à la manière dont venait de le traiter Drake, puis il continua d'une voix impassible. C'était sournois de ma part, mais j'avais besoin de pouvoir suivre votre trace. Lorsque vous avez laissé Chester seul dans mon appartement, je lui ai fait subir un léger conditionnement, rien de bien méchant.

– À vous entendre, on croirait qu'il s'agit d'un soin capillaire ! commenta Drake d'un ton pince-sans-rire, puis il secoua la tête. Nous avons fui la maison de mon père pour de mauvaises raisons. Pourquoi, nom de Dieu, ne vous êtes-vous pas contenté de frapper à la porte ?

– J'avais besoin d'avoir toute votre attention, répondit Eddie en reniflant, les narines obstruées par le flot de sang. Si je m'étais simplement présenté à la porte, vous ne m'auriez pas pris au sérieux. Et vous semblez négliger le service que je viens de vous rendre. Lorsque vous avez jeté Emily Rawls dans l'arène, je suis entré en scène pour la sauver, et je vous la ramène à présent saine et sauve.

– Dans l'arène ? Qu'est-ce qu'il raconte ? demanda Will.

– C'était son choix, se défendit Drake, mais Will voyait bien qu'Eddie venait de prendre le dessus. Emily voulait absolument nous aider, et j'avais besoin d'un moyen de surveiller ce que les Styx comptaient faire ensuite.

– Donc d'après vous, ce que j'ai fait à Chester était pire que de jeter sa mère en pâture aux loups ? lança Eddie avant de reprendre son souffle. Mais tout ça ne nous mènera nulle part, et il faut que je vous briefe à propos de…

– Qu'est-ce qu'il y a de si important, au juste, pour que vous vous soyez donné tout ce mal pour venir me parler ? l'interrompit Drake sur un ton agressif, manifestement en colère après de telles accusations. Si c'est au sujet de votre fille, vous perdez votre temps. Elle ne veut pas savoir.

– Oui… et non, répondit le Styx d'une voix mesurée. Non, je ne suis pas venu pour Elliott, mais avez-vous remarqué quelque chose de différent chez elle ? Des changements ?

– Eh bien, elle grandit vite, répondit-il, comme n'importe quelle adolescente, répondit Drake d'un air perplexe.

– Comme n'importe quelle adolescente ? murmura Eddie en ouvrant et refermant sa main d'un geste plein de raideur, signe d'anxiété infime, mais néanmoins inhabituel que remarquèrent aussitôt Will et Drake. Drake, je vais vous dire quelque chose qu'aucun humain n'a jamais entendu, dit le Styx en rivant ses yeux aux siens. Vous comprendrez pourquoi mon peuple a accéléré le rythme de ses opérations ici, à la surface.

– Allez-y, répondit Drake en se renfonçant dans son siège, les bras croisés. Je suis tout ouïe.

– Il faut que je vous parle de... commença Eddie, en hésitant comme si ses lèvres refusaient de lui obéir... de la *Phase*.

Deux Néo-Germains ouvrirent les portes de l'usine, et le capitaine Franz gara la Mercedes dans une zone goudronnée qu'une pancarte désignait comme PARKING VISITEURS. En un éclair, il quitta son siège et ouvrit la portière arrière aux jumelles, puis il se précipita au-devant d'elles pour leur tenir la porte de l'immeuble de bureaux. Mais, pendant un instant, les deux Rebecca restèrent en arrière pour admirer les belles voitures rangées là.

– Il y a de quoi être fier, dit Rebecca en repérant une Bugatti Veyron à côté d'une Ferrari Enzo.

Sa sœur se contenta d'acquiescer sans rien dire, puis elles poursuivirent leur chemin vers le bâtiment où les attendait le capitaine Franz qui tenait toujours la porte.

– Très aimable à vous, merci, dit Rebecca bis en passant devant lui.

– Très aimable à vous, merci, répéta Rebecca avec des trémolos dans la voix à la Marilyn Monroe, avant de conclure par une petite révérence.

Rebecca bis ignora le sarcasme de sa sœur, tandis qu'un Limiteur en tenue de combat s'avançait vers elle pour les accueillir.

– Je vois d'après les voitures qu'elles sont toutes là, dit-elle. Faites-les entrer dans la salle de conférence.

Les jumelles quittèrent rapidement la réception, s'engagèrent dans un couloir, puis franchirent une porte qui donnait sur une vaste pièce dominée par une table d'environ six mètres de long. On avait disposé des chaises tout autour du plateau. Les jumelles partirent s'asseoir directement en tête de table. Le capitaine Franz se plaça derrière elles comme s'il attendait leurs ordres, les mains derrière le dos.

En moins d'une minute, une procession de femmes styx entra dans la salle de conférence. Elles étaient de toutes les origines sociales surfaciennes et leur apparence variait en fonction. Certaines d'entre elles avaient conservé leur chevelure noir de jais, mais d'autres l'avaient teinte ou décolorée. Quant à leurs tenues vestimentaires, elles étaient tout aussi diverses. Au lieu de rester tapies dans l'ombre comme leurs homologues masculins, nombreuses étaient celles qui s'étaient infiltrées à des postes de premier plan, que ce soit dans le commerce ou dans les échelons supérieurs du gouvernement. Elles se trouvaient donc souvent sous les feux de la rampe. Elles étaient des membres importants et appréciés de la société anglaise, décisionnaires clés dans leurs domaines de prédilection.

Il y avait quarante femmes au total. Même si elles ne se ressemblaient pas, elles partageaient toutes la même extraordinaire beauté. Elles avaient les pommettes hautes et le regard perçant. Elles étaient incroyablement grandes et fines. En termes surfaciens, elles étaient toutes éblouissantes.

Une femme aux cheveux noirs et courts s'avança d'un pas léger vers la chaise qui faisait face aux jumelles, puis s'y installa en croisant les jambes.

– Hermione, la salua Rebecca.

Hermione lui sourit.

– J'ai vu la double page qu'ils t'ont consacrée dans *Hello !* poursuivit Rebecca. Tu étais tout bonnement renversante sur ces photos.

– Oui, je suis contente du résultat de cette séance.

Hermione possédait des maisons à Londres, Paris et New York. C'était la tête de proue de l'une des compagnies spécialisées en relations publiques les plus en vue dans le monde.

Une autre femme aux cheveux mi-longs et blonds prit place à côté d'Hermione. Elle était vêtue d'un tailleur Vivienne Westwood noir. Elle se laissa glisser sur sa chaise avec la grâce d'une chatte, puis elle posa un pied sur le bord de la table. Elle portait des escarpins Jimmy Choo.

– Et salut, Vane, lui lança Rebecca bis. Ça fait un bail.

– En effet, répondit-elle.

Même si c'était difficile à voir du premier coup d'œil, Hermione et Vane étaient jumelles, tout comme les deux Rebecca pour qui ces femmes avaient toujours été des modèles.

– Tu as été drôlement occupée avec ta dernière émission, lui dit Rebecca bis.

La femme lui adressa un petit sourire. Elle présentait une télé-réalité qui battait des records d'Audimat.

– Il en faut peu pour amuser le Surfacien moyen, dit-elle d'un ton plein de mépris.

Hermione se frotta l'épaule sous sa veste en jetant un coup d'œil à la salle de conférence.

– Quel trou ! D'une banalité absolue.

– Oui, c'est parfait, n'est-ce pas ? Et à l'arrière, nous disposons d'un environnement climatisé d'une superficie d'un demi-hectare environ, ajouta Rebecca bis en inclinant la tête vers la droite.

– Et nous vous avons déjà préparé trois cents sujets dans cet espace, poursuivit Rebecca en s'adressant à toute l'assemblée.

Les femmes réagirent aussitôt en ronronnant de plaisir. Elles s'étaient mises à respirer plus laborieusement, toutes sans exception, et leur visage s'était soudain empourpré. Quelques-unes se massaient les épaules. Mais une femme qui se tenait debout au milieu du groupe, juste derrière Vane et Hermione, semblait moins ravie que les autres.

– C'est tout ? dit-elle sèchement.

Elle avait l'air démodé, comparé aux autres femmes. Elle ne portait pas de maquillage et révéla une chevelure queue de vache lorsqu'elle ôta sa casquette. Vêtue de son uniforme kaki, c'était l'une des femmes les plus gradées de l'armée britannique.

– Car je sais où nous pourrions récupérer bien plus de candidats que ça, dit-elle en faisant référence aux soldats placés sous son commandement. Et ils sont tous en parfaite condition physique.

– Nous n'en avons pas besoin, rétorqua aussitôt Rebecca. Nous sommes en train d'en préparer trois cents autres qui seront bientôt disponibles. Cela devrait suffire à satisfaire votre appétit vorace, major.

Une femme vêtue d'un tailleur bleu foncé s'avança hors du groupe. Elle venait tout juste d'arriver de la clinique d'optométrie où elle administrait des séances régulières de Lumière noire à de nombreux politiques et autres hommes d'affaires en vue.

– Puis-je commencer par lui ? demanda-t-elle en écarquillant ses grands yeux noirs, tout en lorgnant sur le capitaine Franz. C'est un morceau de choix.

– Je l'ai vu la première, répondit Hermione en riant, puis elle décroisa les jambes et passa sa langue sur ses dents rectilignes.

– Vous faites erreur l'une et l'autre, car vous apprendrez qu'il m'appartient, dit Vane.

– Non, répondit Rebecca bis un peu trop vivement. Il nous est utile.

– Vraiment ? dit Hermione, le regard étincelant.

Elle avait remarqué que Rebecca bis était sur la défensive.

– Et dans quelle mesure au juste pourrait-il nous être utile ?

– Si tout le monde est prêt, annonça Rebecca en se levant pour désamorcer la situation, veuillez nous suivre, s'il vous plaît.

Les jeunes filles ouvrirent la marche avec les femmes styx à leur suite. Leurs talons retentirent sur le lino, quand elles quittèrent la moquette pour se rassembler dans le couloir menant au premier entrepôt. Deux Limiteurs, intrépides soldats d'élite du régiment styx, étaient postés à l'entrée de l'ancienne usine. Mais ils semblaient avoir perdu de leur superbe, à présent qu'ils cherchaient à se tenir autant que possible à distance de la horde de femmes. Hermione se pencha vers l'un d'eux et poussa un grognement. Le Limiteur faillit bien sauter au plafond.

– Les hommes sont vraiment des mauviettes, gloussa-t-elle d'un rire enroué.

Mais les autres femmes ne dirent mot en pénétrant dans l'usine. Les humidificateurs d'air de taille industrielle vibraient dans une atmosphère chaude et lourde. L'intérieur de l'entrepôt était plongé dans l'obscurité, à l'exception de l'éclairage que jetaient quelques globes lumineux montés sur des trépieds.

Il y avait trois cents personnes, plongées dans l'inconscience, allongées sur autant de lits d'hôpitaux disposés de telle sorte qu'ils formaient une grille. On aurait cru voir un immense dortoir rempli d'humains profondément endormis. Il y avait des Surfaciens, des Colons, et même une poignée de Néo-Germains qu'on avait amenés là pour grossir les rangs.

Rebecca se posta devant le groupe de femmes.

– Voilà, commença-t-elle avant de remarquer que la plupart des Styx ne lui accordaient pas la moindre attention.

Poussées par l'instinct primitif qui s'était inexorablement réveillé en chacune d'elles, nombreuses étaient celles qui s'avançaient déjà vers les lits. Rebecca leva les mains au-dessus de sa tête et s'adressa aux femmes en criant à tue-tête.

– Voici l'un des moments les plus glorieux de notre longue histoire, et nous sommes fières d'avoir pu…

Elle se tut. C'était inutile. Le groupe des femmes assemblées là l'écoutait à peine, dévorant les lits du regard.

– Lorsque vous en aurez terminé avec eux, vous pourrez passer aux deux entrepôts suivants où vous attendront les autres candidats, ajouta Rebecca bis. Ne vous inquiétez pas si vous n'arrivez pas à vous occuper de tous ces hommes. D'autres sœurs nous rejoindront plus tard.

– On essaiera de leur laisser quelques miettes, dit Hermione, provoquant des rires étouffés au sein du groupe.

Elles étaient toutes impatientes de se jeter dans la bataille.

– Bien. Que la Phase commence ! proclama Rebecca en hurlant.

Les femmes se répartirent sur toute la surface de l'entrepôt, et certaines se mirent même à courir pour s'approprier les humains qui se trouvaient aux quatre coins du hangar.

– Nous avons parcouru un sacré bout de chemin depuis la Roumanie, dit Rebecca. C'est tellement plus simple depuis que nous disposons d'une technologie nous permettant de leur récurer le cerveau, dit-elle en faisant allusion au traitement intensif à la Lumière noire qu'avaient subi les hommes allongés sur les lits.

– Oui, cela fait bien moins désordre que de devoir les entraver. Quand bien même ils auraient les chevilles brisées, ils pourraient encore chercher à résister, dit Rebecca bis dans un souffle, en regardant Hermione qui s'approchait d'un des lits les plus proches.

La femme styx enfourcha l'homme inconscient, ôta sa veste, puis son chemisier, se cambra en jetant la tête en arrière, et c'est alors qu'elle lâcha un cri primordial et perçant dont le toit en tôle ondulée renvoya l'écho qui se diffusa ensuite sur tout le plateau de l'usine.

Elle avait déjà le dos ensanglanté, mais au moment même où elle s'était mise à hurler, deux fentes s'étaient ouvertes au-dessus de ses omoplates, lui déchirant les chairs.

Des pattes articulées se frayèrent un chemin à travers les deux déchirures. Elles frémissaient comme si elles venaient de naître et qu'elles respiraient pour la première fois, puis elles se déployèrent d'un coup sur toute leur longueur : deux membres insectoïdes, noirs et luisants de sang et de plasma, et hérissés de petits poils.

Hermione n'avait pas cessé de hurler, mais ses cris se confondaient avec ceux des autres femmes qui avaient elles aussi enfourché leurs victimes. Elles hurlèrent jusqu'à ce que le volume sonore dépasse le seuil du supportable dans l'enceinte de l'usine, tandis que le son faisait vibrer jusqu'au dernier atome des parois.

Puis Hermione se jeta sur l'humain inconscient, bras humains et pattes insectoïdes en avant. De ses pinces, elle agrippa l'homme des deux côtés afin de le maintenir immobile pour l'opération qui allait suivre.

Hermione respirait par saccades, tandis qu'elle rapprochait son visage de celui de l'homme, et c'est alors qu'elle ouvrit la bouche de sa victime en lui écartant les lèvres à l'aide de ses pouces et qu'un tube d'une cinquantaine de centimètres jaillit soudain de la sienne. Il trouva aussitôt la bouche de l'homme.

– C'est une chose merveilleuse à contempler, dit Rebecca d'une voix inarticulée, enivrée par ce spectacle. Quelle chance que de pouvoir assister à ça !

Le tube de chair était semblable à l'ovipositeur qui émerge à la pointe de l'abdomen de nombreux insectes lorsqu'ils pondent leurs œufs, mais il était beaucoup plus large. Le tube d'Hermione palpitait à mesure que les mouvements péristaltiques de ses muscles expulsaient une boule hors du tube. Il s'agissait d'une enveloppe de la taille d'une boîte d'allumettes. Un sac d'œufs.

Alors que le tube s'enfonçait plus profond dans la bouche de l'homme et se forçait un passage dans sa gorge, il eut un haut-le-cœur réflexe et chercha à bouger la tête, mais dans un ultime gargouillis, l'œuf parvint jusqu'au cœur de ses entrailles, et la victime retrouva son immobilité.

Les membres insectoïdes d'Hermione se détachèrent des tempes de l'homme. Elle leva les bras pour s'étirer avec élégance, puis passa aussitôt au lit suivant, où gisait une femme.

– Et de un ! Plus que cinq cent quatre-vingt-dix-neuf, conclut Rebecca bis.

Chapitre Sept

– Et de chacun de ces sacs ou poches naissent plus de trente Styx. Ils passent par un stade larvaire pendant lequel ils consomment la chair vivante de leur hôte humain. Puis, une fois qu'ils ont épuisé la carcasse de leurs victimes, ils éclosent brutalement et…

– Comment ça ? demanda Will, pris de nausée.

– Oui, ils rompent la peau de leur hôte et partent en quête de nourriture. Les jours suivants, ils ont besoin d'une grande quantité de viande fraîche pour pouvoir se développer pleinement. Une fois qu'ils ont absorbé assez de protéines, ils tissent des cocons, c'est la phase de la pupaison. En l'espace d'une semaine ou deux, ils éclosent et une nouvelle armée est alors prête à former un essaim.

– Mais vous dites que c'est ainsi que sont engendrés les Styx. Que voulez-vous dire par là ? demanda Drake en fronçant les sourcils.

– Comme moi, comme les Limiteurs, répondit Eddie.

– Mais après deux semaines seulement ? Comment peut-on engendrer un adulte pleinement constitué en l'espace de quelques semaines ? Comment est-ce possible ?

– Ils possèdent toute l'intelligence d'un mâle adulte styx, mais ils n'ont aucune faculté émotionnelle. Ils n'en ont pas besoin. Ils viennent au monde avec un seul objectif, tuer. Et ils font ça très bien, car ils n'ont pas du tout peur de mourir. Nous les désignons comme la classe des Guerriers. Ils se fraieront un chemin à travers la population surfacienne en usant de toutes les armes qu'ils trouveront, et massacreront tout ce qu'ils rencontreront en chemin jusqu'à ce qu'on leur dise d'arrêter. Ou bien jusqu'à ce qu'il n'y ait plus personne à tuer.

– C'est comme la guêpe ichneumon, murmura Will avec horreur, brisant le silence qui régnait dans le Humvee après le choc de cette révélation. J'ai vu ça dans une émission qui leur était consacrée, expliqua-t-il, le teint encore plus blême que d'ordinaire, lui dont la peau était déjà dépourvue de pigments. Elles déposent leurs œufs dans un animal vivant, ils éclosent et…

– C'est pire que ça, l'interrompit Drake en se tournant vers Will. Tu te souviens de la dernière fois qu'on était à Highfield avec ton père ? Lorsqu'il a voulu apercevoir Celia depuis le sommet d'un immeuble ?

– Oui, on était à Martineau Square.

– Eh bien, j'avais alors établi une comparaison entre les Styx et les virus avec une certaine désinvolture, et je ne me doutais pas que j'étais si proche de la vérité. Laissez-moi deviner, lorsque les œufs grandissent au sein de leur hôte, ils assimilent non seulement ses protéines, mais aussi une partie de son ADN qui s'intègre à leur génome, n'est-ce pas, Eddie ? Et n'est-ce pas la raison pour laquelle la physionomie actuelle des Styx est si semblable à la nôtre ?

– Nos scientifiques pensent qu'une Phase a eu lieu pendant la préhistoire, ce qui a conduit à l'extinction des dinosaures. En outre, nous n'étions certainement pas humanoïdes à l'époque. D'après eux, cette ressemblance avec les humains est venue plus tard, après la seconde Phase, au cours du Neandertal.

– Waouh ! marmonna Will d'une voix presque inaudible.

– Attendez… tout cela devient un peu trop fantaisiste, intervint Drake en levant les mains. Où sont les preuves, Eddie ? Et comment pouvons-nous être sûrs que ce que vous nous avez dit est bien vrai ? ajouta-t-il, sans agressivité cette fois, en essayant d'absorber ce qu'il venait d'entendre. Nous n'avons que votre parole…

Eddie esquissa un geste pour extirper quelque chose de sa veste, mais Drake sortit aussitôt son arme pour la pointer droit sur le Styx.

– Vous savez que je ne suis pas armé, dit Eddie, parfaitement immobile. Je veux juste vous montrer quelque chose.

– Allez-y, dit Drake en pointant toujours son arme sur le Styx.

Eddie sortit lentement d'une poche intérieure un livre à la couverture froissée et usée.

– *Le Livre des catastrophes* ? demanda Will en contemplant le volume en mauvais état que tenait Eddie.

L'ouvrage était relié dans une sorte de parchemin couleur ivoire.

– Non, ce livre date de bien avant celui-là, répondit Eddie. Il ne reste qu'une poignée d'exemplaires de cet ouvrage depuis le XVe siècle. Aucun colon n'a jamais posé les yeux dessus, et il est peu probable qu'il y en ait un autre en surface. Je me suis arrangé pour qu'on sorte clandestinement cet exemplaire de la Citadelle.

– Bon, et qu'est-ce que c'est ? demanda Drake en baissant son arme.

– Eh bien, songea Eddie pendant une seconde. Le titre styx de cet ouvrage signifie littéralement « la multitude provient de l'unité ». La traduction n'est pas exacte, mais je pense que le meilleur terme serait « propagation », ou peut-être mieux encore, « prolifération ».

Il suivit du doigt les trois côtés du triangle inversé martelé sur la couverture.

– Oui, *Le Livre de la prolifération*, décréta-t-il avant de le tendre à Will et Drake. Il n'est pas relié cuir, mais en peau. De la peau humaine.

– D'accord… souffla Drake. Voilà qui donne le ton…

Eddie ouvrit le livre, dont il tourna soigneusement les pages qui bruissaient comme de vieilles feuilles.

– Ah, voilà, dit-il en tournant le livre pour que Will et Drake puissent en voir l'illustration, qui n'était autre qu'une gravure sur bois tout à fait grossière.

On y voyait un homme gisant sur le sol, le corps enflé et difforme, tandis qu'une femme au visage mince se tenait au-dessus de lui. Le reste du corps était partiellement masqué par les ténèbres, et il était difficile d'en distinguer la silhouette.

– On dirait qu'elle a des ailes dans le dos, dit Will en scrutant l'image. Mais il doit s'agir des membres insectoïdes dont vous avez parlé.

– Exact, dit Eddie en faisant pivoter le livre vers lui, puis il jeta un coup d'œil au texte rédigé d'une plume méticuleuse. Voici le récit de notre dernière Phase. Il raconte ce qui s'est passé au milieu du XVe siècle en Roumanie, expliqua-t-il à Will et Drake. C'était au cours du règne du prince de Valachie, célèbre pour avoir massacré…

– Vlad… ne put contenir Will. Papa m'en avait parlé. Vous faites référence à Vlad l'Empaleur, n'est-ce pas ?

– C'est exact, confirma Eddie. Le folklore qui l'entoure a donné naissance à d'improbables histoires de vampires et à des films qui semblent encore en vogue en ce moment. Mais la réalité est quelque peu différente… à dire vrai, c'est notre Phase qui est à l'origine de ce mythe. Voyez-vous, le prince nous a offert sa protection si nous acceptions en échange d'éliminer les boyards, ses ennemis jurés. Pour remplir sa part du marché, il devait nous fournir un endroit sûr pour que la Phase puisse avoir lieu… et des corps humains en abondance.

– Je parie qu'il vous les a fournis sans problème. Mon père m'a dit que Vlad avait tué des milliers de gens, après les avoir fait rôtir ou les avoir écorchés, leur tranchant les bras et les jambes, se rappela Will. Il aimait à empaler leurs têtes sur des pieux.

– Mais ce n'était qu'une mise en scène destinée à détourner l'attention de nos propres agissements, poursuivit Eddie. Le prince était en réalité un homme doux et très cultivé.

– Attendez un peu. S'il y a eu une Phase au cours du XVe siècle… dans ce cas, que s'est-il passé ? Nous n'avons pas tous péri et nous ne vivons pas non plus dans la servitude. Qu'est-ce qui a mal tourné ? demanda Drake.

– Le prince manqua à sa promesse. Ses évêques le persuadèrent que nous n'étions pas des créatures de Dieu et qu'il fallait nous arrêter. Il ordonna à ses chevaliers de prendre d'assaut les catacombes du palais pendant que se déroulait la Phase. Nos Guerriers fraîchement conçus en étaient encore au stade larvaire ou de la pupaison. Les chevaliers ne rencontrèrent aucune résistance, ils les réduisirent en lambeaux et brûlèrent leurs restes. En fait, la seule opposition fut celle de nos femmes, mais les chevaliers finirent par les acculer au fond des catacombes où ils les achevèrent. Plutôt que de le dépeindre comme un despote cruel, les livres d'histoire devraient au contraire reconnaître en Vlad, le prétendu « empaleur », l'un des plus grands sauveurs, ajouta Eddie en esquissant presque un sourire. Ironie suprême, il a sauvé l'humanité tout entière.

– Si je comprends bien, des forces conventionnelles munies d'armes rudimentaires ont mis un coup d'arrêt à la Phase ? Ce ne devrait donc pas être un problème avec du matériel moderne, commenta Drake, les mains jointes.

– Non, mais seulement si vous parvenez à déterminer où cette nouvelle Phase est en train de se dérouler, et que vous détruisez la classe des Guerriers avant qu'ils ne se dispersent, répondit Eddie. Avant, ou pendant la pupaison.

– Pourquoi ? interrompit Drake.

– Car la classe des Guerriers est également capable de se reproduire. Une fois qu'ils s'échappent, leur nombre connaît une croissance...

– Exponentielle ! s'exclama Drake. Ce sont des mâles, mais ils peuvent malgré tout se reproduire. Mais pourquoi cette nouvelle Phase a-t-elle lieu maintenant ? demanda Drake, soudain perplexe.

– Comme je vous l'ai dit, un certain nombre de facteurs doivent être réunis avant le déclenchement d'une Phase. Même nos scientifiques ne savent pas exactement lesquels. Peut-être est-ce tout simplement notre horloge biologique. Le temps était... non, le temps est venu. Je le sais, car je le ressens, tout comme ces Limiteurs qui sont venus me trouver.

Chapitre Huit

Les deux Rebecca surveillaient la scène sur un écran de sécurité, tandis que le capitaine Franz se tenait derrière elles, tel un mannequin dans la vitrine d'un magasin. Hermione et les autres femmes styx se frayaient un chemin parmi les humains, qu'elles fécondaient de sacs remplis de leurs œufs.

Sur un autre écran Rebecca bis repéra du mouvement aux portes de l'usine.

– La livraison de vivres vient d'arriver, observa-t-elle.

– Il est temps ! Je parie que nos sœurs sont mortes de faim. Voyons voir si j'arrive à passer outre ce machin, dit Rebecca en appuyant sur les touches « fonction » du clavier jusqu'à ce qu'elle parvienne enfin à obtenir l'image de la caméra de vidéosurveillance qu'elle cherchait. Et voilà !

Le camion articulé entrait en marche arrière sur l'aire de chargement. À peine s'était-il arrêté que s'ouvrit la remorque. Un escadron de Néo-Germains s'empressèrent d'en empiler le contenu dans des brouettes.

– On livre à domicile, plaisanta Rebecca. « You are my sunshine », commença-t-elle à entonner, tandis qu'elle affichait à nouveau l'image de l'entrepôt à l'atmosphère chaude et lourde.

À l'aide de la manette qui se trouvait sur le panneau de contrôle du bureau, elle zooma sur les portes qui donnaient sur l'aire de chargement. En moins d'une minute, elles s'ouvrirent pour laisser passer deux Néo-Germains qui poussaient une brouette chargée de vivres. Un Limiteur montait la garde à l'entrée juste derrière eux.

Une horde de femmes styx qui avaient senti l'odeur de la nourriture guettait à l'intérieur de la zone.

– Voilà qui devrait être amusant, dit Rebecca avec un rire malveillant.

Vane se rua sur l'un des Néo-Germains, qu'elle épingla sur le sol à une vitesse époustouflante. Le reste des femmes se précipita aussitôt sur lui et sur l'autre soldat qu'elles mirent en pièces. Les deux hommes avaient subi un tel conditionnement à la Lumière noire qu'ils ne tentèrent même pas de se défendre.

– Après tout, nous avions promis de la chair fraîche à nos sœurs, songea Rebecca bis en regardant le carnage. On ne peut pas faire plus frais.

Même le Limiteur n'échappa pas à l'attention des femmes.

– Trop cool ! souffla Rebecca.

Telle une araignée à l'attaque, Vane s'était déplacée à une vitesse si phénoménale qu'elle ne laissait qu'une traînée indistincte à l'écran.

D'un bond, elle s'était jetée sur le Limiteur, et sans lui laisser le temps de réagir, elle lui avait crevé les deux yeux de ses pattes insectoïdes. Vacillant sur ses pieds, il avait tenté d'employer sa carabine pour la tenir à distance, mais Hermione était déjà agrippée sur son dos et plantait ses dents dans son cou.

– C'est toujours la femelle de l'espèce qui est la plus meurtrière, murmura Rebecca.

– Ha, ces deux-là ! gloussa Rebecca bis en regardant Vane et Hermione qui écartelaient le soldat styx membre après membre, tandis qu'un autre Limiteur paniqué s'empressait de sceller les portes de l'usine derrière elles. Elles sont si difficiles en matière de nourriture !

Le Bedford roulait maintenant sur le lit du fleuve, dont le niveau avait baissé. Au moins, ils n'avaient plus les pieds dans l'eau, puis les roues de la camionnette s'emballèrent et ils franchirent la berge pour rejoindre une sorte de piste.

Au bout d'un temps, Chester sentit quelque chose contre son bras. Stephanie avait sombré dans le sommeil, et sa tête avait roulé sur son épaule. Chester sortit sa lampe torche en tamisant la lumière de sa main pour ne pas la déranger, tandis qu'il tentait de déchiffrer l'heure à sa montre. Juste avant qu'il ne l'éteigne, le faisceau de sa lampe éclaira brièvement Elliott, qui était assise juste en face de lui. Elle était parfaitement éveillée et fixait les deux adolescents. Peut-être était-ce dû à l'angle d'incidence de la lumière, mais elle avait une expression lugubre, tout ça ne l'amusait guère.

Malgré la pénombre, Chester se sentit rougir comme s'il avait été pris en train de faire quelque bêtise. Il ne savait certes pas comment réagir à l'intérêt de Stephanie, d'autant qu'il était motivé par la fausse image que Will avait donné de ses prouesses de champion de ski.

La vitesse à laquelle allaient les choses le mettait mal à l'aise, comme si le courant d'un fleuve l'entraînait au loin. En résumé, il ne savait pas quels étaient les sentiments qu'éprouvait Elliott à son égard, ni ce qu'il ressentait pour elle. Ils avaient semblé parfois très proches, mais depuis peu, pendant leur séjour chez Parry, elle avait pris ses distances vis-à-vis de lui comme des autres.

Chester ne savait que penser.

Il fut soulagé lorsque le Bedford finit par s'arrêter en faisant crisser ses pneus, réveillant Stephanie.

– Où on est ? demanda-t-elle en bâillant alors qu'elle se redressait sur la banquette.

– Sais pas, grogna Chester qui savait qu'Elliott l'observait sans doute.

– Tout le monde descend ! dit Parry en ouvrant le hayon avec fracas.

Chester sauta de la camionnette juste après le colonel Bismarck, pour se retrouver dans un abri de tôle ondulée. Il effectua quelques pas dehors, les yeux tournés vers le ciel où les premières lueurs de l'aube commençaient à percer entre les nuages.

– Quelle surprise ! Il pleut, dit-il d'une voix plaintive en clignant des yeux sous le crachin.

– Mais c'est une Morris Minor ! s'écria M. Rawls.

Chester se retourna et vit une vieille voiture cachée derrière la camionnette. On aurait dit un énorme grain de raisin trop mûr, non pas tant à cause de sa forme globuleuse que de la patine mate de la carrosserie.

– Elle appartient à Danforth, l'informa Parry. Il est au moins arrivé ici sans encombre.

Une fois que tout le monde eut rassemblé son matériel, ils suivirent Parry le long d'un sentier bordé d'épaisses broussailles. Chester remarqua qu'Elliott s'était arrêtée et qu'elle grimaçait en se massant l'épaule sous la bandoulière de son sac à dos.

– Tout va bien ? demanda-t-il d'un air soucieux en posant la main sur son bras, après avoir rebroussé chemin.

– Stephanie est très jolie. Tu ne m'avais pas dit que tu avais rencontré quelqu'un au domaine, répondit-elle en sursautant, puis elle s'éloigna de lui.

– Je... euh... ne pensais pas que c'était quelque chose d'important, bredouilla Chester. Et je ne la connais vraiment pas.

– Moi oui, répondit Elliott. Elle représente à la fois tout ce que je voulais être et tout ce que je déteste en moi.

Chester ne savait comment réagir à cette dernière remarque.

– Dépêchez-vous un peu tous les deux ! lança Parry qui venait de remarquer qu'ils étaient à la traîne avant de reprendre sa marche de plus belle.

Quelques minutes plus tard, Chester aperçut un champ ouvert au-devant d'eux.

– Dépêchez-vous ! pressa encore Parry.

Ils venaient d'émerger dans un couloir au pied d'une montagne couverte d'herbes et de végétaux broutés par les moutons. Cependant, plus près du sommet, le sol avait été lessivé par les éléments, exposant de vastes plaques rocheuses striées qui se dressaient telles d'anciennes fortifications. Le couloir conduisait à une série de pylônes électriques.

– Une fois que nous aurons atteint le sommet, nous serons à découvert. Il est peu probable qu'il y ait qui que ce soit au fond de la vallée en contrebas, mais juste au cas où, Wilkie va vous faire passer un par un. Compris ? demanda Parry après avoir rassemblé toute la troupe autour de lui d'un côté du couloir.

Ils acquiescèrent de conserve, et Parry disparut dans la montagne. Quand fut venu le tour de Chester, Wilkie lui donna une tape dans le dos et l'adolescent se mit à gravir le flanc de la montagne. Le visage battu par le vent et la pluie, il traversa en petites foulées la centaine de mètres qui le séparait du point où l'attendait Parry,

accroupi au pied de l'un des pylônes les plus proches. Il y avait deux gros transformateurs gris d'environ six mètres carrés couverts d'ailettes de refroidissement et surmontés de longs poteaux desquels partaient des câbles reliés au pylône qui se dressait en surplomb.

Les deux transformateurs étaient enclos par un grillage dont le sommet était garni de fils de fer barbelés acérés. Parry fit entrer Chester par un portail ménagé dans la clôture pour qu'il puisse rejoindre son père et Stephanie, laquelle était fort agacée.

– Ce n'est plus cool du tout ! dit-elle, le bout du nez dégouttant d'eau de pluie.

Old Wilkie les rejoignit enfin à l'intérieur de l'enceinte et Parry s'approcha de l'un des transformateurs duquel émanait un bourdonnement continu. On pouvait lire sur un panneau l'avertissement suivant : DANGER DE MORT, DÉFENSE D'ENTRER, HAUTE TENSION ! Il y avait également un pictogramme représentant des éclairs de part et d'autre et une tête de mort peinte en rouge.

– Danger, oui, on peut le dire, commenta Parry en posant la main sur le bâtiment.

Il y eut une décharge électrique accompagnée d'un craquement semblable à celui d'un fouet. Parry avait beau avoir les cheveux mouillés, ils s'étaient dressés sur son crâne, ce qui aurait pu être comique si tout le monde n'avait pas cru qu'il venait de s'électrocuter.

– Il n'y a pas de quoi s'inquiéter, dit-il en riant. Il s'agit d'une charge électrostatique destinée à éloigner les curieux.

Il choisit une ailette sur le côté du transformateur et appuya sur un loquet avant d'ouvrir une petite écoutille montée sur une glissière.

Tout le monde s'engouffra dans l'ouverture en baissant la tête et ils pénétrèrent dans une pièce à l'atmosphère oppressante. Parry enfonça une série de touches sur un petit clavier en s'éclairant de sa lampe torche. À peine eut-il terminé qu'une lumière rouge se mit à clignoter au-dessus d'une grille située juste à côté du pavé numérique.

– La première séquence, demanda soudain une voix masculine.

– Tu sais très bien qui je suis. Faut-il vraiment rejouer cette comédie chaque fois ? répondit Parry avec irritation.

– Évidemment, rétorqua la voix d'un ton sec, avant d'ajouter : chef.

– « La bête sommeille au cœur de la montagne jusqu'à l'appel du royaume, et c'est alors qu'elle s'éveillera pour exécuter les ordres du roi. »

– Confirmé. Et maintenant, la séquence quatorze, si vous voulez bien, chef.

– « On trouve du plaisir dans les bois dépourvus de sentier, de l'extase sur le rivage solitaire, une communauté là où nul ne s'impose », répondit Parry après un instant de réflexion.

– Et la séquence huit, je vous prie, interrompit la voix.

– Nous sommes tous gelés jusqu'à l'os, morts de faim et totalement vannés. Si tu n'ouvres pas, Finch, je vais me frayer un chemin jusqu'au Complexe à coups d'explosifs ! menaça Parry.

Il y eut un moment de flottement, puis on entendit un cliquetis sur le côté du panneau et un rai de lumière se fit jour.

– Enfin ! s'exclama Parry, en ouvrant la porte qui donnait sur une pièce au plafond bas, puis il emprunta une rampe d'accès bordée de garde-fous en fer rouillé.

– C'est le seul moyen d'accéder au Complexe, leur dit Parry en indiquant d'un geste de la tête l'épaisse porte qui se profilait à la faible lumière de la lampe torche. Elle est blindée. Il faudrait une tonne d'explosifs pour y faire ne serait-ce qu'une petite entaille. Et derrière ces meurtrières se trouvent les deux pièces jumelles où seraient stationnées les sentinelles, poursuivit-il en montrant les ouvertures du calibre d'un canon de fusil ménagées dans des panneaux de métal gris encastrés dans les murs de béton qui flanquaient la porte.

– Mais c'est quoi au juste, cet endroit ? risqua M. Rawls.

– Le Complexe était la base de l'opération *Gardien*, répondit Parry. Tout était tellement secret que ceux d'en haut ont probablement oublié qu'ils étaient censés oublier que ce complexe eût jamais existé.

– C'est un peu comme l'abri antiatomique que Will avait trouvé ? demanda Chester.

– Non, c'est bien plus que ça, dit Parry. Pendant les années d'avant la Grande Guerre, les aristocrates qui dirigeaient le pays ont décrété qu'ils avaient besoin d'un abri sûr. Un lieu où ils pourraient mettre à l'abri leurs familles et leurs biens en cas d'invasion. Ils ont donc construit le Complexe sur leurs fonds propres. J'imagine qu'on pourrait le décrire comme un château souterrain pour les très riches. Par la suite, lorsque les choses se compliquèrent pour nous au cours de la Seconde Guerre mondiale, le cabinet de guerre l'a réquisitionné et l'a transformé en un centre de commandement pour la Résistance.

– L'opération *Gardien* ? devina M. Rawls.

– Exactement. Toutes les villes du Sud-Est et toutes les principales régions des îles Britanniques avaient recruté en amont leur propre équipe de résistants qui attendaient dans les coulisses. Les historiens vous diront qu'à l'instant où les Allemands auraient traversé la Manche, chaque équipe aurait pris connaissance d'une série d'ordres qu'elle avait gardés scellés jusqu'alors et les aurait suivis à la lettre. Mais ce qu'ignorent les historiens, c'est que ces équipes n'étaient pas totalement autonomes, poursuivit-il en adressant un coup d'œil au colonel Bismarck. Des initiatives majeures devaient être orchestrées à partir de la salle d'opérations tactiques située ici même, au cœur du Complexe. On l'appelait la « Plateforme ». Elle existe encore, et c'est encore ainsi que nous y faisons référence.

– À quoi sert le Complexe, maintenant ? demanda M. Rawls.
– On l'a maintenu en état, au cas où, répondit Parry. Et je crois que le temps est venu de le réactiver.

Il s'interrompit en entendant un écho métallique qui semblait venir de la porte blindée, même si c'était difficile à dire, car le son était très lointain. Le bruit retentit à nouveau, plus fort cette fois, et à plusieurs reprises.

C'est alors que la grande porte qui se trouvait devant eux s'ouvrit lentement. Chester et le colonel Bismarck éclairèrent de leurs lampes torches le passage aux murs blanc crème et au sol d'un vert cireux, mais leur faisceau lumineux ne portait pas très loin, un mur de ténèbres inquiétantes se dressait devant eux.

Ils virent des lumières dans le lointain.

– Quelle est la longueur du couloir ? demanda Chester en plissant les yeux.

Parry ne répondit pas, tandis que d'autres barres de néons s'allumaient à leur tour, de plus en plus proches.

Ils entendirent un vrombissement qui venait d'une partie du couloir encore plongée dans l'obscurité.

– Qu'est-ce que c'est ? demanda M. Rawls en reculant d'un air soucieux.

– Le dernier des Chevaliers protecteurs, gloussa Parry.

Les néons s'illuminèrent enfin dans la salle où ils se tenaient tous.

Au même instant, un vieil homme chevauchant un scooter électrique pour handicapé apparut devant eux, et s'arrêta dans un dérapage contrôlé qui fit crisser les pneus du véhicule.

Stephanie laissa échapper un gloussement.

Il était suivi par plus d'une douzaine de chats de tous les âges et de toutes les couleurs qui trottinaient le long du couloir pour le rattraper.

– Sergent Finch, dit Parry en rejoignant l'homme pour lui serrer chaleureusement la main.

Le béret du sergent Finch semblait beaucoup trop grand pour lui, comme si sa tête avait rétréci au lavage, si bien qu'il retombait mollement sur ses sourcils blancs et broussailleux. Il portait un cardigan kaki. Il y avait une paire de béquilles maintenues par une courroie à l'arrière de son scooter.

– Mon commandant, comme c'est bon de vous revoir, chef, dit le sergent Finch en souriant de toutes ses dents. Mes excuses si je ne me lève pas, mais mes jambes ne sont plus ce qu'elles étaient.

– On est logés à la même enseigne ! dit Parry en levant sa canne.

– Et pis désolé pour toutes ces formalités à l'entrée. Vous savez, j'ai suivi le protocole, ajouta Finch en jetant un coup d'œil au chat qui s'était lové entre ses pieds sur le scooter.

– Bien sûr, le rassura Parry.

Le sergent Finch regardait tout le monde, lorsqu'il vint à poser les yeux sur Colly, qui avait fait quelques pas hésitants pour renifler l'un des chats les plus téméraires.

– C'est pas un chien, au moins, mon commandant ? Je veux pas de chiens qui courent partout ici. Pas avec mes ch…

– Ne vous inquiétez pas. C'est une chatte, même si c'est un gros félin, indiqua Mme Burrows.

Quel drôle de spectacle que de voir Colly qui dominait les autres chats, lesquels, sentant que c'était l'une des leurs, avaient rapidement surmonté leur peur et l'entouraient déjà en se frottant contre ses pattes et poussant des miaulements.

– Qu'est-ce qu'ils iront pas inventer ! J'avais pas idée qu'on élevait des chats pareils là-haut ! s'exclama le sergent Finch en secouant la tête.

Puis il se pencha en avant pour prendre quelques écritoires et une poignée de stylos bon marché dans le panier accroché au guidon.

– Commençons par le commencement. Il faut d'abord signer ce formulaire en triple exemplaire, avant d'aller plus loin.

– Ah oui, j'avais oublié toute la paperasserie, commenta Parry avec une grimace.

– Ben qu'est-ce que c'est que ça ? demanda M. Rawls qui avait pris une écritoire et scrutait déjà le formulaire.

– Non, non, non, monsieur. Vous n'avez pas le droit de le lire. Il s'agit de la LSOS, la loi sur les secrets officiels spéciaux, expliqua-t-il.

– Quoi ? s'écria M. Rawls. Si je n'ai pas le droit de le lire, comment puis-je savoir à quoi je m'engage ?

– Justement, vous n'en savez rien, intervint Parry en souriant. C'est tellement top secret que vous n'avez pas le droit de le lire avant de l'avoir signé.

– Timbré ! marmonna M. Rawls en apposant sa signature d'une traite avant de passer à l'exemplaire suivant.

Une fois que tout le monde eut rempli les formulaires requis comme le voulait le sergent Finch, y compris Mme Burrows à qui l'on avait montré où signer, ils le suivirent tous dans le couloir qui mesurait plusieurs centaines de mètres de long. De part et d'autre se dressaient des casiers où étaient rangés des casques de métal cabossés, des masques à gaz, des vélos qui semblaient dater des années quarante et des radios tout aussi anciennes dans des musettes de toile.

À mesure qu'ils avançaient, le sergent Finch se servait d'un cadran encastré dans le guidon de son scooter pour activer la fermeture des portes intermédiaires. D'une pression sur chaque bouton rouge où figurait un numéro, une autre lourde plaque de métal descendait jusqu'au sol avec le même bruit sourd qu'ils avaient entendu auparavant, scellant le passage derrière eux.

– Danforth est déjà là ? demanda Parry.

– Oui, le professeur est sur la Plateforme, chef, répondit le sergent Finch. Il branche ses nouveaux gadgets.

– Nous ferions mieux d'aller voir comment il s'en sort, décida Parry.

– Oui, chef, répondit Finch.

Les roues de son scooter se mirent à couiner sur le lino à mesure que son engin prenait de la vitesse sur le plan légèrement incliné. Colly ouvrait la marche en trottinant, suivie par le contingent d'humains et le troupeau de chats. La chasseresse semblait plus animée qu'elle ne l'avait été depuis longtemps, mais sans doute était-ce à cause d'un chaton joueur qui tentait de lui sauter dessus toutes griffes dehors.

– Faut que vous voyiez ça ! s'exclama Danforth en levant à peine les yeux lorsqu'ils entrèrent sur la Plateforme, fasciné par ce qui s'affichait sur son écran. C'est la principale nouvelle que diffusent toutes les chaînes américaines.

La Plateforme formait un vaste espace circulaire au milieu duquel trônaient cinq bureaux longs où étaient posés de vieux téléphones et tableaux de bord en chêne aux cadrans bringuebalants. Toute une partie était entourée de panneaux de Plexiglas qui se dressaient du sol au plafond. On y avait peint différentes cartes des îles Britanniques dont les contours se détachaient d'un gros trait noir. Chester s'attarda devant une portion qui figurait le sud de l'Angleterre et les côtes françaises de l'autre côté de la Manche.

Danforth se trouvait à l'avant de la pièce. Un panneau situé dans le mur juste à côté de lui vomissait tout un enchevêtrement de câbles frémissants, alors qu'il triturait quelque chose à l'arrière de son ordinateur portable.

– Si je parvenais juste à faire marcher ce bout de ferraille inutile, marmonna-t-il en agitant la main vers un grand écran accroché au mur au-dessus de lui, on pourrait voir ça en Technicolor, et ce serait magnifique !

L'écran s'anima soudain de lignes irrégulières qui se déplaçaient rapidement.

– J'y suis presque ! déclara Danforth en voyant l'image d'une personne se profiler au milieu de la neige avant de disparaître aussitôt. Et si on applique une légère atténuation… voilà ! dit-il en modifiant un réglage sur son ordinateur.

– CNN ? demanda Parry en regardant l'image d'un air sévère. Un présentateur derrière son bureau ? C'est ça que tu voulais nous montrer ?

– Oui, répondit Danforth. Ce truc tourne en boucle sur toutes les chaînes d'information des États-Unis. CNN, Fox, ABC, faites votre choix !

– C'est la télé ? J'ai jamais eu la télé ici auparavant, dit le sergent Finch bouche bée, face à l'écran.

– Le pylône électrique qui se trouve au-dessus de nos têtes a été conçu comme une puissante antenne radio, mais il abrite également deux antennes paraboliques. J'ai réussi à me brancher sur l'une d'elles, expliqua Danforth. En bricolant un peu, on devrait avoir du son.

Les haut-parleurs accrochés aux parois émirent soudain un bruit strident, tandis que Danforth effectuait un dernier réglage sur son ordinateur.

Tout le monde s'était assemblé devant le grand écran, mis à part Mme Burrows qui s'était agenouillée à côté de Colly pour éloigner les chatons trop zélés.

Le présentateur avait l'air lugubre.

Le département de la Sécurité intérieure vient tout juste de donner des détails sur l'explosion qui a tué trois membres du Sénat et quatre autres personnes à l'extérieur d'un bâtiment gouvernemental au Capitole, hier tard dans la soirée. Des rapports erronés ont circulé selon lesquels une voiture piégée aurait été à l'origine de cette explosion.

Suivirent des images de soldats américains surveillant un barrage routier, puis la caméra fit un gros plan sur plusieurs voitures brûlées derrière eux. Des légistes en combinaison blanche se pressaient tout autour des véhicules.

Mais on sait à présent que ce n'est pas le cas. Des images de vidéosurveillance ont révélé que l'explosif avait été transporté par un homme d'âge moyen qui semble avoir agi sans l'aide de complices.

Le présentateur reparut alors à l'écran.

Il y a quelques heures, le département de la Sécurité intérieure a émis le communiqué suivant.

Apparut alors une femme perchée sur un podium, face à une foule de reporters assemblée dans une longue pièce.

Le terroriste présumé a été identifié. C'est un citoyen américain, dit-elle à l'étonnement général de la salle où s'élevèrent soudain des mains. *S'il vous plaît, je répondrai aux questions dans un instant,* poursuivit la porte-parole en attendant que les journalistes se soient calmés. *Merci,* dit-elle une fois le brouhaha retombé. *C'est un citoyen américain qui résidait au Royaume-Uni depuis cinq ans. Il y travaillait sur des documentaires pour la télévision.*

Mme Burrows se releva d'un coup.

Une photographie récente du terroriste présumé a été distribuée, continua la porte-parole tandis que le portrait de l'homme se matérialisait à l'écran.

– Vous le voyez ? Pouvez-vous me le décrire ? S'il vous plaît ! demanda Mme Burrows d'une voix angoissée.

Tous les regards s'étaient tournés vers elle, à l'exception de Parry.

– La quarantaine, quatre-vingts kilos environ, cheveux bouclés un peu longs, une barbe… commenta Parry.

– Ben, souffla Mme Burrows, qui venait de comprendre.

Il s'agissait du producteur américain avec qui elle s'était liée d'amitié à Highfield. Parry n'eut pas besoin de poursuivre sa description, car la porte-parole reprit ses explications.

D'après les registres des passagers, Benjamin Wilbrahams est arrivé à l'aéroport JFK sur un vol en partance de Londres hier, en début de matinée. De là, il a loué une voiture et s'est rendu à Washington DC. Même si tous les vols commerciaux pour le Royaume-Uni avaient été suspendus depuis quinze jours, Wilbrahams était sur l'un des vols spéciaux de l'US Air Force destinés au rapatriement des citoyens américains. Il avait été soumis à un contrôle de sécurité complet avant d'être autorisé à monter à bord. Aucun dispositif n'avait été détecté dans ses bagages ni sur sa personne, on pense qu'il l'avait peut-être dissimulé à l'intérieur de son corps, à l'instar des bombes humaines dépêchées depuis l'Angleterre dans d'autres pays d'Europe, bien trop nombreuses ces dernières semaines.

Les journalistes qui assistaient à cette conférence de presse étaient désormais complètement muets. Le présentateur apparut alors de nouveau à l'écran.

Depuis la débâcle causée par la marée noire sur la côte Est, l'hostilité envers la Grande-Bretagne n'a jamais connu un tel niveau cette année. L'un de nos propres concitoyens s'est vu contraint de perpétrer un acte de terrorisme atroce sur le sol américain, et cet incident a propulsé le sentiment antibritannique vers de nouveaux sommets. Des manifestations ont eu lieu devant l'ambassade de Grande-Bretagne à New York et plusieurs consulats britanniques à travers le pays.

Ils virent alors une foule hérissée de pancartes qui ne cessait de grossir.

Nos fils américains ont donné leur vie pour aider l'Angleterre à vaincre l'Allemagne pendant la dernière guerre. Et voilà comment ils nous remercient ! déclarait un homme en colère brandissant le poing face à la caméra.

– *Vitrifiez les Anglais ! Vitrifiez les Anglais !* se mit à psalmodier une femme.

– Très malin. Les Styx se sont assurés que nos cousins d'outre-Atlantique ne nous viendraient pas en aide, commenta Danforth.

– Ça suffit, décréta Parry. Éteins ça.

Tout le monde se tourna vers Mme Burrows à l'instant où s'éteignit l'écran.

– Ils se sont servis de Ben. Ils ont dû lui infliger de telles doses de Lumière noire qu'il en aura oublié jusqu'à son nom, dit-elle calmement, la tête baissée. Il ne méritait pas de mourir comme ça.

– Stephanie, je crois que le moment est venu. Il faut qu'on ait une petite conversation, toi et moi, dit Parry qui venait d'échanger un regard avec Old Wilkie en s'éclaircissant la voix d'un air gêné.

Stephanie ne réagit pas avec son exubérance habituelle, et se contenta d'acquiescer docilement. Chester ressentit alors un accès de compassion pour la jeune fille qui n'avait manifestement pas été informée de la gravité de la situation.

– Quant aux autres, voyez avec le sergent Finch, qui vous indiquera vos quartiers. Au moins, vous serez confortablement installés ici. Les chambres à coucher qui se trouvent au niveau inférieur rivaliseraient presque avec un cinq étoiles.

Chapitre Neuf

Will n'avait jamais vu Drake aussi inquiet.

– Dites-moi, comment savez-vous que cette prétendue Phase est en train de se produire en ce moment même ? demanda Drake en relevant les yeux pour regarder Eddie. Un seul de vos hommes en a-t-il seulement été le témoin ? Et où se déroule-t-elle ? demanda-t-il en le mitraillant de questions.

– Oh, c'est en train de se produire, mais nous ne savons pas où, rétorqua Eddie. Pour les Styx, c'est la force la plus puissante que vous puissiez jamais rencontrer… nous la ressentons dans chaque cellule de notre corps. C'est le cas de tous les hommes. Nous savions qu'elle se préparait depuis longtemps. Quant aux femmes styx, où qu'elles soient, elles l'auront perçue bien avant nous. L'instinct est bien plus puissant chez elles, c'est un appel absolument irrésistible qui les pousse à se reproduire. C'est… comme si un clairon retentissait dans l'air… un détonateur chimique, expliqua-t-il après avoir marqué une pause pour trouver les bons mots.

– Des phéromones, suggéra Drake en prenant une inspiration.

– Ce détonateur déclenche… coordonne la Phase, qu'on le veuille ou non. Nos femmes se métamorphosent en quelque chose d'autre, quelque chose de terrifiant. Les créatures qu'elles déchaînent, les Guerriers, rayent de la carte toutes les espèces qu'elles ne considèrent pas comme une réserve de nourriture. Place nette !

– Nous y compris ? demanda Drake.

– Oui, toute forme de vie qui pose la moindre menace à la domination des Styx sera éradiquée. Ce qui signifie que la chasse aux humains sera déclarée ouverte.

Eddie remarqua quelque chose qui bougeait à l'extérieur du Humvee et vit un écureuil roux qui sautillait en descendant le long d'un tronc d'arbre.

– De la même façon que cet animal appartenait jadis à l'espèce dominante, avant que la variété à pelage gris ne prenne sa place.

– Mais ces Guerriers dont vous parlez… ce sont malgré tout des êtres de chair et de sang. Même s'il s'agit en quelque sorte de super Limiteurs, des Surfaciens bien armés pourraient toujours les arrêter, n'est-ce pas ? Notamment si nous parvenons à nous organiser.

– C'est extrêmement hypothétique, Drake. Ils prospèrent au milieu du chaos. Ils sont le chaos. Et si vous les attaquez et que vous parvenez à prendre le dessus, subsiste encore la possibilité d'une seconde étape.

– Je ne suis pas certain d'avoir envie d'entendre ça, grogna Drake tandis qu'Eddie cherchait une page dans le *Livre de la prolifération* pour la lui montrer.

– Bon, c'est quoi, ces trucs ? demanda Will en voyant la gravure qui occupait une page entière divisée en trois cadres, représentant respectivement le ciel, la terre, et tout en bas une zone aquatique recouverte d'écume et de vagues sans doute censées évoquer la mer.

Dans chaque cadre figurait une créature inexplicable. Mis à part leurs dents et leurs griffes mortelles, leur seul point commun était qu'elles avaient le corps transparent, ou du moins translucide. Chacune d'elles semblait adaptée à son environnement. Celle du haut possédait deux paires d'ailes de chauve-souris, celle du milieu, une paire de pattes, et celle du fond avait des nageoires.

– Si tout le reste devait échouer, le succès de la Phase est garanti par ceci. C'est le système de secours… voici les *Armagi*.

– Les Armagi ? répéta soigneusement Drake.

– C'est la racine du terme Armageddon, qui n'a rien à voir avec un lieu où devrait se dérouler quelque ultime bataille, comme de nombreux cultes voudraient vous le faire croire. Mais c'est une forme de fin… la fin de l'homme sur Terre.

– Une forme de fin ? reprit Will en réprimant un rire incrédule.

– D'après nos légendes, les Armagi sont des organismes en constante adaptation, capables de régénérer un nouveau corps à partir d'un minuscule bout de tissu organique. Mettez-en un en pièces, et vous donnerez naissance à une légion. En termes scientifiques, on pourrait les décrire comme des amas de néoblastes pouvant prendre n'importe quelle forme de machine génocidaire en fonction des besoins du moment, conclut Eddie en refermant brutalement le livre. Ce qui signifie que si vous parvenez à survivre jusqu'à la fin du premier acte, c'est-à-dire l'avènement de la classe des Guerriers, l'édifice s'effondrera malgré tout au second. Sans le savoir, les chevaliers de Vlad l'Empaleur ont prévenu la prolifération des Armagi. En incendiant les catacombes, ils avaient fait brûler jusqu'à la moindre cellule vivante.

– Il faut donc que nous attrapions les Guerriers avant qu'ils ne puissent se disperser. Nous emploierons également le feu, raisonna Drake. Il faut tout brûler, les Guerriers et les femmes.

– Je sais que cela n'est peut-être pas aussi important que tout le reste, mais puis-je vous poser une question ? demanda Will.

Eddie acquiesça.

– Est-ce la raison pour laquelle les Rebecca ont un tel pouvoir sur les Styx ?

– Chez les Styx, toutes les femmes ont une ascendance sur les hommes, mais les deux Rebecca font partie de notre famille dirigeante.

– Bien… et… hum… poursuivit Will, manifestement mal à l'aise.

– Vas-y, l'encouragea Drake.

– Eh bien… et Elliott, dans tout ça ?

– Elliott ? Honnêtement, je ne sais pas, répondit Eddie avec un regard perplexe. Évidemment, c'est ce que les Colons appellent de façon peu charitable « un rejeton de l'égout », car elle est mi-humaine, mi-styx. Je ne saurais te dire quel génotype domine en elle. Tout ce que je puis te dire, c'est qu'il faut la mettre en quarantaine si jamais elle est affectée d'une quelconque manière par la Phase. Elle constituerait un danger pour toute personne de son entourage.

– Bien, dit-il en avalant nerveusement sa salive.

Il regrettait déjà d'avoir posé cette question.

Sweeney était encore en train de surveiller les Limiteurs, lorsque Will retourna vers le gué. Les soldats se tenaient toujours au même endroit. Seule Mme Rawls s'était déplacée. Elle était assise sur la berge, le menton sur les genoux.

– Vous avez terminé vos palabres ? C'est quoi, le grand secret ? demanda Sweeney.

– Si je vous le disais, vous ne me croiriez pas, répondit Will.

– En fait, j'ai quasiment tout entendu. Totalement dingue, répondit Sweeney en touchant les fils situés à l'avant de son oreille.

– Vraiment ? s'exclama Will en regardant par-dessus son épaule pour estimer la distance qui les séparait du Humvee. Mais... ça doit faire une centaine de mètres.

– Trop facile ! répondit Sweeney avec un grand sourire.

En se retournant vers lui, Will prit soudain conscience que huit Limiteurs avaient les yeux rivés sur lui. Lui aussi savait désormais ce qu'ils savaient.

– Vous avez donc entendu que Drake veut partir sur-le-champ, dit-il avec un toussotement qui trahissait son malaise, et que nous emmenons Eddie avec nous dans l'un des Humvee, dit-il à Sweeney.

– D'accord, mais on fait quoi de ces tristes sires ? demanda Sweeney en pointant les Limiteurs avec le menton.

– On les laisse partir, dit Will.

– On est copains maintenant, alors ?

– J'imagine que oui, répondit Will qui se tourna pour s'adresser aux Limiteurs. Eddie veut que vous alliez à Londres et que vous y restiez pour attendre ses ordres. Vous devez prendre la Jeep et l'autre Humv...

Will s'interrompit soudain en regardant le second véhicule sur le capot duquel trônait le cadavre du chasseur, et il perdit tout à coup le fil de ses pensées.

– Tu disais ? l'encouragea doucement Sweeney.

« Bartleby » fut le seul mot que l'adolescent parvint à articuler en regardant Sweeney d'un air désespéré.

– Écoutez-moi bien, oui, vous, les Moustix. Vous allez faire ce qu'il faut et enterrer le chat de ce petit gars. Je veux que vous me creusiez un trou correct, et sans lésiner sur l'huile de coude. Vous lui devez bien ça. D'accord ? demanda Sweeney en croisant le regard de Will, qui acquiesça avec reconnaissance. Et la pouliche, on en fait quoi ?

Mme Rawls s'apprêtait à réagir, car elle n'allait tout de même pas tolérer de telles appellations, mais elle se ravisa et se contenta de le foudroyer du regard.

– Mme Rawls nous accompagne, dit Will avant d'aller chercher son sac à dos dans la Jeep, ainsi que les deux fourre-tout que Drake avait laissés derrière lui.

– C'est lourd, laisse-moi donc t'aider, lui proposa Sweeney en le voyant revenir, puis il prit le sac à dos et les deux fourre-tout comme si la totalité ne pesait rien du tout. Et je te rends ton fusil à plombs, ajouta-t-il en lui tendant son arme.

Sweeney ne pointait plus son arme sur Mme Rawls, mais Will remarqua qu'il la serrait néanmoins de près.

– Will, dit Mme Rawls, maintenant qu'on en a terminé avec toutes ces poses de macho, je veux savoir ce qu'il en est de ma famille. Personne ne m'a rien dit à propos de Jeff et de Chester, mais j'imagine qu'ils sont tous les deux à l'abri quelque part ? N'est-ce pas ?

– Ce devrait être le cas, la rassura Will, et nous allons bientôt les rejoindre.

– Merci, répondit Mme Rawls, qui avait l'air soulagée.

Mais à l'instant où ils arrivèrent à hauteur du Humvee, Drake prit l'un des sacs que tenait Sweeney et s'approcha de Mme Rawls.

– Emily, je peux continuer à vous traiter comme une ennemie potentielle et vous ligoter, ou bien je peux vous aider à vous refaire une santé en m'assurant que vous n'êtes plus sous l'influence de la Lumière noire. À vous de choisir.

– J'avais tort tout à l'heure. Voilà qu'il reprend ses poses de macho, dit-elle en se tournant vers Will avec un sourire. Je ne tiens pas à être menottée lorsque je verrai ma famille, ajouta-t-elle. Faites ce que vous avez à faire.

Drake plongea la main dans le fourre-tout, dont il extirpa un petit appareil. Il s'agissait d'une paire de lunettes reliées par un câble à un petit cylindre.

– C'est Danforth qui a fabriqué ça ? demanda Will.

– Oui, c'est la nouvelle version de poche de la Purge, confirma Drake. Je sais que je l'ai déjà dit un million de fois, mais cet homme est un génie.

– Tu m'étonnes, commenta Sweeney. Il m'a même proposé une révision complète du ciboulot, comme s'il s'agissait de sa Morris Minor chérie.

– Certes, mais il a quand même réussi à miniaturiser la Purge originale, remarqua Will.

– Will, j'ai d'abord besoin de toi, intervint Drake en brandissant le cylindre devant le visage du garçon.

– Moi ? Pourquoi ? demanda Will d'un air méfiant.

– Contente-toi de garder les yeux ouverts, et maintenant, regarde le petit oiseau qui va sortir, répondit Drake en appuyant sur un bouton. Un intense rayon de lumière violette vint frapper les pupilles de Will.

Will reconnut aussitôt cette couleur semblable à celle de la Lumière noire, même si elle n'avait absolument aucun effet sur lui, cette fois-ci. Seule la luminosité l'obligeait à plisser les yeux.

– Et maintenant, Drake ? demanda Will.

– Tu ressens quoi que ce soit ? Des nausées ? Un malaise ?

– Rien du tout.

– Bien, répondit Drake en relâchant le bouton, et la lumière s'éteignit. Tu vois, tu es mon sujet témoin. Je ne pensais pas que tu réagirais, ce qui prouve que tu es parfaitement net. À vous maintenant, Emily.

Drake plaça le cylindre devant elle et pressa à nouveau sur le bouton.

Emily souffla brusquement avant de se raidir tout à coup. Plus vif que l'éclair, Sweeney la rattrapa avant qu'elle ne s'effondre sur le sol.

– Cette technologie est fascinante, commenta Eddie qui observait la procédure avec beaucoup d'intérêt. J'imagine que vous l'avez développée en travaillant sur ma lampe à Lumière noire, dit-il. Mais je vous le jure, Drake, je n'ai fait subir aucun conditionnement à Emily.

– Non, peut-être pas vous, mais il y a quelque chose qui se balade dans sa tête. Je ne sais pas ce que c'est, mais je ne peux pas prendre ce risque. Allonge-la sur la banquette arrière, Sparks, ordonna-t-il à Sweeney. Tiens-la bien. Je ne veux pas qu'elle se blesse en se débattant.

Mme Rawls était totalement désorientée lorsque Sweeney la transporta dans le Humvee avant de se glisser à son côté. Il passa ensuite ses bras gigantesques autour de ses épaules.

– Chargée et fermement arrimée, confirma-t-il.

Drake passa la tête par la portière du Humvee. Il tenait les lunettes reliées à l'appareil de Danforth à la main.

– Voici la partie active du dispositif, dit-il en s'assurant que les lunettes étaient bien fixées sur le visage de Mme Rawls. J'allais presque oublier... je ne veux pas qu'elle se morde la langue. Quelqu'un aurait-il un mouchoir ?

– Tiens, dit Sweeney en tirant un chiffon pas très propre de sa veste de combat.

– Ouvrez grand, dit Drake à Mme Rawls après avoir plié le bout de tissu plusieurs fois.

Encore sonnée, elle s'exécuta et laissa Drake le lui placer dans la bouche.

– Essayez de vous détendre. Cela ne devrait pas prendre longtemps, dit-il en basculant un autre interrupteur sur le cylindre et ils virent tous s'échapper un peu de lumière violette en bordure des lunettes.

Will grimaça en entendant le cri guttural de Mme Rawls, qui se réverbéra dans toute la forêt.

Le second bouclait sa ceinture Sam Browne, alors qu'il déambulait dans le couloir d'un pas traînant. Plutôt que de rentrer chez lui, il venait de passer sa seconde nuit dans l'une des cellules de l'aile du commissariat réservée aux interrogatoires. Il avait dormi sur des couvertures entassées sur les dalles froides. Il n'avait toujours pas pardonné à sa mère ni à sa sœur. Non, pas après ce qu'elles avaient fait. Elles avaient tué son petit chien et le lui avaient servi en ragoût. Parvenu au bout du couloir blanchi à la chaux, il entra dans la zone de réception en moulinant des bras pour se dénouer les muscles.

– Ohé ? lança-t-il en arrivant dans la salle déserte. Chef ? Ohé ? Y a quelqu'un ?

Mais ses appels restèrent sans réponse. Le second souleva l'abattant du comptoir et se dirigea vers la porte du bureau de l'officier en chef.

– Oh, vous êtes là ? dit-il à son supérieur qui était penché sur son bureau, la tête entre les mains. C'est encore cette saleté intestinale, chef ? demanda-t-il d'un air plein de compassion.

– Non, répondit le premier après un instant, puis il se redressa.

– Qu'est-ce qui s'est passé ? s'enquit aussitôt le second, reculant d'horreur en voyant son visage meurtri et son œil si enflé qu'il était presque clos. Qui vous a fait ça ? Ils étaient combien ?

– C'était au Cachot, soupira l'officier en chef. Je rassemblais les prisonniers pour la nuit quand cette saleté de Mulligan m'a attaqué.

– Mulligan ? demanda le second. Bill Mulligan ? Le menuisier ?

– Non, sa mère, répondit l'officier en baissant les yeux d'un air penaud.

– Pas *Gappy* Mulligan, quand même ? s'écria le second. Mais elle a au moins quatre-vingt-dix ans ! Comment est-ce qu'elle a… ?

– Je sais, grogna l'officier en chef en rentrant le menton comme s'il ne devait pas survivre à une telle humiliation. Elle dégoisait sur les Styx, et tout d'un coup, sans prévenir, elle m'en a collé une. Elle a une méchante droite, celle-là !

– Gappy Mulligan… répéta le second.

Il était si abasourdi qu'il se laissa choir sur la chaise qui se trouvait face au bureau de l'officier en chef qui ne l'avait pourtant pas invité à s'asseoir. Lorsqu'il se rendit compte de ce qu'il venait de faire, il rencontra le regard de son supérieur.

– Oh, pardon, chef, je ne voulais pas…

– Reste où tu es ! Tu sais, Patrick, je crois qu'à ce stade, on peut se dispenser de toutes les convenances d'usage.

Le second n'en revenait pas. Son supérieur ne l'avait jamais, non, jamais appelé par son prénom. Même la famille du second parlait de lui comme du « second », plutôt que d'employer son vrai nom, car telles étaient les lois de la Colonie.

– Je… je… bredouilla le second.

– C'est pas le moment de jouer les guindés, Patrick, dit l'officier en chef en prenant sa pipe dans un tiroir de son bureau.

Puis il ouvrit une blague à tabac alors qu'il était formellement interdit de fumer à l'intérieur du commissariat.

– Faut voir les choses en face. La moitié de la Colonie est en train de mourir de faim, lentement mais sûrement, tandis que l'autre moitié est portée disparue, poursuivit-il en bourrant sa pipe. Quant à ceux qui sont en train de mourir de faim, ils vont sans doute finir par s'entretuer en essayant de piller les quelques miettes qu'ils trouveront dans les réserves… et toi et moi, on va se retrouver coincés pile au milieu, ajouta-t-il en allumant sa pipe avec son briquet. Quelque vieille sorcière édentée, dans le genre de Mulligan, finira par nous rosser à mort à coups de sac à main, et tout ça pour une bouchée de viande de crapaud salée, continua-t-il en tirant quelques bouffées. Mais le plus drôle dans tout ça, Patrick, c'est qu'il n'y a plus que nous, et personne d'autre. Une fine ligne bleue qui retient la déferlante avant l'anarchie totale. On est pris entre le marteau et l'enclume. Non, notre avenir n'est guère radieux, mon vieil ami. Pas du tout, même… conclut-il en secouant la tête.

Le second n'écoutait qu'à moitié, car il se creusait la tête pour retrouver le vrai nom de son supérieur, mais en vain, quand soudain quelque chose l'interpella dans le discours de l'officier en chef.

– Chef, qu'est-ce que vous avez dit à propos de ces gens portés disparus ? Y a-t-il eu des incidents ?

Le second avait entendu les rumeurs comme tout le monde, mais il était enclin à croire qu'il ne s'agissait que de racontars et que ces gens se trouvaient quelque part dans le bidonville tentaculaire de la Caverne Nord.

L'officier en chef cligna d'un œil dans la fumée, puis il retrouva le message posé à côté de son coude et le poussa vers le second.

– Le cinquième a soumis un rapport pendant que tu dormais. Nous avons enquêté, toi et moi, sur deux disparitions qu'on nous avait signalées sans preuve, mais cette fois-ci c'est différent. L'un des nôtres manque à l'appel. Pas la moindre trace du troisième depuis vingt-quatre heures.

– Mais il effectuait des rondes dans le Nord, répondit le second en référence à la caverne rurale. Je l'ai vu il y a peu. Il n'est pas là-bas en ce mom… ?

– Il ne s'est pas présenté à son service ce matin, l'interrompit l'officier en chef. Il n'est pas rentré chez lui non plus. On raconte que quelque chose est arrivé au Nord pendant la nuit et qu'il s'est retrouvé pris au piège de ce truc, quelle qu'en soit la nature. Regarde un peu ce décret des Styx, dit-il en pointant le message du bout de sa pipe. On nous en interdit formellement l'accès.

– Le Nord ? Une zone d'exclusion ? s'exclama le second. Pourquoi ? Nous sommes des agents de police.

– Parfaitement irrégulier, n'est-ce pas ? acquiesça l'officier en chef.

– Pourquoi diable les Styx imposent-ils un ordre d'exclusion ? dit le second en lisant le message, puis il se releva avec un grognement indigné. Je vais y aller en personne pour voir ça de mes propres yeux, décréta-t-il sur l'impulsion du moment.

– Vraiment ? répliqua l'officier en chef en haussant les sourcils d'un air amusé, alors qu'il commençait à se détendre à la faveur du puissant tabac qu'il fumait. Dans ce cas, tu es un homme bien plus courageux que je ne le pensais, Patrick.

Personne ne sortit vérifier l'identité du second lorsqu'il approcha du Portail à la tête de mort, mais cela ne signifiait pas forcément que les Styx n'étaient pas en train de l'observer. Il franchit le portail puis, vingt minutes plus tard, atteignit le dernier plan incliné qui menait à la Caverne Sud. De là, il put contempler les rues et les maisons. Le bourdonnement des stations de ventilation résonnait à ses oreilles, mais il lui semblait plus sonore que d'ordinaire, comme s'il s'agissait du seul bruit de toute la ville.

Même après être entré dans la zone bâtie, il avait l'impression d'être le dernier survivant de la Colonie. À cette heure matinale, il y aurait dû y avoir au moins quelques personnes dehors qui se rendaient au travail ou bien préparaient leurs boutiques pour la journée, mais les rues étaient à présent complètement vides.

Même s'il ne parlait plus à sa mère et à sa sœur, le second était si inquiet qu'il s'arrêta d'abord chez lui. La porte d'entrée était verrouillée, et alors qu'il essayait de l'ouvrir, sa clé lui échappa des mains et retomba avec un bruit métallique sur la marche supérieure. Alors qu'il se baissait pour la ramasser, il prit de nouveau conscience du calme sinistre qui l'entourait.

De l'autre côté de la rue, les fenêtres des maisons aux rideaux tirés étaient sombres et hostiles, semblables à des yeux noirs qui l'auraient foudroyé. Pendant un temps, cette rue avait été bondée de Néo-Germains, mais les Styx les avaient emmenés en Surface depuis. Au fil des semaines, il les avait entendus mobiliser les troupes néo-germaines à n'importe quelle heure de la nuit, les soldats frappant le sol de leurs pieds à l'unisson. Même s'ils étaient partis à présent, peu de familles de Colons avaient reçu l'autorisation de réintégrer leur logis. Il commençait à se demander si elles reviendraient jamais, et s'il retrouverait un jour sa rue, surtout si quelque chose de fâcheux avait eu lieu dans la Caverne Nord.

Il finit par entrer chez lui. Il commença par se rendre à la cuisine, mais n'y trouvant ni sa mère ni sa sœur, il tenta sa chance au salon, puis monta dans les chambres à l'étage. Les lits étaient défaits, les couvertures, rabattues en arrière.

Elisa avait très bien pu emmener sa mère quelque part, mais le second se demandait bien où, à une heure si matinale. Alors qu'il descendait l'escalier, il essayait de ne pas imaginer le pire : qu'elles avaient reçu la visite des Styx. Il marqua une pause dans le hall, car il venait d'entendre un bruit qui provenait de la cuisine pourtant vide. Il fonça aussitôt dans le salon pour prendre la pelle de Will posée sur le buffet. S'il y avait des voleurs dans la maison, il allait leur flanquer une sacrée correction.

Le second se glissa dans la cuisine et dressa l'oreille. Il entendit un autre bruit. Il se rendit tout au bout de la cuisine et ouvrit lentement la porte du petit vestibule. Il s'approcha de la seconde porte sur la pointe des pieds. Elle menait à la remise à charbon. En collant l'oreille à la porte, il crut bien entendre un grattement. Sans doute un rat, songea-t-il.

Mais il était certain d'avoir entendu des chuchotis.

Comptant jusqu'à trois, il ouvrit la porte d'un coup et se précipita à l'intérieur en rugissant.

Des personnes s'agitèrent dans la pénombre, et c'est alors qu'il vit le blanc de leurs yeux.

Il leva la pelle, prêt à frapper.

– Oh ! mon Dieu ! gémit sa mère en levant les mains pour se protéger le visage.

Elisa poussa un cri strident.

– Quoi ? s'écria le second qui n'en croyait pas ses yeux.

Sa sœur et sa mère en chemise de nuit, couvertes de suie, se terraient dans un coin de la remise.

– Seigneur, mais que faites-vous donc là ? demanda le second qui sentait encore l'adrénaline battre dans ses veines.

Sa mère se mit à pleurer.

– Nous pensions que c'étaient les Styx… qui venaient nous chercher, parvint à articuler Elisa.

Les deux femmes tremblaient encore alors que le second les ramenait dans la cuisine pour qu'elles s'asseyent. Elles avaient l'air si terrifiées, le visage et les vêtements recouverts d'une épaisse couche de suie. Le second regarda ensuite le carrelage de la cuisine et la trace laissée par leurs pieds nus. Et dire que la vieille femme s'échinait jour après jour, qu'il pleuve ou qu'il vente, à garder ce sol si propre qu'on aurait pu y manger !

Il ne pouvait plus leur en vouloir au sujet du chien, mais il était néanmoins en colère. Il voulait que quelqu'un paie pour ce qui se passait à la Colonie. Tout s'écroulait autour de lui. Or, lui qui avait toujours été un Colon loyal chargé de maintenir l'ordre savait précisément qui en était responsable.

– Il faut mettre fin à cela, murmura-t-il dans sa barbe. Il faut arrêter les Styx.

Il s'assura que sa mère et sa sœur étaient en sécurité, bien installées dans leurs lits, puis il partit pour la Caverne Nord. Il traversa encore d'autres rues désertes. Il n'y avait pas âme qui vive, pas même un Néo-Germain conditionné à la Lumière noire. De certaines rues émanait une puissante odeur d'eaux usées. À présent que les services réguliers avaient été suspendus, plus personne ne se rendait sous la ville pour s'assurer que les vannes fonctionnaient correctement. Il devait y avoir des bouchons dans les principales canalisations, si bien que tout le réseau refoulait.

– Nous sommes tombés bien bas, marmonna le second dans sa barbe en s'arrêtant soudain.

Il y avait bien un avis officiel accroché à un épais cordage tendu à l'entrée du passage qui menait à la Caverne du Nord et en interdisait l'entrée. Il contempla le panneau avertisseur qui oscillait doucement dans la brise, puis il franchit la corde et entra dans la galerie.

Il découvrit en entrant dans la caverne que les globes lumineux montés sur des trépieds avaient disparu. On les avait tous emportés. Il se servit donc de sa lanterne de police pour éclairer son chemin. Plus de bidonville, plus aucune trace de qui que ce soit.

Le second crut voir bouger quelque chose. Il se raidit, craignant le pire. Peut-être avait-il croisé le chemin d'un Limiteur ? Mais non, il n'y avait personne et il poursuivit donc sa route. Un peu plus en aval du chemin, il s'arrêta à nouveau pour éclairer ce qui se trouvait devant lui.

– Oh, mon D… souffla-t-il.

Une silhouette noire et informe s'éleva du sol. Il était convaincu que cette fois-ci, le malheur s'abattait sur lui, car ce ne pouvait être qu'un Limiteur. Mais un froissement d'ailes le rassura aussitôt. Il avait dérangé une volée d'oiseaux des mines qui picoraient sur le sol. Il s'agissait de charognards disgracieux aux plumes noires miteuses et aux corps grêles qui ressemblaient plutôt à des moineaux étiolés. Sans autre bruit que celui de leurs ailes, ils s'envolèrent pour rejoindre leurs nids perchés tout en haut de la canopée.

Il fallut un instant au second officier qui se tenait les côtes, le souffle court, pour reprendre son calme, puis il entama une exploration minutieuse de la zone où se trouvait auparavant la ville. Comme il était étrange de penser que la dernière fois qu'il était venu là, il avait examiné trois cadavres sous le regard du troisième officier. Mais les choses étaient différentes à présent. Il ne trouvait pas le moindre indice qui aurait pu l'aider.

– C'est sans espoir, se plaignit-il en donnant un coup de pied agacé dans le sol, quand il se figea tout à coup.

Il y avait des dépôts inhabituels juste en dessous de la surface, comme si l'on avait retourné la terre : un résidu plus sombre, presque noir qui n'avait rien à voir avec les oiseaux des mines ou la culture des cèpes. Il s'agenouilla pour en prélever une pincée qu'il porta à ses narines.

– De la cendre… du bois carbonisé.

Ceux qui avaient nettoyé la zone avaient complètement rasé la ville. Seuls les Styx pouvaient faire preuve d'une telle méticulosité.

Le second se releva en balayant les alentours du faisceau de sa lanterne. Mais qu'était-il arrivé aux gens ?

Il s'attendait encore plus ou moins à entendre la détonation d'une carabine, suivie d'une vive douleur au cou lorsqu'un Limiteur l'exécuterait pour avoir transgressé un décret styx, mais ces soldats morbides ne semblaient pas présents dans la caverne non plus. Il continua à ratisser la zone en examinant chaque centimètre carré et finit par tomber sur des morceaux de faïence ou de verre brisés, puis sur une cartouche usagée. Elle avait été tirée depuis peu, car elle sentait encore la cordite. Ils n'avaient tout de même pas pu faire brûler les habitants du bidonville dans leurs maisons. Non, c'était impossible. Mais où les Styx pouvaient-ils les avoir emmenés ?

C'est alors qu'il aperçut un reflet dans le faisceau de sa lanterne. Il avait presque deviné de quoi il s'agissait, avant même de se baisser pour ramasser le bouton en laiton gravé du symbole de la pelle et de la pioche : les armoiries des Pères fondateurs de la Colonie. Elles dataient de trois siècles. Or, ce bouton ne pouvait provenir que d'un seul endroit. La tunique d'un policier.

Celle du troisième officier, pour être exact.

Serrant fermement le bouton dans son poing, il reprit la piste principale. Il accélérait l'allure, car il savait ce qui lui restait à faire. Il traversa la Caverne Sud, gravit le plan incliné qu'il avait emprunté deux heures plus tôt, dépassa les stations de ventilation, puis s'arrêta net. S'assurant que personne ne l'avait suivi et qu'il n'y avait personne dans la galerie devant lui, il s'éclipsa dans un passage latéral plongé dans le noir. Après avoir parcouru une centaine de mètres, il arriva dans une petite pièce au centre de laquelle se trouvait un enclos dont le sol de pierre était jonché de paille. Les cochons avaient été abattus depuis longtemps pour nourrir l'armée de Néo-Germains, pourtant le second sentait encore leur odeur.

Mais il n'était pas venu là pour les animaux.

Tout au bout de la pièce se dressait auparavant la porte que Drake et Chester avaient fait exploser. On avait étayé l'endroit avec d'énormes blocs de pierre, et il était probable qu'on avait fait s'effondrer la galerie du Labyrinthe qui se trouvait derrière pour que personne ne puisse plus jamais l'emprunter pour pénétrer dans la Colonie.

Le second compta ses pas en longeant la paroi de la caverne sur sa gauche, puis il s'arrêta pour inspecter le sol à la lumière de sa lanterne. Il finit par trouver la dépression qu'il cherchait, remplie de rocs qu'il se mit à dégager en essayant de faire le moins de bruit possible. Il vit alors ce qu'il était venu chercher, une boîte noire de la taille d'un jeu de cartes à laquelle était reliée un fil d'antenne.

– Ne vous en servez qu'en ultime recours, lui avait dit Drake. Si jamais vous avez besoin d'aide pour quelque raison que ce soit, je ferai tout mon possible pour venir.

À l'époque, le second n'y avait guère accordé d'importance. Drake avait fait exploser la moitié des Laboratoires, et il était alors devenu vital qu'il puisse s'enfuir de la Colonie avec Chester et Mme Burrows aussi vite que possible. Le second, quant à lui, s'était demandé comment il allait bien pouvoir convaincre les Styx de son innocence. Il aurait en effet dû signaler la présence de ce dispositif pour qu'ils l'enlèvent, mais il aurait également eu bien du mal à expliquer comment il en avait eu vent. C'est pourquoi il avait choisi au bout du compte d'en oublier l'existence.

Jusqu'à maintenant.

Il examina le boîtier noir et brillant qui ressemblait aux balises que Drake avait fournies à Will pour jalonner son chemin alors qu'il descendait dans le monde intérieur. Cependant cet appareil était différent. Il émettait un signal radio détectable en surface, mais sur une tout autre longueur d'ondes.

De ses doigts maladroits, le second localisa le minuscule interrupteur situé sur le côté du boîtier et le bascula en position « marche ». Puis il replaça soigneusement la balise dans le trou en prenant soin de bien l'enterrer à nouveau. Il ne savait pas vraiment quand, ni même si Drake recevrait son signal, mais il ne savait pas non plus à qui d'autre demander de l'aide. Cette balise était comme une bouteille qu'il venait de jeter à la mer dans l'espoir que quelqu'un la trouve et vienne à son secours.

À dire vrai, au secours de la Colonie tout entière.

Chapitre Dix

En entrant dans ses quartiers, Mme Burrows entendit vibrer l'Interphone situé à côté de sa porte, et elle attrapa aussitôt le combiné.

– Oui, c'est fait, dit-elle. Cela n'a pas été facile. J'ai réduit ma respiration au minimum et me suis déplacée plus lentement qu'un escargot pour qu'elle ne m'entende pas. Elle n'a pas perçu ma présence, ce qui est une excellente chose, car j'aurais eu bien du mal à lui expliquer ce que je faisais là.

Elle écouta son interlocuteur pendant quelques secondes.

– D'accord, confirma-t-elle en s'apprêtant à reposer le combiné comme si elle estimait que la conversation était terminée. Bartleby ? souffla-t-elle en se tournant vers le bureau en chêne placé dans une petite pièce au bout de sa chambre.

Entre les colonnes de tiroirs qui en formaient la base, Colly se tenait assise tel un sphinx, fixant Mme Burrows de ses grands yeux couleur ambre.

– Oui, c'est vraiment terrible, mais j'imagine qu'il a agi comme n'importe quel animal sauvage. Il suivait son instinct.

Mme Burrows enroula le cordon du combiné autour de son doigt en écoutant son interlocuteur.

– Ne vous inquiétez pas. Nous y serons quand vous arriverez, conclut-elle avant de raccrocher.

La chasseresse posa le museau sur ses pattes antérieures en poussant un soupir qui semblait très humain.

– Je sais, dit Mme Burrows. Mais il y a tellement d'autres choses qui t'attendent.

– Elliott, dit Mme Burrows d'une voix douce.

La jeune fille s'éveilla aussitôt dans le noir et sortit de son lit, carabine à la main.

– Qu'est-ce qui se passe ? demanda-t-elle d'un ton pressant. Qu'est-ce qui ne va pas ?

– Pas de quoi s'inquiéter, la rassura Mme Burrows. Will et Drake viennent d'arriver, et j'ai pensé que tu voudrais les voir. Ils sont en haut sur la Plateforme.

Mais Mme Burrows ne lui donna pas vraiment le choix, car elle alluma toutes les lumières de la pièce.

Parry n'avait pas menti. L'endroit était confortable. Les chambres d'Elliott et de Mme Burrows étaient contiguës et leurs portes affichaient respectivement GOV 1 et GOV 2. L'intérieur de leurs quartiers évoquait les cabines d'un luxueux paquebot transatlantique avec leurs meubles en acajou et leurs installations en laiton, mais dépourvues de hublots. Ils étaient manifestement destinés à des ministres du gouvernement.

La pièce principale de chaque suite mesurait une centaine de mètres carrés. Elle disposait de sa propre salle de bains et d'un petit bureau adjacent juste assez grand pour contenir deux chaises et un secrétaire. Des placards aux tapis, et jusqu'au linge, il y avait tout ce que l'Angleterre du XXe siècle avait à offrir de mieux. Le coffrage en plastique qui courait le long des plinthes et des portes où l'on avait installé des Interphones dotés de plaques en aluminium incongrues était la seule touche de modernité qui avait été ajoutée à ces pièces pour qu'elles soient reliées directement à la Plateforme.

– Il faut que je m'habille ? demanda Elliott qui portait un ample tee-shirt qu'elle avait trouvé dans la garde-robe, ainsi qu'un short bleu bien trop grand pour elle.

– Peut-être que tu pourrais passer une robe de chambre, suggéra Mme Burrows en se pelotonnant dans la sienne qui avait été taillée dans un tissu semblable à une couverture.

L'atmosphère de ces quartiers n'avait rien de confiné, et elle était même plutôt fraîche à dire vrai. Les bouches d'aération aménagées dans le plafond soufflaient en effet un air glacé dans la pièce.

– Tu es prête ? demanda Mme Burrows, et elles quittèrent alors la pièce.

– Chester ! s'exclama Elliott, surprise de le voir avachi contre un mur dans le couloir.

Elle l'avait réveillé, et Chester se redressa sur ses jambes avec force grognements, puis il bâilla à s'en décrocher la mâchoire.

– Oh, salut... désolé... j'étais si profondément endormi lorsque Mme Burrows est venue me chercher, dit-il en se frottant les yeux. Je n'ai dormi que quelques heures.

Ils descendirent le long du couloir, puis s'engagèrent dans un vestibule où se trouvaient les ascenseurs.

– Deuxième niveau, lut Chester en bâillant.

Il examinait le plan de l'étage accroché au mur d'un œil à demi ouvert.

Le sergent Finch leur avait expliqué que le Complexe comportait six niveaux en tout lorsqu'il leur avait montré leurs quartiers, entraînant sa bande de chats dans son sillage. Les câbles situés en surface leur fournissaient l'électricité. L'astuce consistait à se brancher directement à la source, si bien que personne ne pouvait s'apercevoir qu'ils détournaient du courant pour alimenter le complexe secret.

– Quel ascenseur nous a-t-il dit d'éviter ? demanda Mme Burrows, debout au milieu du vestibule.

Le sergent Finch les avait en effet mis en garde, car l'un des ascenseurs était susceptible de tomber en panne, mais elle n'avait évidemment pas pu voir duquel il s'agissait.

– Celui-ci, répondit Elliott en menant Mme Burrows par la main jusqu'aux portes les plus proches. Souvenez-vous juste de ne pas emprunter le premier ascenseur de ce côté-ci.

– Merci, répondit Mme Burrows.

Chester appela un ascenseur qui arriva presque aussitôt.

– On monte, marmonna-t-il, puis il s'effaça pour laisser passer Elliott et Mme Burrows avant de leur emboîter le pas à contrecœur.

La cabine prit de la vitesse à mesure qu'elle gravissait les étages, puis elle s'arrêta brusquement avec un tremblement. Le plafonnier s'éteignit tandis qu'une autre lampe s'allumait, les baignant dans une faible lueur jaune.

– Éclairage d'urgence, annonça calmement une voix masculine préenregistrée.

– Oh trop génial, se plaignit Chester, puis il tenta de relancer l'ascenseur en appuyant à plusieurs reprises sur un bouton marqué d'un H. J'aurais préféré prendre l'escalier… Je ne fais plus confiance aux ascenseurs depuis qu'on a découvert ce dispositif à la noix sous la maison de Will.

Mais au moment même où il terminait sa phrase, la machinerie se remit en marche et la cabine reprit son ascension.

– Drake et Will… euh… ils vont bien, au fait ? Il ne leur est rien arrivé là-haut ? demanda Elliott à Mme Burrows en se massant l'épaule comme si elle était douloureuse.

Mais elle n'eut pas le temps de répondre, car la cloche venait de retentir et les portes s'ouvraient déjà. Ils sortirent tous les trois de la cabine et franchirent plusieurs couloirs éclairés de la même lumière jaune pâle que dans l'ascenseur, avant d'atteindre la Plateforme.

– Je me demande pourquoi il fait si sombre, s'interrogea Chester à voix haute en entrant sur la Plateforme.

Danforth fut la première personne qu'ils virent. Il était éclairé par la lueur de cinq ordinateurs portables disposés sur des tables montées sur tréteaux tout autour de lui. Il avait manifestement continué à travailler, car un nombre vertigineux de câbles s'échappaient des panneaux muraux qu'il avait ouverts, pour venir s'enrouler autour des tables.

– L'alimentation principale sera hors tension pendant un temps, dit-il sans autre explication en levant brièvement la tête.

– Will ! Drake ! cria Elliott en les apercevant de l'autre côté de la Plateforme, et elle se précipita vers eux.

– Je n'en reviens pas ! s'exclama Chester en voyant sa mère dans les bras de M. Rawls à l'entrée du couloir principal qui reliait le Complexe au monde extérieur.

– Chester ! lança Mme Rawls en lui ouvrant les bras.

Il se rua sur ses parents et s'agrippa à sa mère qui avait le visage trempé de larmes de joie et de soulagement.

– Vous l'avez retrouvée ! Merci ! dit Chester à Drake. Merci beaucoup !

Drake acquiesça, puis se tourna vers Elliott.

– Il faut qu'on parle, lui dit-il d'une voix grave.

Elliott remarqua que Will s'était rapproché d'elle. Il lui scrutait nerveusement le dos, les yeux sans doute rivés sur la longue carabine qu'elle portait en bandoulière, songea-t-elle.

– Qu'est-ce qu'il y a ? demanda-t-elle, aussitôt consciente que quelque chose ne tournait pas rond. Pourquoi vous ne me dites rien ? dit-elle en s'éloignant de quelques pas de Will et de Drake.

C'est alors qu'elle jeta un coup d'œil en direction du couloir d'accès où elle aperçut deux silhouettes qui s'avançaient vers la Plateforme. Elle reconnut immédiatement Sweeney à son immense carrure.

– Sweeney, dit-elle, mais qui est cet autre homme ? Qui est cet homme qui l'accompagne ?

– Elliott... dit Will en se rapprochant d'elle. Il faut qu'on...

– Jiggs... Est-ce que c'est Jiggs ? demanda Elliott en scrutant le couloir.

On avait mentionné son nom de temps à autre, mais personne ne l'avait encore vu, même s'ils pensaient tous le rencontrer sous peu.

Elliott secoua lentement la tête.

– Non ! dit-elle.

Elle adressa un coup d'œil furieux à Drake.

– Non ! Pas lui !

Elle avait la mâchoire serrée et le regard meurtrier.

– Elliott, donne-moi ce fusil, demanda Drake en essayant de s'en emparer, mais elle était bien trop rapide.

Elle courait déjà vers cet homme, qui n'était autre que son père.

Deuxième Partie

Maelström

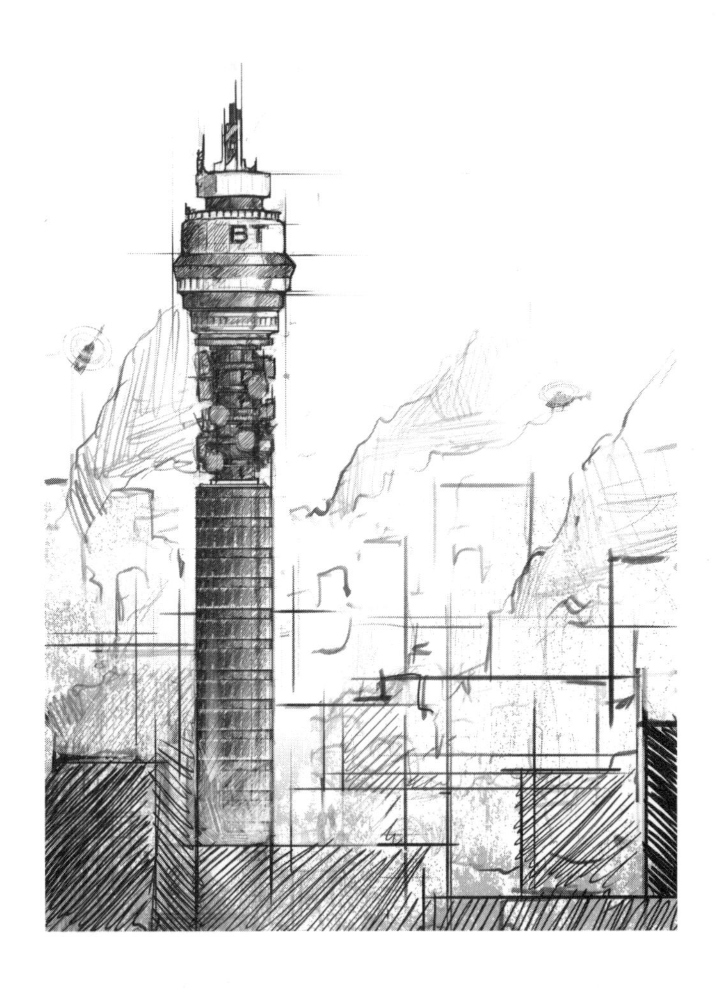

Chapitre Onze

Vane se détacha du Colon qu'elle venait de féconder. Elle descendit du lit en posant lentement le pied sur le sol avec une précision reptilienne. L'ovipositeur en forme de tube se rétractait déjà dans sa bouche alors même que glissait sa jambe le long du corps relâché, puis elle se redressa enfin.

Sur le lit gisait une femme d'âge mûr que l'on venait de ramener de la cité souterraine. Elle faisait partie des infortunés habitants du bidonville de la Caverne Nord, que les Limiteurs avaient kidnappés en les menaçant de leurs fusils. Ils les avaient ensuite conditionnés à la Lumière noire jusqu'à qu'il ne reste plus la moindre parcelle de conscience en eux.

Même si cette femme était en état de mort clinique, sa poitrine se mit à se soulever. Elle toussait sans bruit. La poche remplie d'œufs provoquait en effet des spasmes involontaires dans son appareil respiratoire. Dans quelques cas, certains hôtes humains posaient problème et recrachaient les œufs. Il fallait alors reprendre tout le processus à zéro. Vane observa sa victime jusqu'à ce qu'elle soit sûre que l'implantation ait réussi, puis elle balaya du regard l'entrepôt sur toute sa longueur. Les femmes styx s'étaient systématiquement occupées des humains et en avaient peut-être déjà fécondé une centaine.

Les membres insectoïdes de Vane frémirent avant de se rejoindre juste au-dessus de sa tête pour se frotter de plus en plus vite l'un contre l'autre jusqu'à produire un son continu semblable à celui d'un criquet. À peine une seconde plus tard, un cliquetis sourd s'éleva depuis le plateau de l'entrepôt alors qu'Hermione répondait à son appel. Vane et Hermione continuèrent à communiquer de la sorte en se rapprochant l'une de l'autre. Elles se dirigeaient vers les lits disposés à l'entrée de l'entrepôt et se rejoignirent enfin devant celui sur lequel gisait un jeune homme, le premier humain fécondé.

Vane et Hermione s'étaient régulièrement nourries de viande crue et s'étaient désaltérées en absorbant la solution visqueuse et sucrée contenue dans les cuves que l'on avait réparties en différents endroits du plateau. Cependant, leur apparence avait été profondément affectée par la Phase. Leur métabolisme s'était emballé à force de produire des œufs, si bien qu'elles avaient brûlé toutes les graisses de leur corps. C'est à peine si elles ressemblaient encore à ces femmes à la beauté étonnante qu'elles incarnaient avant le début de la Phase. Sous leurs vêtements déchirés et tachés de sang, il ne leur restait plus que les muscles et la peau. Elles avaient le visage si anguleux qu'on aurait dit qu'un artiste avait cherché à le sculpter à coups de rabot.

– Il est temps de jeter un coup d'œil à nos petits, annonça Hermione.

Si Will et Chester avaient été là pour les voir, ils auraient compris pourquoi la langue des Styx leur semblait si inhumaine, car c'était bien le cas. Leur langue était aussi inhumaine que les Styx l'étaient eux-mêmes.

– Oui, il est temps, répondit Vane en frottant ses mains osseuses l'une contre l'autre.

Les muscles et les ligaments de ses bras s'animèrent sous sa peau tendue comme s'il s'agissait d'un automate, et Hermione se rapprocha du jeune homme. Elle se pencha sur lui, puis elle marqua une pause pour s'essuyer le menton, car les glandes qui se trouvaient dans sa gorge n'avaient pas cessé de produire les fluides lubrifiants que nécessitaient ces multiples fécondations. Ils pendaient en colliers de perles gluantes de leurs bouches écumantes et de leurs lèvres craquelées. Elle défit le bouton du haut de la chemise du jeune homme, puis elle glissa sa main contre sa poitrine.

– Oui, soupira-t-elle.

Elle en extirpa tout doucement une larve couleur ivoire. Elle palpitait et devait faire environ cinq centimètres de long.

Elle ressemblait à un asticot géant, quoique bien plus dodu. Tenant la larve de Guerrier entre ses mains, elle la porta à hauteur de ses yeux pour examiner l'une de ses extrémités.

– Mais qui c'est qui est mignon comme tout ? Absolument parfait, roucoula-t-elle.

Les yeux ne s'étaient pas encore formés, mais la petite bouche s'ouvrait et se refermait, laissant voir des crocs d'une blancheur nacrée à la lumière des néons du plafonnier ; on aurait dit les dents de lait d'un bébé qui claquaient les unes contre les autres. Hermione tenait le gros ver contre sa poitrine en le contemplant d'un regard plein d'amour.

Vane passa à son tour la main sous la chemise du jeune homme avant de s'insinuer dans la cavité de sa plèvre exposée par les larves qui s'étaient frayé un chemin à travers son thorax. Elle préleva non pas une, mais deux d'entre elles en les berçant dans ses bras tandis qu'elles se tortillaient contre elle comme des chiots pleins de vie.

– Oui, parfaits, dit Vane les yeux embués de larmes de joie et de satisfaction.

L'une des larves commença à émettre un bruit strident, semblable à une mélopée funèbre, aussitôt imitée par l'autre asticot que Vane tenait dans ses bras, ainsi que celui d'Hermione. Le corps de l'homme étendu sur le lit se mit à s'animer comme s'il était miraculeusement revenu à la vie. Mais il était bel et bien mort. Il s'agissait en fait des autres larves qui cherchaient à se frayer un passage à coups de dents à travers son jean et les manches de sa chemise.

– Elles méritent un régime spécial, commenta Vane.

Elle reposa la larve sur le lit, puis elle se rendit à l'extrémité de l'entrepôt. Elle scruta les ténèbres, jaugeant le groupe de Colons et de Néo-Germains dont la plupart étaient simplement allongés sur le sol. Quelques-uns étaient encore assis. Même s'il ne leur restait pas la moindre lueur d'intelligence après avoir subi la Lumière noire, les Limiteurs avaient pris la précaution de dresser un enclos tout autour d'eux au cas où certains auraient encore eu la capacité de s'en aller comme des bêtes désorientées.

Vane ouvrit le portail, puis elle aida un homme trapu à se remettre sur ses pieds.

– Ce sera donc toi, dit-elle.

Il s'agissait du troisième officier, encore vêtu de son uniforme de policier.

– Parfait, tu es bien charnu, dit Vane en l'attirant à elle.

Le troisième tenait à peine debout. Il s'emmêlait les pieds ou bien marchait maladroitement sur leur tranche, mais Vane le traîna jusqu'au lit, en le portant même parfois. Hermione avait déchiré les vêtements du cadavre pour éviter aux autres larves de devoir se battre pour sortir. Il y en avait une trentaine.

Vane poussa le troisième officier sur le matelas et les larves se mirent à claquer des dents avec un bruit de castagnettes, puis elles rampèrent en se tortillant vers ces tissus encore vivants. Les deux femmes styx contemplaient la scène avec fierté tandis que leur progéniture commençait à se gaver.

Eddie et Sweeney s'étaient immobilisés dans le long couloir de l'entrée, mais Elliott filait à toute allure. Elle s'avançait vers son père à grandes enjambées et se rapprochait dangereusement de lui. Tout le monde sur la Plateforme mal éclairée avait les yeux rivés sur elle : Parry, Danforth, et même Chester et ses parents qui venaient pourtant tout juste de se retrouver avec émotion. Will ne voyait pas l'expression d'Elliott, mais pour l'avoir entendue parler d'Eddie par le passé, il doutait que ces retrouvailles pussent déboucher sur une réconciliation heureuse entre père et fille. C'était même plutôt le contraire. Elliott avait pris le parti de sa mère, c'est-à-dire celui des Colons. Elle avait même tué des Limiteurs dans les Profondeurs. Will ne tenait vraiment pas à imaginer la manière dont elle allait réagir lorsqu'elle se retrouverait face à face avec son père.

– Elle est armée, souligna Will en s'adressant à Drake d'un ton qui trahissait sa panique.

Will lança un regard à Chester, qui s'était rapproché pour voir s'il était tout aussi préoccupé que lui.

– Tu sais, Chester, elle pourrait très bien se servir de son fusil contre lui.

Mais Chester ne répondit pas. Il semblait entièrement absorbé dans la contemplation d'Elliott qui s'avançait dans le couloir.

– Alors quoi ? Personne ne va se décider à faire quelque chose ? lança Will d'une voix frénétique en se tournant vers Drake. Juste au cas où ?

– Repos, murmura Drake. Laisse-lui son fusil.

Will vit que l'homme qui se trouvait au côté d'Eddie s'était tourné légèrement. Il comprit alors que Drake s'adressait à Sweeney. Même s'il se trouvait à plus d'une centaine de mètres d'eux, grâce à son ouïe incroyablement fine, il avait entendu son ordre et y avait répondu par un imperceptible haussement d'épaules.

– Je répète : repos ! murmura Drake, mais interviens si jamais tu repères une lame.

Sweeney venait-il de lui faire un clin d'œil ? Difficile à dire. Quoi qu'il en soit, il était bien trop concentré sur Elliott. Si jamais il devait y avoir un incident, c'est maintenant que ça devait arriver.

À une trentaine de mètres de son père, Elliott mit son fusil en joue et visa le Limiteur.

– Drake… dit Will, qui commençait à vraiment paniquer.

Peut-être Elliott s'attendait-elle que Sweeney intervienne à la faveur de ses réflexes aussi vifs que l'éclair. Elle avait paru vaciller légèrement après avoir jeté un coup d'œil dans sa direction. Cependant, Sweeney ne semblait pas réagir. Elle se rapprocha d'Eddie, baissa son arme, et fit alors mine de vouloir le frapper avec la crosse de son fusil. Mais elle n'en fit rien et se contenta de lancer son arme à Sweeney, qui la rattrapa sans effort de ses mains gigantesques. Elle s'arrêta devant Eddie, secoua la tête, puis lui flanqua une telle gifle que le claquement sourd se réverbéra jusque sur la Plateforme.

– Aïe ! Ça a dû faire mal ! dit Chester avec un léger mouvement de recul.

Elliott frappa à nouveau son père avec la même véhémence, mais cette fois sur l'autre joue.

– Eddie a pris un abonnement, on dirait bien… dit Will en lançant un deuxième coup d'œil en coin à Drake, avant que ce dernier ne murmure un autre ordre à l'attention de Sweeney.

– Je crois qu'on est tirés d'affaire. Tu peux les laisser un peu tranquilles.

Sweeney s'achemina le long du couloir en direction de la Plateforme. À l'étonnement de Will, Elliott et son père s'étaient mis à discuter, même si Elliott hurlait pour sa part.

– Comment pouviez-vous être sûr qu'elle n'allait pas lui tirer dessus, Drake ? demanda Will en songeant à ce qui venait de se passer.

– Elle aurait eu bien du mal à le faire… sans ceci, intervint Mme Burrows en ouvrant la main.

– Des balles ? s'exclama Will, avant de comprendre ce qu'elles faisaient dans la main de sa mère.

Il regarda l'arme au canon allongé tenue par Sweeney, qui déambulait vers la Plateforme.

– Vous voulez dire que son fusil n'était même pas chargé ?

– Nous avons absolument besoin d'Eddie, maintenant. Je ne pouvais pas prendre le risque qu'il lui arrive quoi que ce soit, expliqua Drake en acquiesçant. C'est pourquoi j'ai téléphoné à ta mère pour lui demander de neutraliser le fusil. C'est la seule personne que je connaisse qui puisse se faufiler ainsi sans réveiller Elliott. Tu ne pensais tout de même pas que j'aurais laissé pareille chose au hasard, Will ?

– Merci de m'avoir informé, marmonna Will, agacé d'avoir été ainsi laissé dans l'ignorance. Et vous feriez bien de les remettre dans son fusil avant qu'elle ne s'en aperçoive. Sans quoi, elle ne vous fera plus jamais confiance.

– Nous avons donc laissé entrer l'ennemi dans la base, dit Parry d'un ton désapprobateur à son fils après les avoir rejoints. Tu distribues les tickets ? On se croirait à Piccadilly Circus ici, bon sang !

– Eddie n'est pas notre ennemi, et ce qu'il nous a appris ce matin, à Will et à moi-même, explique précisément ce que les Styx sont en train de tramer, rétorqua Drake avec fermeté. C'est bien pire que ce que nous aurions pu imaginer, ajouta-t-il en sortant *Le Livre de la prolifération* d'une poche intérieure, puis il le tendit à Will. Je veux que tu rassembles tout le monde dans l'une des salles de briefing et que tu les mettes à niveau, ce qui inclut Old Wilkie et sa petite-fille, mais aussi le colonel et le sergent Finch. Il faut qu'ils sachent tout.

– Moi ? Vous voulez que ce soit moi qui m'occupe de ça ? répondit Will, abasourdi.

Il n'était pas certain d'être absolument convaincu par l'histoire que leur avait racontée Eddie. Il pensait également ne pas avoir l'autorité de Drake pour leur faire une révélation aussi stupéfiante.

Drake acquiesça.

– Donc… je leur dis tout ? demanda Will.

– Oui, tout, confirma Drake.

Cette réponse n'aurait pas pu mettre Will plus mal à l'aise, car en informant tout le monde de la Phase, il serait obligé d'impliquer Elliott. Or, la Phase pouvait la métamorphoser en une créature étrangère et hostile. Il n'avait cessé d'y songer depuis qu'Eddie le leur avait révélé dans le Humvee, ce matin-là. Elliott était son amie, et il s'était efforcé de ne pas la considérer autrement depuis qu'il savait cela. L'annonce de cette nouvelle le mettrait dans une position fort déloyale à son égard.

– Vous voulez dire *absolument tout* ? répéta Will.

– Oui, jusqu'au moindre détail, répondit Drake avec un soupçon d'agacement dans la voix.

– Pourquoi est-ce que tu demandes un truc pareil à ce petit gars ? Pourquoi est-ce qu'Eddie ou toi-même, vous ne nous faites pas vous-mêmes un rapport sur la situation ? demanda Parry à son fils.

– Parce qu'il faut que je m'occupe de quelque chose maintenant, dit Drake en inclinant la tête en direction du couloir où Elliott et Eddie se trouvaient en grande conversation.

Elliott avait baissé la voix. À les voir parler ainsi, on pouvait en déduire qu'ils avaient réglé leurs problèmes. Drake n'en était pas détendu pour autant, ce qui était apparu d'autant plus manifeste lorsqu'il avait tiré son Beretta de son étui pour vérifier qu'il était bien chargé. Parry semblait avoir compris que son fils avait d'autres priorités, car il n'insista pas. Drake effectua un pas en direction de l'entrée du couloir, puis il s'arrêta pour se tourner vers son père.

– Dis-moi, est-ce qu'il y a un appareil de radiographie à l'infirmerie ?

– Vois ça avec Finch, mais je suis à peu près sûr qu'il y en a un. L'infirmerie était entièrement équipée dans les années soixante-dix, répondit Parry. Même s'il faut bidouiller un peu la machine pour la remettre en marche, Danforth est là pour ça. Il pourra s'en charger.

Parry resta en arrière pour convoquer Stephanie et les autres qui se trouvaient dans leurs chambres à l'aide de l'Interphone, tandis que Will et Chester se dirigeaient vers l'une des salles de briefing à côté de la Plateforme. Will transportait *Le Livre de la prolifération* du bout des doigts. Il n'appréciait guère le contact de sa couverture en peau humaine.

– C'est quoi l'histoire, Will ? demanda Chester sur le ton de la conspiration en inclinant la tête vers son ami. Et pourquoi Drake a-t-il sorti son revolver ? Il ne fait pas confiance à Eddie ?

– C'est pas pour Eddie, mais pour Elliott, répondit Will.

Chester s'arrêta net, mais Will poursuivit son chemin vers la salle de briefing.

La demi-pénombre dans laquelle était plongée la pièce semblait parfaitement adaptée à l'occasion, alors que Will rapportait ce qu'Eddie leur avait dit. Après avoir terminé, il scruta les visages lugubres tout autour de la table. Ils étaient tous silencieux. On entendait seulement le bruit continu de la soufflerie qui alimentait les bouches d'aération. Seul Parry ne le regardait pas, car il examinait *Le Livre de la prolifération* à la lumière d'une petite lampe torche, plissant les yeux en essayant de déchiffrer les pages derrière ses lunettes de lecture.

– Cet Eddie… Je ne connais ce gars ni d'Ève, ni d'Adam, dit-il enfin en relevant la tête vers Will, mais s'il s'agit d'une invention, elle est sacrément élaborée. Et puis voilà qui explique ce regain d'activité chez les Styx. Ils n'avaient tout simplement pas le choix.

L'un des nombreux chats de Finch sauta sur la table. Il s'avança avec majesté vers le vieil homme assis sur son scooter pour handicapé, tout en agitant la queue. La vue de l'animal rappela soudain à Will qu'il avait quelque chose à ajouter.

– Je ne sais pas comment j'ai pu oublier de vous le dire, dit-il avec tristesse, mais il faut que je vous annonce quelque chose : Bartleby est mort.

Après les révélations qu'il venait de leur faire au sujet de la Phase, personne ne réagit dans la salle, jusqu'à ce que Mme Burrows prenne enfin la parole.

– Bartleby n'aurait jamais laissé tomber Colly, pas de son propre chef en tout cas.

– Eddie nous a dit qu'il s'agissait d'un accident, intervint Will. Bart a surpris l'un de ses Limiteurs qui a réagi instinctivement. Cet homme a été puni.

– J'espère bien, bon sang ! s'écria Chester avec colère en tapant du poing sur la table.

– À dire vrai, ce Limiteur s'est donné la mort devant nous. Il s'est fait sauter avec l'une des grenades de Sweeney.

– C'était absolument horrible, murmura Mme Rawls.

Stephanie s'éclaircit la voix, puis elle leva la main comme si elle était encore en classe. Old Wilkie s'apprêtait à lui dire de se taire, mais Parry ne lui en laissa pas le temps.

– Laisse s'exprimer cette jeune fille, si elle le souhaite. Nous sommes tous dans le même bateau.

– Will, ce que tu viens de nous dire, on dirait que ça sort, euh, d'un film d'horreur, quoi. Je veux bien admettre que les Styx sont bien réels, et tout ça, surtout que tu en as ramené un chez nous. Mais toutes ces histoires d'œufs et de reproduction, et puis ces monstres qui rayent l'humanité de la carte... comment est-ce que tu peux savoir si c'est vrai ? Ça semble tellement... tellement *délirant*, dit-elle en agitant les doigts devant elle comme pour imiter un fantôme. À part ce qu'Eddie le Styx vous a raconté, et puis ce monstrueux livre des monstres, vous n'êtes pas du tout sûrs qu'il raconte la vérité. Vous n'en avez aucune autre preuve, n'est-ce pas ?

Will s'apprêtait à dire quelque chose, quand il se ravisa soudain.

– Et donc ? insista Stephanie.

Will savait qu'il ne pouvait éviter le sujet et qu'il fallait qu'il leur parle d'Elliott. Pendant qu'il les avait informés, il s'était efforcé d'éviter le regard de Chester, espérant que son ami n'en déduirait pas tout seul ce que cela impliquait pour Elliott, du moins jusqu'à ce qu'il lui en ait parlé en privé.

– Elliott, dit-il calmement, est à moitié styx. Elle pourrait nous en fournir la preuve.

Chester murmura quelque chose, mais Stephanie réagit aussitôt.

– Pourquoi Elliott ? demanda-t-elle.

– Elle est à moitié styx, d'accord ? Et elle est peut-être assez mûre pour être affectée par la Phase, expliqua Will en se forçant à regarder Chester dont le visage s'était décomposé au moment même où il avait compris ce que pouvait signifier l'hybridité d'Elliott.

– Mais elle a l'air normal. Elle peut avoir des enfants... comme les gens normaux, non ? demanda Stephanie qui venait de lever à nouveau la main.

– Oui, répondit Will.

– Tu es donc en train de me dire qu'Elliott pourrait encore changer... Mais elle savait pas que ça pouvait lui arriver ? Je veux dire... Elle devait bien être au courant de tous ces trucs relatifs à la Phase, non ? ajouta Stephanie en secouant la tête.

– Elliott n'a pas été élevée par les Styx. Donc, non, elle ne savait pas. C'est un secret qu'ils ont gardé pour eux. Les Colons non plus n'en savent absolument rien, répondit Will. Eddie nous a dit que les femmes styx pouvaient enfanter comme des gens normaux, mais la Phase représente quelque chose d'entièrement différent. Il s'agit d'une force extrêmement puissante... d'un instinct... qui affecte toute l'espèce styx. La Phase ne se manifeste qu'au moment où elle prend possession de leurs fem...

– Du coup, est-ce que ça la rend dangereuse ? l'interrompit Stephanie.

– Je... nous ne savons pas encore, répondit Will. Mais j'imagine que c'est ce que Drake essaie de déterminer en lui faisant passer une radio.

– Tu veux dire qu'il détermine si Elliott est en train de se transformer en scarabée, c'est ça ? demanda encore Stephanie en frissonnant.

Will acquiesça. Il ne pouvait lui en vouloir de se montrer aussi directe. Elle ne faisait qu'exprimer tout haut ce que tout le monde pensait tout bas.

– La pauvre, dit Stephanie avec compassion. J'espère vraiment que ce ne sera pas le cas.

Après avoir consulté le plan de l'étage accroché au mur du hall du niveau 4, Will et Chester se rendirent à l'infirmerie. Ils n'auraient jamais osé entrer pendant l'examen médical d'Elliott, c'est pourquoi ils s'installèrent sur un banc dans le couloir à l'extérieur de la salle.

Danforth finit par sortir, mais il ne leur laissa pas le temps de l'interroger, car il fila aussitôt vers les ascenseurs. Il ne tarda pas à revenir muni d'une grosse mallette que reconnut aussitôt Will. Elle était remplie d'outils et de matériel permettant de vérifier le bon fonctionnement des appareils électroniques. Au moment où Danforth entra dans l'infirmerie, Will aperçut Elliott, conduite par son père. Le reste du Complexe était toujours sous éclairage d'urgence, mais l'infirmerie ne semblait pas affectée : l'intérieur était parfaitement illuminé. Avant que ne se referme la porte avec fracas, Will avait donc vu Elliott pieds nus sur le lino, vêtue d'une blouse d'hôpital ample dans laquelle elle paraissait petite et vulnérable. Elle avait l'air très agitée. Chester l'avait-il vue lui aussi ? Will n'en savait rien, mais il n'émit aucune remarque à ce sujet.

Pendant que l'on procédait à l'examen d'Elliott, les garçons écoutaient le bourdonnement sourd des voix sans pouvoir distinguer aucune parole. Ils imaginaient néanmoins le pire. Les quatre hommes qui se trouvaient à l'intérieur continuaient à parler, quand retentit un cri soudain. C'était Elliott. Elle n'avait pas hurlé très fort, mais Chester et Will n'en avaient pas moins sursauté.

– Bartleby, dit brusquement Chester en faisant mine de gratter une callosité au creux de sa main. C'est bizarre de savoir qu'il est parti pour de bon, non ? J'aimais bien l'avoir dans le coin. Il me manque.

La mort malheureuse du chasseur n'était certainement pas ce qui préoccupait Chester ou Will à ce moment précis, mais c'était un sujet moins douloureux que la situation d'Elliott.

– Bartleby... Oui, répondit Will sans trop savoir ce qu'il disait. Il me manque à moi aussi. J'imagine qu'il faisait partie de l'équipe.

Il y eut un autre cri, plus atténué cette fois.

Will ne voulait pas savoir ce qu'ils étaient en train de lui faire subir. Il oscillait entre la colère liée au traitement qu'on infligeait à son amie et le désespoir de ne pouvoir y mettre un terme.

– Colly est bien calme en ce moment, dit Chester en jetant un coup d'œil oblique en direction de la porte de l'infirmerie.

– Elle adore maman, dit Will en se redressant sur son banc. Tu sais, elle s'est beaucoup plainte de douleurs au dos ces derniers temps.

– Quoi ?

– Elliott, je veux dire, répondit Will les yeux rivés sur une affiche défraîchie punaisée au tableau à l'entrée de l'infirmerie.

On y voyait une jolie infirmière souriante à côté d'un homme coiffé d'un chapeau melon, tout aussi souriant.

La légende disait : « Le don du sang sauve des vies », en caractères gras de couleur rouge.

– J'espère juste que ses problèmes de dos n'ont rien à voir avec la Phase, ajouta Will qui n'arrivait pas à chasser de son esprit l'image de cette femme aux membres insectoïdes qu'il avait vue dans *Le Livre de la prolifération.*

– Moi aussi, répondit Chester d'un air lugubre.

Sweeney ouvrit la porte de l'infirmerie avec un bruit sourd, le fusil d'Elliott encore à la main. Il s'assit à côté des garçons sur le banc qui grinça sous son poids. Will et Chester le regardaient avec impatience, car ils voulaient avoir des nouvelles.

– Votre copine a réussi la première partie de son examen médical, dit Sweeney avec un grand sourire, et haut la main. Rien de bizarre là-dedans.

– Dieu merci, souffla Chester.

– Et donc, c'est quoi la suite ? La radio ? demanda Will.

– Oui, il fallait que je sorte. Les rayons X font des ravages sur les circuits que j'ai dans la caboche.

Ils écoutèrent tous trois le vrombissement aigu de la machine que l'on venait d'activer, puis le bruit sourd du déclic signalant que la radio était terminée. Le même processus se répéta une fois encore, puis Danforth sortit de l'infirmerie. Il avait l'air affairé.

– Je vais développer les clichés. Sweeney, faut que t'y retournes, maintenant.

– Oui, chef, bien sûr, chef, marmonna Sweeney d'un ton sarcastique en regardant le professeur filer dans le couloir vers un autre bureau.

L'expression de Sweeney était presque indéchiffrable, mais entre Danforth et lui, c'était loin d'être l'entente cordiale.

– Je vous laisse ça, dit-il en tendant le fusil à Will avant de rentrer dans l'infirmerie d'un pas lourd.

– C'est insupportable ! s'exclama Chester en se levant pour faire les cent pas. Ça sent même l'hôpital ici.

Will se souvint alors que la sœur cadette de Chester était morte à l'hôpital après un accident de la route, et combien il exécrait cet endroit depuis lors.

– Si tu ne veux pas traîner dans le coin, je peux venir te chercher lorsqu'elle aura fini, proposa Will.

– Oui, je crois que je vais boire un peu d'eau là-haut, dit Chester en s'appuyant contre le mur. J'ai terriblement soif.

Will remarqua alors que son ami transpirait abondamment et qu'il n'avait pas l'air très en forme.

– En fait, je crois que je vais vomir.

À ces mots, Chester se mit à courir vers le hall, laissant Will seul sur son banc.

Dix minutes plus tard, la porte de l'infirmerie s'ouvrit et laissa paraître Elliott en compagnie de Drake. Elle portait toujours la même tenue d'hôpital, et gardait ses vêtements roulés en boule sous son bras.

– Oh, Will, dit-elle en laissant tomber le tout par terre en se précipitant vers lui pour le serrer dans ses bras.

– Je crois que tout va bien, dit Drake.

Alors qu'Elliott était encore blottie contre son torse, Will sentit sous ses doigts un gros pansement de gaze posé sur ses omoplates. Il était maculé de sang. Will lança un regard consterné à Drake.

– Oui, nous avons voulu effectuer une exploration chirurgicale limitée, expliqua Danforth qui venait d'entrer dans le couloir avec Eddie en agitant le rouleau de radios comme une matraque.

Il s'exprimait avec une telle froideur qu'il aurait pu tout aussi bien évoquer l'un de ces gadgets.

– Nous avons trouvé des traces d'éléments manifestement liés à la Phase, mais ce ne sont que des organes résiduels. Étant donné qu'elle est le fruit d'une hybridation, elle porte peut-être en elle le ou les gènes récessifs relatifs à la Phase, mais les caractéristiques associées ne s'exprimeront jamais que de façon partielle. Cependant, si l'on tient compte de son âge et du fait qu'elle est encore en proie aux affres de l'adolescence, il faudra surveiller ça.

– Mais elle va bien ? Vraiment bien, Drake ? demanda Will en ignorant Danforth.

– Oui, souffla Drake.

– Ma meilleure copine n'est pas une bestiole, en fin de compte ? commenta Will en gloussant – sans doute était-ce à cause du stress intense qu'il avait subi.

Drake éclata alors de rire.

– Espèce de chien ! lança-t-elle à Will en levant vers lui ses yeux pleins de larmes, puis elle se mit à rire à son tour.

– Espèce de chien !

Le cri perçant se réverbéra à l'intérieur du commissariat de police.

– Gappy Mulligan ? demanda le second.

– Gappy Mulligan, confirma l'officier en chef. C'est moi qu'elle visait, c'est sûr. Elle m'a expliqué pourquoi il fallait que je la libère... elle, et le reste des prisonniers, pendant que j'y étais. J'ai dû oublier de fermer la porte de l'aile. Je devrais y aller, ajouta-t-il en se grattant vigoureusement le torse au col déboutonné.

– Ne vous en faites pas. Ça leur fera un peu d'air frais, dit le second en examinant ses cartes.

Les deux hommes jouaient en effet au poker dans le bureau principal.

L'officier en chef avait cessé de se gratter le torse, mais il examinait maintenant avec beaucoup d'intérêt quelque chose qu'il tenait entre le pouce et l'index. Les poux étaient un problème endémique à la Colonie. Faute de savoir s'il en avait attrapé un ou non, il fit une grimace, puis il l'écrasa entre ses doigts et s'essuya la main sur son pantalon.

– Tu sais, on n'a plus beaucoup de vivres dans le garde-manger, et je sais pas pour toi, mais j'en ai un peu marre de faire la boniche pour les prisonniers, maintenant que personne ne veut plus travailler.

– De la fumée ! Ça sent le brûlé ! s'écria soudain le second en relevant vivement la tête.

Ils bondirent sur leurs pieds et se mirent à renifler de conserve. Le feu était l'un des pires incidents parmi les choses que redoutaient les Colons. Au cours des trois siècles d'existence de la Colonie, plusieurs incendies s'étaient propagés et les morts qui s'en étaient ensuivies n'étaient pas tant dues au feu même qu'à la fumée que les victimes avaient inhalée dans les cavernes et les galeries fermées.

– Tu as raison ! hurla l'officier en chef.

Ils franchirent le comptoir en trombe.

À l'entrée du commissariat, d'immenses flammes léchaient les portes battantes. Or, c'était la seule et unique issue.

– Mon Dieu ! cria l'officier en chef en se précipitant vers l'armoire où l'on conservait des seaux d'eau peints en rouge pour parer justement à cette éventualité.

– Patrick, libère les prisonniers ! Nous allons avoir besoin d'aide pour éteindre ça !

Une fumée dense s'insinuait déjà dans le Cachot, alors que le second longeait rapidement les rangées de cellules pour les ouvrir les unes après les autres. Les occupants, y compris Gappy Mulligan, n'eurent pas besoin qu'on leur explique ce qu'ils devaient faire. Ils formèrent une chaîne humaine qui s'étirait de l'entrée à la petite pièce du commissariat où se trouvait un robinet d'eau potable, puis ils passèrent les seaux à l'officier en chef qui arrosait l'incendie. Il avait ôté sa tunique et s'était recouvert la bouche et le nez d'un tissu alors qu'il continuait à lutter contre les flammes. Tous les prisonniers toussaient, les yeux embués de larmes, tandis qu'ils travaillaient sans relâche à faire suivre les seaux d'eau à la chaîne.

Au bout de plusieurs minutes, ils réussirent à réduire l'intensité des flammes et purent enfin ouvrir les portes battantes, mais ils ne cessèrent pas pour autant leur travail. L'eau grésillait en tombant sur le gros tas de bois que l'on avait posé au sommet des marches du perron. Ils finirent par venir à bout du feu. L'officier en chef avait la chemise et le pantalon trempés. Il se tenait au comptoir, secoué par une toux convulsive. Tous les prisonniers toussaient en essayant de reprendre leur souffle.

Pendant ce temps, le second essayait d'évaluer les dégâts. Il était heureux de sentir la fraîcheur de la brise à l'extérieur du commissariat alors qu'il examinait le tas de bois carbonisé. D'après l'odeur, il ne faisait guère de doute qu'on s'était servi d'un accélérateur de combustion pour démarrer l'incendie. C'est alors qu'il vit une vieille boîte métallique qu'on avait jetée à côté des marches et la rapporta à l'intérieur du bâtiment.

– De l'essence, annonça-t-il en posant la boîte à côté de son supérieur. Ils avaient la ferme intention de nous faire rôtir, mais rien n'indique de qui il s'agissait.

– Tu m'étonnes, répondit l'officier en chef, toussant et riant en même temps. J'aurais pourtant cru qu'ils auraient peint leur nom sur la boîte, au strict minimum, poursuivit-il, sarcastique, avant de se tourner vers le groupe de prisonniers. Écoutez bien, vous autres, vous pouvez tous partir. Vous êtes libres.

– Chef, vous ne trouvez pas ça un peu précipité ? Je veux dire... intervint le second en se penchant vers lui.

– Du calme, Patrick. Tu crains que les Styx ne nous tombent dessus pour avoir relâché un groupe de bras cassés dont les infractions ne dépassent guère le vol d'un poulet pour nourrir leur famille ? demanda l'officier en chef avant de se tourner vers les prisonniers. Sans vouloir vous offenser, s'empressa-t-il d'ajouter. Je vous suis très reconnaissant d'avoir tous mis la main à la pâte pour m'aider à éteindre le feu.

Gappy Mulligan était aux anges, mais un homme musculeux au regard fixe et fou n'avait pas l'air aussi ravi. On l'appelait simplement « Fendoir », d'après l'outil dont on se servait pour creuser la terre un peu partout dans la Colonie.

– Des bras cassés ? dit-il avec indignation. Je vous ferai dire que j'ai pas volé de satané poulet, moi. Je suis là pour mauvaise conduite, et attaque à coups de hache sans y avoir été poussé.

– Tu avoues donc ton crime, Fendoir ? demanda le premier avec un gros rire sonore.

– Non, monsieur, pas possible que j'aie fait ce que j'ai dit que j'avais fait. Non, monsieur. Suis innocent comme un poisson d'égout qui vient de naître.

Un voleur sans envergure au visage de rat assis sur un seau au fond de la réception se mit à glousser jusqu'à ce que Fendoir le fusille du regard.

– Vous êtes sérieux ? Vous allez vraiment les relâcher ? demanda le second à voix basse pour que les prisonniers ne l'entendent pas. Tout plaide contre eux, ajouta-t-il, embarrassé par la décision que venait de prendre son supérieur.

L'officier en chef, lui, ne se gênait pas pour dire ce qu'il pensait devant les prisonniers.

– Patrick, nous n'avons pas reçu le moindre message des Styx depuis trois jours au moins, dit-il à voix haute en agitant sa main crasseuse en direction des conduites en laiton de l'autre côté de la pièce. Personne ne les a vus dans la rue non plus. Pour autant qu'on sache, ils sont partis... ils ont filé de la Colonie.

Les prisonniers soufflèrent de surprise.

– Et vous semblez oublier le feu… on vient d'attenter à nos vies, et c'est sans doute l'un des nôtres. Voilà où nous en sommes arrivés.

– Où est ta carte de police, Patrick ? lui demanda l'officier en chef après l'avoir regardé d'un air songeur. Apporte-la-moi.

Le second s'exécuta. Il alla chercher la carte qu'il avait laissée dans sa tunique accrochée au dossier d'une chaise. Il la tendit à l'officier en chef, qui extirpa sa plume de l'encrier posé sur le comptoir. Le second écouta alors le grattement de la pointe sur le carton.

– Félicitations ! lança alors l'officier en chef en lui rendant sa carte.

– Non ! s'exclama le second en lisant ce qu'il venait d'y écrire.

– Si, je rends mon tablier. J'ai eu ma dose. Je démissionne et je rentre chez moi m'occuper de ma famille, dit l'officier en chef. C'est toi qui commandes, maintenant.

Le second sentit le sol se dérober sous ses pieds.

– Tiens, Face de rat, dit l'officier en chef en décrochant un trousseau de clés de sa ceinture avant de les lancer à l'homme à tête de rat. Dans la salle où sont entreposées les preuves, sur l'étagère du bas, tu trouveras une caisse de whisky Somers Town. Tu veux bien l'apporter ici ? Merci. Nous allons célébrer la promotion du second comme il se doit.

Chapitre Douze

Parry avait tout l'air d'un chef militaire, alors qu'il arpentait la pièce devant la carte qui s'affichait sur le grand écran de la Plateforme.

– Bien… dit-il en se tournant vers le reste de l'assemblée, la Phase est en cours en ce moment même. Le temps nous est compté. Il faut que nous prenions des mesures efficaces pour trouver où elle se déroule et y mettre un coup d'arrêt. Il faut agir rapidement.

– En effet, confirma Drake.

– Analysons ce que nous savons déjà, dit Parry. L'une des conditions préalables au bon déroulement de la Phase, c'est qu'elle doit avoir lieu à la surface. Et c'est quelque part… ajouta-t-il en se tournant vers la carte du Royaume-Uni à l'écran, quelque part dans le coin, et probablement en un seul et même lieu.

– Oui, c'est exact, confirma Eddie.

Parry se caressa la barbe d'un air songeur en se rapprochant de l'écran qu'il pointa du bout de sa canne.

– Mais pouvons-nous raisonnablement supputer que tout se passe dans la région de Londres ? Ce pourrait être dans les comtés limitrophes du Sud-Est, d'ailleurs. Mais les Styx prendraient-ils la peine de s'éloigner à plus de cent soixante kilomètres de Londres ?

– Londres et ses environs me semblent un choix logique, dit Eddie. À moins qu'ils n'aient pas opté pour un endroit plus isolé par mesure de sécurité.

– Ça ne nous aide pas du tout. C'est comme chercher une aiguille empoisonnée dans une meule de foin, marmonna Parry en tirant un peu plus énergiquement sur sa barbe. Mais nous savons avec certitude que les Styx ont besoin d'un grand stock de corps humains pour élever leur progéniture. À moins qu'ils ne kidnappent des Surfaciens au hasard, cela signifie qu'il s'agit de Colons et peut-être aussi de Néo-Germains qui leur servent d'hôtes vivants. Ce qui tend à confirmer notre hypothèse, car ils ne voudraient pas que leur chaîne alimentaire soient trop éparpillée.

– Surtout après les perturbations des réseaux de transport dont ils sont responsables dans le Sud-Est, intervint Drake. Il n'est pas aussi facile de se déplacer qu'auparavant.

– Bien, tout le monde s'active un peu les méninges, maintenant. Comment, au juste, allons-nous trouver le site de la Phase ? demanda Parry avant de se tourner vers Eddie. Ne pouvons-nous pas attraper un Styx dans les rues de Londres pour l'interroger ?

– Même si vous en trouviez un, vous n'obtiendriez rien de lui, répondit Eddie.

– Bien, dans ce cas, et si l'un de vos hommes retournait à la Colonie ? poursuivit Parry qui n'allait pas se laisser décourager si facilement. Il pourrait réunir toutes les informations dont nous avons besoin ici.

– Non, je vous l'ai déjà dit. Mes hommes ont coupé tous les ponts avec notre peuple et ils ont couvert leurs traces, dit Eddie d'un ton catégorique. Aucun d'eux ne pourrait débarquer comme si de rien n'était. Ils l'exécuteraient à vue. Nous n'obtiendrions rien, si ce n'est qu'ils apprendraient alors l'existence d'un groupe de Limiteurs dissidents.

À force de tirer sur sa barbe, Parry finit par s'arracher une touffe de poils.

– Mais comment déterminer le site de la Phase à partir d'indices laissés par l'activité des Styx ? dit-il en regardant son fils d'un air entendu, puis il se tourna vers Danforth qui scannait *Le Livre de la prolifération,* page après page, pour pouvoir le traduire avec l'aide d'Eddie. Allons, vous deux. C'est vous, les spécialistes en technologie. Pas d'idée lumineuse ?

Danforth releva les yeux sans répondre. Drake, quant à lui, secouait lentement la tête.

– Les lampes à Lumière noire, suggéra Eddie. Grâce à Drake, nous sommes en mesure de les localiser. Mon peuple, où qu'il soit, doit très probablement en faire un usage intensif en ce moment.

– Mais nous avons déjà envisagé cette solution. Oui, nous pouvons détecter l'activité liée à la Lumière noire grâce à des antennes, mais cela ne peut fonctionner que sur des distances assez faibles. Pour pouvoir augmenter le rayon du radar, il me faudrait des antennes à ondes courtes, montées sur une hauteur pour pouvoir franchir tous les obstacles terrestres et couvrir l'ensemble du pays.

– Tu veux dire qu'il te faudrait toute une série d'antennes paraboliques puissantes et directionnelles pour couronner le tout ? commenta Danforth d'un ton condescendant.

Drake lui adressa un regard las. Le professeur était peut-être l'un des plus grands cerveaux de la planète, mais sa suffisance était parfois difficile à supporter.

– Nous pourrions alors, en théorie du moins, identifier n'importe quelle zone d'intense activité liée à la Lumière noire dans un rayon de trois à cinq cents kilomètres autour de Londres, poursuivit Drake.

– Bien, c'est déjà un début, commenta Parry avec optimisme.

– Il faudrait aussi dépêcher des équipes mobiles équipées de détecteurs portables fonctionnant sur piles pour nous aider à déterminer les coordonnées précises de ces zones, ajouta Drake avant de marquer une pause en pinçant les lèvres, l'air songeur. Oui, on pourrait faire mouche, mais c'est loin d'être gagné.

– Loin d'être gagné ? répéta Danforth en tournant une page du *Livre de la prolifération* pour la poser sur la vitre du scanneur.

– Un réseau de puissantes antennes paraboliques, résuma Parry. Voilà qu'on avance enfin. Mais où est-ce qu'on pourrait trouver un tel équipement en si peu de temps ? La City ? Canary Wharf ?

Le sergent Finch marmonna quelque chose.

– Quoi ? tonna Parry en pivotant vers lui. Qu'est-ce que tu viens de dire ?

– C'est juste ce que... répondit Finch, pris au dépourvu par la réaction de Parry. Ce que vous étiez en train de dire... ça m'a fait pensé à la Dorsale, suggéra-t-il tout penaud.

– Qu'est-ce que c'est que cette Dorsale ? s'empressa de demander Drake.

– Il s'agissait d'un réseau de tours en béton érigées par l'OTAN et spécialement conçues pour préserver les communications après une frappe nucléaire, dit Parry. La tour la plus proche d'ici se trouve à Kirk O'Shotts, et il y en a une autre à Sutton Common et une autre à…

– La tour de la Poste ! s'exclamèrent en chœur Parry et le sergent Finch en échangeant un regard.

– Mais t'es un vrai génie, bon sang ! s'écria Parry en s'avançant vers Finch pour lui poser la main sur l'épaule.

– Vous parlez de la BT Tower à Londres, la tour des télécommunications britanniques ? demanda Drake.

– Balivernes ! Ils n'arrêteront donc jamais de tout rebaptiser, bon sang ! s'exclama Parry. Oui, la BT Tower, et on peut y entrer grâce aux anciens protocoles d'urgence, n'est-ce pas, Finch ?

– Très certainement, chef, répondit le sergent Finch avec un grand sourire. Et j'ai un cousin qui travaillait là-bas, dans le bon vieux temps où…

– Réveille-le tout de suite. Prends l'un des téléphones satellites de Danforth. Sors-le du lit s'il le faut, ordonna Parry. Et vous deux, dit-il en regardant tour à tour Drake, puis Danforth. Combien de détecteurs portables pouvez-vous me concocter en si peu de temps ?

– Combien il t'en faut ? grogna Danforth qui n'était manifestement pas ravi de devoir travailler.

– Combien est-ce que tu peux m'en donner ?

– Mais comment veux-tu qu'on en produise autant ici ? intervint Drake.

– Simple comme bonjour. Si quelqu'un récupère tous les compteurs Geiger du Complexe, répondit Danforth, je peux les adapter en me servant des composants qui se trouvent dans les magasins du niveau 4. Ce sera particulièrement fastidieux, c'est le moins qu'on puisse dire, mais tu pourras toujours m'assister, Drake.

– Tu peux le faire ? Avec des composants disponibles ici, à l'intérieur du Complexe ? répondit Drake en haussant les sourcils.

– Les yeux fermés, répondit Danforth d'un ton résigné.

– Et une fois que les détecteurs portables seront prêts, on les expédiera au sud et on y enverra des patrouilles en mission. Vos hommes peuvent nous donner un coup de main, dit Parry à Eddie, mais ils ne sont pas assez nombreux. On dirait bien qu'il va falloir demander à la Vieille Garde d'entrer en action. Il nous faudra pas mal de types pour couvrir tout le pays.

– Et puis il faut aussi qu'on aille jusqu'à Londres, indiqua Drake, jusqu'à la BT Tower.

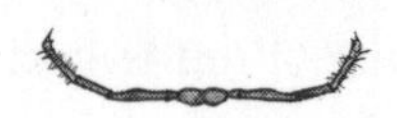

Des cris retentirent à l'extérieur du commissariat. Quelqu'un gravissait les marches du perron quatre à quatre. À peine entré, l'homme se jeta sur le comptoir pour reprendre son souffle.

– Il faut que vous veniez. Il y a eu un accident, siffla-t-il.

Il s'agissait de l'un des Colons du Quartier, un commerçant du nom de Maynard. Il regardait incrédule la scène devant lui : l'officier en chef dans sa chemise maculée de taches de sueur, les bretelles pendantes, en train de tenir salon avec l'ensemble des prisonniers. Ils étaient tous là, chope à la main, à boire de petites gorgées de whisky Somers Town. Maynard croisa le regard de Fendoir, et l'homme à la tête grisonnante lui sourit, révélant une rangée de chicots noircis, si bien qu'il détourna vivement le regard.

– C'est quoi, tout ce cirque ? demanda l'ancien officier en chef en essayant de se redresser sur son siège.

– Il s'agit de mon fils. Il a été ensorcelé. J'ai besoin de votre aide.

– Je ne travaille plus ici, répondit l'ancien officier en chef en indiquant le nouvel officier en chef de sa chope, s'arrosant au passage, ce qui ne manqua pas de provoquer les gloussements de Face de rat. Adressez-vous à Patrick.

– Patrick ? demanda Maynard. Mais qui est Patrick, bon sang ? Qu'est-ce qui se passe, ici ?

– Tout va bien, Maynard, répondit le nouvel officier en chef en sortant de ce qui était désormais son bureau.

Il essaya de se souvenir du prénom de l'ancien officier en chef, mais en vain. Il se contenta de le pointer du doigt.

– Il fait une pause. C'est moi qui vais prendre les choses en main pendant un temps.

– Compte là-dessus et bois de l'eau ! s'exclama l'ancien officier en chef en prenant l'air peiné.

Fendoir et Face de rat se mirent à se tordre de rire. Même Gappy Mulligan gloussait, alors que tout le monde la croyait ivre morte depuis qu'elle s'était allongée sous la table.

– Nan, je reviendrai jamais, insista l'ancien officier en chef. Jamais, jamais, jamais.

– Jamais, reprit Face de rat avec un petit couinement nasal caractéristique, toujours aussi hilare.

– Vous avez dit « ensorcelé » ? demanda le nouvel officier en chef. Qu'est-ce que vous voulez dire ?

– Ça existe pas, commenta l'un des prisonniers, mais Fendoir le fit taire aussitôt.

– Écoute un peu le monsieur, lui ordonna-t-il d'une voix de baryton tonitruante.

– Mon fils et moi, et puis d'autres, on avait l'intention de passer le portail et de monter en Surface pour y récupérer de la nourriture pour tout le monde. On a encore un peu d'argent surfacien et on s'est dit qu'on pourrait s'en servir pour acheter quelques ingrédients de base, du pain, du lait, des trucs comme ça.

– Je comprends la situation, acquiesça le nouvel officier en chef. Il faut faire quelque chose, mais il faut commencer par nous organiser. Qu'est-ce que vous voulez dire par « ensorcelé » ? Qu'est-ce qui s'est passé ?

– Il a été victime de la magie styx, répondit Maynard.

– Il vaut mieux que vous me montriez ça, dit le nouvel officier en chef en prenant sa matraque accrochée au mur, puis il sortit de derrière le comptoir dont l'abattant était déjà levé.

– Faut que j'voie c'te magie de mes z'yeux, bafouilla l'ancien officier en chef.

Il était parvenu à se lever, aussitôt imité par tous les autres prisonniers, y compris Gappy Mulligan, qui vacillait dangereusement sur ses pieds en fredonnant une chanson pour elle-même.

Danforth rétablit le courant des circuits principaux et le Complexe retrouva un éclairage normal. Après son examen médical, Elliott était immédiatement rentrée dans ses quartiers et refusait désormais d'en sortir, malgré les efforts de Will et Chester. Ils lui apportaient donc tour à tour nourriture et boisson. Alors qu'il était venu la voir avec une tasse de thé, Will l'avait trouvée face à un miroir en pied fixé à la porte de la penderie. Elle se regardait en se balançant d'avant en arrière.

– Tout va bien ? lui avait-il demandé alors qu'elle avait toujours les yeux rivés sur son propre reflet.

– Je ne sais plus qui je suis, lui avait-elle répondu. Je croyais pourtant le savoir, mais non. Est-ce que tu me vois autrement, maintenant ? avait-elle enchaîné sans laisser le temps à Will de l'interroger sur ce qu'elle voulait dire exactement.

Elle le fixait de ses yeux perçants, étirant un bras au-dessus de sa tête à la manière d'une danseuse classique, puis elle laissa retomber sa main sur le pansement qu'elle avait dans le dos.

– Bien sûr que non, répondit-il sans hésiter.

– Mais Danforth a découvert des signes précurseurs de la Phase en moi, et du coup j'ai l'impression d'être un monstre. Ça me rend affreuse.

– C'est idiot de penser ça… commença Will.

– Mais tu ne me regardes plus de la même façon maintenant, l'interrompit-elle. Je l'ai senti lorsque tu me tenais dans tes bras.

– Foutaises ! souffla-t-il avec indignation. Et tu le sais très bien. Tu es juste un peu désorientée, dit-il, puis il se souvint de la raison pour laquelle il était venu la voir. Tu devrais boire ça. Drake m'a dit d'ajouter une bonne dose de sucre. Il a dit que ça t'aiderait à surmonter le choc.

Elliott prit la tasse, mais alors que Will tentait de lui toucher le bras pour la rassurer, elle le retira vivement, renversant son thé.

– Tu es mon amie, dit Will en regardant le thé qui s'infiltrait dans le tapis. Ça ne changera jamais. Tu es Elliott, et c'est tout ce qui compte pour moi.

Ne sachant plus que dire, il quitta la pièce.

La drôle de troupe avait suivi Maynard à travers le réseau de galeries jusqu'au portail. Le nouvel officier en chef se fraya un chemin à travers la foule assemblée et vit alors le fils de Maynard étendu sur le sol, à une quinzaine de mètres de la porte d'acier rivetée du sas. Cette vue n'était pas des plus réjouissantes, car le jeune garçon était fort grassouillet. Or, il était retombé face contre terre, les fesses en l'air.

– N'approchez pas plus près, avertit Maynard en attrapant le nouvel officier en chef par le bras. Il est ensorcelé.

– Qu'est-ce qui s'est passé ? demanda-t-il en écoutant son avis. Dites-moi précisément, ajouta-t-il en voyant la pioche qui gisait à terre à côté du garçon dodu.

– On pensait que les Styx avaient peut-être scellé le portail et on se préparait à le forcer, répondit Maynard. Mon garçon, Gregory, a été le premier à atteindre la porte. Il avait eu très faim ces derniers temps, et s'était montré un peu difficile à la maison. Quoi qu'il en soit, il s'est précipité sur la porte et s'est effondré, comme frappé par la magie.

– De la magie styx. Ils ont ensorcelé le portail, dit un homme dans la foule.

– Nous sommes tous condamnés, gémit une femme, ce qui ne manqua pas de provoquer l'inquiétude du reste des badauds assemblés là.

– Balivernes ! Les Styx n'ont aucune magie, dit l'ancien officier en chef d'une voix traînante. Le petit gros est tombé dans les pommes car il avait faim. Fendoir, fais-leur voir ! dit-il en tournant sur lui-même.

– Fendoir, montre-leur ! Fendoir, montre-leur ! se mirent à scander en chœur Face de rat et les autres prisonniers.

Ravi d'être au centre de l'attention, Fendoir s'avança vers le portail d'un pas lourd et confiant. Il jeta un coup d'œil par-dessus son épaule en direction des autres prisonniers, qui se mirent à scander de plus belle pour l'encourager.

– Fendoir, montre-leur !

– Rabot, fendoire-les ! hurla Gappy Mulligan d'une voix stridente.

Fendoir se délectait visiblement de cet instant de gloire, le visage fendu d'un large sourire. Il accéléra, et se mit à courir en agitant ses grosses jambes, mais à peine était-il arrivé à l'endroit où était étendu le garçon dodu qu'il s'effondra à son tour, comme s'il avait reçu un coup de masse. Comme s'il avait foncé droit sur une barrière invisible.

Tous les prisonniers poussèrent un long « ah » de déception et cessèrent aussitôt de scander.

– C'est magique, je vous le dis. J'ai pourtant essayé de vous avertir. Les Styx veulent que personne ne s'échappe, dit Maynard. Et on fait quoi maintenant ? Il faut qu'on récupère mon fils pour voir s'il va bien.

– À partir de maintenant, personne ne s'approche plus d'aucun portail ! ordonna le nouvel officier en chef à la foule. Compris ?

La foule murmura en signe de consentement.

Puis le nouvel officier en chef se tourna à nouveau vers le portail, ôta son casque et se gratta la tête pendant un temps pour réfléchir.

– Bien... je vais avoir besoin d'un grappin pour pouvoir tirer ces deux-là. Et que quelqu'un d'autre aille me chercher un médecin, s'il en reste encore un dans la Colonie. Et trouvez-moi un gros grappin, ajouta-t-il en regardant le corps immense de Fendoir à côté duquel le jeune garçon, pourtant obèse, avait l'air minuscule.

Elliott avait démonté sa carabine pour la nettoyer méticuleusement. Elle était en train de la remonter, lorsque Stephanie passa devant sa porte en se pavanant.

– Oh, salut ! lui lança la jeune fille. Je savais pas que t'étais dans cette chambre.

Stephanie portait un tee-shirt blanc semblable à celui d'Elliott, mais elle en avait noué le bas, ce qui lui donnait un côté plus stylé.

– Je suis tellement contente que tu ailles bien, dit Stephanie d'un air évasif en regardant l'épais pansement de gaze sur le dos d'Elliott qu'il aurait été difficile de manquer. Et que tu ne sois pas… avait poursuivi Stephanie qui s'était reprise et pour une fois s'était tue.

Elliott ne fit pas le moindre effort pour lui répondre pendant qu'elle insérait la culasse dans son fusil, qu'elle arma ensuite à plusieurs reprises.

– Je pratique aussi le tir, déclara Stephanie que ce silence mettait mal à l'aise.

– Vraiment ? répondit calmement Elliott. Pas avec un truc comme ça.

– Oh, je peux voir ? demanda Stephanie avec enthousiasme, puis elle entra dans la chambre à petits pas, les mains tendues.

– J'imagine que oui, soupira Elliott. Fais juste attention, c'est lourd.

– Mais c'est vrai qu'il est lourd, dit Stephanie qui s'empara sans hésitation du fusil avant de le mettre à l'épaule. À l'école, je me sers surtout d'un 22 long rifle pour m'entraîner sur des cibles. C'est quoi, le calibre de celui-là ? demanda-t-elle en actionnant la culasse.

Elliott s'était levée pour l'arrêter, mais c'était inutile. Stephanie semblait savoir ce qu'elle faisait.

– Je parie que c'est du 30,3 millimètres, non ? continua la jeune fille en scrutant l'intérieur de la chambre.

– Tu n'est pas loin, acquiesça Elliott. C'est du 35 millimètres, et on se sert d'une cartouche spéciale dotée d'une longue douille, si bien qu'on peut ajouter une charge de plus.

– Bien, dit Stephanie en s'intéressant à la lunette renflée montée sur le fusil.

– C'est une visée à amplification lumineuse. Le seul endroit où tu trouveras un truc dans ce genre, c'est dans la Colonie où on les fabrique à la main pour les Styx. C'est une carabine de Limiteur, et j'en ai abattu plus d'une dizaine avec. Peut-être plus, mais je n'étais pas assez près pour être sûre d'avoir fait mouche, dit Elliott, fronçant les sourcils en constatant que Stephanie ne bronchait pas. Dis-moi, je me demandais… ça te dérange si je te pose une question ?…

– Pas du tout, répondit Stephanie d'un ton jovial, puis elle baissa l'arme à hauteur de sa hanche en faisant mine d'arroser un ennemi invisible avec une mitraillette – et pire, en mima le crépitement avec sa bouche.

– Hum, dit Elliott en s'éclaircissant la voix tout se retenant de frapper la jeune fille.

– Tu voulais me demander quoi ? demanda Stephanie qui n'avait pas remarqué l'expression de dédain d'Elliott.

– Will vous a briefés, et tu es donc au courant pour la Phase. Tu connais la gravité de la situation. Maintenant tu es avec nous, tu es devenue l'une des cibles des Styx. Tu ne pourras jamais rentrer chez toi, lui annonça sans détour Elliott avec une brutalité inutile.

Stephanie lui adressa un regard interrogateur.

– Ça ne te dérange pas de te retrouver coincée ici jusqu'à ce que tout soit terminé ? Et si jamais on ne règle pas le problème de la Phase en battant les Styx, de devoir rester ici pour le restant de ta vie, aussi courte soit-elle, à vivre constamment dans la peur, toujours en fuite ?

Stephanie prit une inspiration et tendit le fusil à Elliott.

– Tu aurais pu difficilement me faire mieux comprendre que tu ne m'appréciais pas, lui dit-elle en écartant de son visage sa chevelure magnifiquement entretenue, mais je ne suis pas, quoi, une mauviette qui crie ou qui s'évanouit au premier problème. Je suis coriace, tu sais.

– Ah bon, vraiment ? Tu m'as pas l'air très coriace, tu sais, rétorqua Elliott avec un rire plein de dureté.

– Allez, si tu crois que je suis nulle, viens donc me chercher, dit-elle en reculant de plusieurs pas pour se donner un peu d'espace. Viens donc te battre.

– Tu veux rire ? rétorqua Elliott en riant.

– Je suis tout à fait sérieuse, quoi.

– Bon, si tu insistes, mais Drake ne va pas être content si je te fais mal, répondit Elliott en posant son fusil.

– Je ne veux pas te faire mal non plus, contra Stephanie. Ton dos va mieux ? Je ne voudrais pas te blesser.

– Ne t'inquiète pas pour moi. J'ai du sang styx. Je guéris vite, dit-elle en se mettant en garde face à Stephanie qui semblait complètement détendue.

Elliott se jeta alors sur elle et l'attrapa par le cou des deux mains. Stephanie réagit avec une parfaite précision en levant les bras pour briser son étreinte, et lui fit en retour un crochet à la jambe. Elliott tournoya sur elle-même comme une toupie et se retrouva face contre terre sur la moquette.

Stephanie recula pour lui laisser le temps de se relever.

– Où as-tu appris à faire ça ? demanda Elliott dont les yeux s'étrécirent.

– Eh bien, Parry était un modèle pour mon père, quoi, quand il a grandi sur le domaine, et il l'a fait rentrer dans les services secrets de l'armée, expliqua Stephanie.

– Pas encore une barbouze ? demanda Elliott.

– Un truc du genre. Mon père s'est trouvé en poste dans des tas de régions troublées à travers le monde. Ma mère et moi, et puis mes frères, on l'a suivi la plupart du temps. Je n'ai pas vraiment vécu à l'abri de tout. Attaque-moi encore, défia-t-elle Elliott avec un petit sourire. Mais cette fois, donne-moi tout ce que tu as. Chester n'est pas le seul champion olympique dans le coin, tu sais.

– Ah bon ? répondit Elliott, manifestement perplexe.

– Oui, et s'il y avait du judo ou de l'aïkido dans l'émission *Britain's Got Talent*, je gagnerais les yeux fermés. Allez, la ronchonneuse, essaie donc de me frapper, lança Stephanie en agitant les doigts pour attirer Elliott vers elle. Et cette fois-ci, ne m'épargne pas !

Elliott l'attaqua en mettant tout son poids dans le coup de poing qu'elle comptait lui décocher au menton, mais Stephanie para le coup en lui saisissant le poignet et d'un seul mouvement fluide la renversa sur le dos. Elle ne s'arrêta pas là cependant. Stephanie se laissa tomber au sol à côté d'Elliott, et lui fit une clé au bras pour l'immobiliser. Elliott était clouée au sol, à la merci de la jeune fille.

– Je t'ai eue, lui dit Stephanie.

– Non ! hurla Chester depuis le seuil.

L'apparition soudaine de l'adolescent avait détourné l'attention de Stephanie, ce qui donna à Elliott l'occasion de se dégager. Dans un mouvement de ciseaux, elle attrapa Stephanie par le cou, puis elle la fit basculer sur le sol. C'était au tour d'Elliott de la tenir sous son emprise implacable.

– Arrêtez ! Arrêtez ça tout de suite ! cria Chester en s'approchant pour les séparer.

Elliott relâcha son emprise et elles se redressèrent l'une et l'autre sur leur séant.

– Joli coup, je ne m'y attendais pas, complimenta Stephanie.

– Qu'est-ce que vous fichez toutes les deux ? demanda Chester en soufflant sous le regard des deux jeunes filles.

– On croirait entendre mon père, gloussa Stephanie.

– C'était pour rigoler, dit Elliott.

– Ça m'avait pas l'air d'un jeu, répliqua Chester. Par ailleurs, tu devrais faire attention à ton dos.

– Mon dos est complètement… dit Elliot, puis elle s'arrêta alors que Stephanie laissait échapper un autre gloussement.

– Qu'est-ce qu'il y a de si drôle ? demanda Chester qui commençait à perdre vraiment patience.

– Tu ne croyais tout de même pas qu'on se battait pour toi, non ? lui demanda Stephanie.

Chester rougit, pivota sur lui-même et s'enfuit de la chambre. Il rentra les épaules en marmonnant dans sa barbe et fila dans le couloir en tapant des pieds. Il approchait des ascenseurs lorsque Will tourna à l'angle du couloir, un papier à la main.

– Je venais justement te chercher. Je suis allé sur la Plateforme et ils sont tous occupés avec leurs affaires, mais j'ai parlé au sergent Finch et…

Visiblement tout excité par ce qui était écrit sur le bout de papier, Will s'apprêtait à le lui montrer, quand il se rendit compte que quelque chose n'allait pas.

– Tu n'as pas l'air heureux. Tout va bien ? demanda Will.

– Ça roule… tout baigne, cracha Chester, les traits figés dans un masque de colère.

Will entendit alors les voix animées d'Elliott et de Stephanie, qui partait d'un rire strident.

– Waouh ! J'entends bien ce que j'entends ? dit-il. Je n'aurais jamais cru que ces deux-là deviendraient copines un jour. De quoi est-ce qu'elles rient ?

– Je n'en ai pas la moindre idée, dit Chester en grimaçant. C'est des filles, pas vrai ? Tu voulais me voir pour quoi, au fait ? demanda-t-il sèchement.

– Pour ça, dit Will en lui mettant le papier sous le nez. Le sergent Finch m'a dit qu'il y avait des pièces valant le détour au niveau 3. On devrait aller y jeter un coup d'œil.

Chester insista cependant pour qu'ils empruntent les escaliers plutôt que l'ascenseur. En arrivant à ce niveau qui leur était encore inconnu, ils remarquèrent aussitôt une différence. Il y avait peut-être aussi du lino sur le sol, mais il était d'un bleu profond, tandis que les parois étaient tapissées d'un élégant papier peint à motifs vert et or.

– À quoi ça rime, au juste ? demanda Chester en regardant tout autour de lui. Je croyais qu'on nous avait attribué le niveau le plus luxueux.

– Attends un peu, répondit Will en consultant le bout de papier, puis il s'éloigna pour vérifier ce qu'il y avait d'écrit sur les portes. Ah, nous y voilà, annonça-t-il en ouvrant l'une d'elles, puis il alluma la lumière.

L'intérieur était composé d'une enfilade de quatre pièces. Il y avait deux chambres avec des lits à baldaquin tendus de velours rouge et des tapisseries qui représentaient des scènes de chasse. Les meubles anciens étaient incroyablement solennels et paraissaient fort coûteux. Rien à voir avec leurs propres quartiers.

– Cette suite était destinée à quelqu'un d'important ? demanda Chester en parcourant les chaises à dorures et le large divan.

– Tu chauffes. C'était pour quelqu'un de *vraiment* important. Allez... devine, le défia Will alors qu'ils entraient dans une petite pièce adjacente, très rudimentaire et fonctionnelle comparée aux deux chambres.

Il y avait un évier carré dans un coin et plusieurs enclos disposés contre le mur le plus long.

– Une idée ? demanda Will.

– Non, répondit Chester qui commençait à perdre patience. Allez, Will, arrête de faire le malin. À qui étaient destinées ces pièces ? Et pourquoi est-ce qu'on s'arrête dans la cuisine ?

– Ce n'est pas une cuisine. Si je te disais que ces enclos étaient destinés à accueillir des corgis, est-ce que ça t'aiderait ? dit Will en pénétrant dans l'un des parcs.

– Des corgis ? répéta Chester qui finit par comprendre. Tu veux rire ! C'était pour la reine ?

– Gagné ! Et ce n'est pas tout ! s'exclama Will en l'entraînant à sa suite alors qu'il traversait l'enfilade de pièces pour rejoindre le couloir.

Il fouina dans sa poche, puis en extirpa une clé qu'il introduisit dans une porte massive qui ouvrait sur la pièce suivante. Elle pivota sur ses gonds épais. Les deux garçons franchirent le seuil, Will alluma la lumière et c'est alors qu'ils découvrirent toute une série de vitrines montées sur des piédestaux. Les vitrines étaient vides, mais à voir les présentoirs tapissés de satin qu'elles contenaient, il était manifeste qu'elles étaient destinées à un usage bien spécifique.

– C'est ici qu'on aurait entreposé les joyaux de la couronne si nous avions été envahis, informa Will.

– C'est dément. Il y a quoi d'autre à ce niveau, sinon ? demanda Chester qui souriait en secouant la tête.

– Le sergent Finch m'a dit que toutes ces pièces étaient destinées aux VIP. Et il faut que tu voies la suivante.

Plus loin dans le couloir se trouvait une porte sur laquelle figuraient les lettres PM. Chester ne fut guère impressionné, car la pièce elle-même était plutôt exiguë et n'avait rien de remarquable. Sur le bureau, il y avait un buvard sur lequel on avait commencé à dessiner un mur, brique par brique, sous lequel on pouvait lire : « Où êtes-vous, Mme Everest[1], lorsque j'ai le plus besoin de vous ? » Puis il inspecta rapidement les tiroirs du bureau, mais il n'y trouva rien. Il examina à nouveau la pièce, allant jusqu'à en vérifier les toilettes. Il sortit un journal à la main. Il s'agissait d'un vieil exemplaire jauni du *Times*.

– C'est vieux. Ça date du 15 août 1952, dit-il avant de le lancer sur le lit sur lequel Will était assis. Je donne ma langue au chat. À qui était cette chambre ?

La bâche en plastique qui recouvrait le lit crépita sous le poids de Will lorsqu'il se pencha pour attraper quelque chose dans la table de nuit. Il en sortit une bouteille sur laquelle figurait « Hine », et une boîte qui portait le blason « Aroma de Cuba ».

– Du cognac et des cigares, dit-il en lui présentant le tout.

– Ça ne m'aide pas... faut que tu me dises, répondit Chester après avoir remarqué que la bouteille était entamée et que le sceau de la boîte à cigares avait été brisé.

– Winston Churchill a été la dernière personne à dormir dans cette pièce, annonça Will.

1. Nourrice dévouée de Winston Churchill et de son frère *(N.d.T.)*.

– Eh bien, j'espère qu'ils ont changé les draps, commenta Chester en riant.

– Le sergent Finch m'a dit que ces trucs n'avaient pas bougé depuis qu'il était Premier ministre. Il voulait passer une nuit dans le Complexe pour voir par lui-même, et il avalait toujours une gorgée de cognac le matin pour accompagner son premier cigare, dit Will en rebondissant sur le matelas à plusieurs reprises, puis il étudia l'étiquette de la bouteille de cognac.

– Et si on buvait ça ?

– Pourquoi ? demanda Chester, déconcerté.

– Parce que je n'ai jamais été vraiment ivre. D'accord, j'ai pris cette bière que m'avait offerte Tam à la Colonie, mais elle avait un goût répugnant, répondit Will en fixant l'épais liquide brun en agitant la bouteille. On devrait peut-être essayer. Juste au cas où…

– Au cas où quoi ? demanda Chester en se laissant choir sur le lit au côté de son ami. Au cas où on ne s'en sortirait pas vivants ?

Will acquiesça d'un air sombre.

– Quelle idée réjouissante, murmura Chester en prenant la boîte de cigares à son tour pour en ouvrir le couvercle, puis il en renifla le contenu. Ça fait des années que ces trucs doivent être là. Ils ne pourrissent donc pas ? demanda-t-il en prélevant l'un des cigares renflés avant de le rouler entre ses doigts.

– On s'en fiche, non ? C'est toujours des cigares, dit Will en haussant les épaules. Je n'ai jamais fumé de ma vie, ajouta-t-il alors qu'il fouillait dans la table de nuit, puis il en tira une boîte d'allumettes. « Whitehall[1] », dit-il en lisant l'étiquette. Normal.

– J'ai bu deux panachés lorsque j'étais en vacances avec papa et maman, mais sinon, j'ai jamais rien bu d'autre, admit Chester. Et je n'ai jamais fumé non plus.

– Tu te souviens des Grey ? dit Will, le regard perdu dans le vide alors qu'il songeait au gang qui terrorisait les plus jeunes au lycée de Highfield. Speed et Bloggsy buvaient du cidre et fumaient des cigarettes tout le temps. Ils avaient tout essayé, n'est-ce pas ? Et c'était il y a plus de un an de ça !

---

1. Palais des souverains anglais à Londres, détruit par un incendie en 1698 *(N.d.T.)*.

– Ils avaient aussi des copines, dit Chester d'un air mélancolique.

– Quand on y pense, dit Will, toujours aussi songeur, Churchill a dirigé le pays pendant la Seconde Guerre mondiale, et on se retrouve au milieu de cette guerre avec les Styx. On est sacrément importants, nous aussi. Qui sait, sans nous, le pays pourrait ne jamais gagner la bataille. Tu ne crois pas que ça nous donne le droit de faire ce qu'on veut ? Est-ce qu'on ne mérite pas de finir cette bouteille de cognac ?

– Tu sais quoi, Will ? dit Chester en reposant le cigare dans la boîte. Lorsqu'on aura vraiment gagné la bataille, je te propose qu'on revienne ici pour fumer à en avoir mal à la tête et nous saouler à en rouler sous la table ! Ça marche ? dit-il en lui tendant la main pour sceller leur pacte.

– Ça marche, acquiesça Will en lui serrant la main, puis il rangea les cigares et le cognac.

– Tout le monde au rapport sur la Plateforme. Je répète, tout le monde au rapport sur la Plateforme, ordonna une voix à l'Interphone qui venait d'émettre un signal sonore dans la pièce et dans le couloir.

– C'est Danforth, n'est-ce pas ? demanda Chester en inclinant la tête pour écouter.

– Si jamais Elliott se montre, j'espère qu'elle lui aura pardonné, confirma Will. Elle est dans une drôle d'humeur ces temps-ci, et il s'est un peu emballé avec son scalpel en l'examinant. En fait, j'aime autant ne pas songer à ce qui aurait pu se passer si personne n'avait été là pour l'arrêter, conclut Will alors qu'ils retournaient vers les escaliers.

– En effet, acquiesça Chester. C'est vraiment bizarre. Il ne ressemble à rien au premier abord, mais quand on commence à le connaître, c'est un petit homme sacrément effrayant.

Drake disposait divers éléments sur les bureaux pendant que tout le monde convergeait vers la Plateforme.

Will et Chester arrivèrent les premiers, suivis par Mme Burrows, M. et Mme Rawls, le colonel Bismarck, puis Elliott et Stephanie. Les deux filles bavardaient avec enthousiasme, comme deux amies qui s'étaient perdues de vue depuis longtemps et se retrouvaient enfin.

– Et voilà ! marmonna Chester à l'attention de Will en se détournant d'Elliott et de Stephanie. On dirait bien qu'elles sont devenues carrément copines.

– Et Danforth se tient bien à l'écart, observa Will.

Le professeur avait les yeux rivés sur l'écran de l'un de ses ordinateurs portables.

– Je te dis, je ne serais pas surpris si Elliott lui collait un pain dès qu'elle en aura l'occasion.

Will s'intéressa alors à Parry et au sergent Finch qui étaient en train de se servir des téléphones satellites.

– Formez une file, s'il vous plaît, dit Drake. Plus vite on en aura fini, plus vite on pourra sortir d'ici.

– Où va-t-on ? demanda Chester, qui se retrouva en tête de queue avec Will.

– À Londres, répondit Drake d'un air soucieux en insérant un petit cylindre de verre dans un appareil en acier inoxydable, puis il remonta sa manche. Au cas où quelqu'un aurait des craintes quant à la nature de l'injection que je vais vous administrer, je commence par moi-même.

Il arma le mécanisme, posa l'appareil contre son bras, puis il pressa la détente qui émit un petit déclic.

– J'ai rien senti, dit-il en souriant.

– Mais on a déjà tous été vaccinés contre le Dominion, souligna Chester. C'est pour quoi, celui-là ?

Drake nettoya l'extrémité de l'appareil avec une lingette imbibée d'alcool, puis il l'arma à nouveau.

– Nous n'avons pas constaté le moindre déploiement du virus du Dominion jusqu'à présent, mais les Styx possèdent d'autres saletés qu'ils pourraient très bien lâcher sur la population.

– Comment le savez-vous ? demanda Will.

– Parce que j'ai volé toute une série de spécimens avant qu'on ne fasse exploser les Laboratoires de la Colonie, Chester et moi. Ils en avaient scellé certains dans un coffre spécial. Il fallait donc que je mette la main dessus. J'ai demandé à un contact d'analyser les différents pathogènes que j'avais rapportés avec moi. Sur la base de ses découvertes, il a concocté un cocktail de vaccins pour nous immuniser contre toute la série.

– Allons-y, dans ce cas. Deux précautions valent mieux qu'une, dit Will en déboutonnant le poignet de sa chemise, qu'il remonta ensuite sur son avant-bras.

Drake n'avait pas menti. L'injection n'était pas douloureuse. Après l'avoir administrée à Will, il conduisit ce dernier vers le bureau suivant.

– Les Forces spéciales communiquent par radio à l'aide d'un laryngophone, lui dit-il en lui tendant un micro. Chester s'est déjà servi d'un modèle similaire. Il te montrera comment ça marche.

Drake plongea la main dans un conteneur en plastique et en extirpa des bouchons d'oreilles qu'il tendit à Will.

Will les examina d'abord, puis il se tourna vers Drake d'un air sceptique.

– C'est pour assurer nos arrières, expliqua Drake. Celia et moi, on s'est retrouvés KO à cause d'une bombe styx subsonique dans le parc municipal de Highfield. J'ai perdu le Tanneur et bien trop d'hommes encore ce jour-là. Je ne veux pas que ça recommence, dit-il en baissant les yeux pendant un instant. J'ai reçu deux rapports indiquant que les Styx se servaient de dispositifs similaires à Londres. J'ai confectionné ces petits trucs-là quand j'étais dans l'appartement d'Eddie, poursuivit-il en prenant une seconde paire de bouchons d'oreilles dans le conteneur avant de se les insérer dans les oreilles. Ils n'interféreront pas avec les fréquences normales, mais dès qu'ils détecteront une bombe subsonique, ils entreront en action. Ils répliquent sa longueur d'onde, mais en déphasé. Ils contrecarreront toute arme sonore qu'on pourrait employer contre toi.

– Ils nous protégeront ? demanda Will.

– Eh bien, tu sentiras l'attaque, et tu auras peut-être quelques vertiges et la vue un peu trouble, mais au moins tu ne tomberas pas dans les pommes. Ces bouchons te protégeront assez longtemps pour que tu puisses mettre les voiles ou neutraliser la source... la bombe elle-même.

– Cool, dit Will en les glissant dans sa poche.

– Non, il faut que tu t'habitues à les porter. Insère-les dans tes oreilles, s'empressa d'indiquer Drake. Et j'en ai terminé avec toi, maintenant. Tu peux aller donner un coup de main à Danforth et apporter les détecteurs portables par ici. On en a besoin à l'extérieur pour pouvoir les emporter dans notre véhicule.

Will s'apprêtait à lui demander de quel véhicule il s'agissait, mais Drake s'était déjà retourné vers les autres qui faisaient la queue. Will haussa les épaules et rejoignit Danforth. Il ralentit en passant devant Parry, toujours au téléphone. Il semblait employer la même séquence codée que celle dont s'était servi le sergent Finch lorsqu'ils étaient arrivés à l'entrée principale du Complexe. Parry citait des vers qui parlaient du réveil de dragons endormis, puis il attendait que lui ait répondu son interlocuteur avant de poursuivre.

– Drake m'a demandé de venir vous aider, dit Will en annonçant sa présence à Danforth.

Le professeur était tellement concentré sur les symboles qui défilaient sur l'écran qu'il ne prit que quelques instants pour relever la tête.

– C'est un programme gouvernemental top secret. J'ai lancé la traduction du *Livre de la prolifération.* D'après ce que j'ai lu jusqu'à maintenant, c'est une sacrée révélation. Ce document nous donne des informations sur l'une des espèces les plus résistantes, et sans doute la plus évoluée que le monde ait jamais connue.

– Vraiment, commenta Will avec indifférence.

Il souhaitait tenir compagnie à Danforth le moins longtemps possible. Chester avait raison. Cet homme avait quelque chose d'extrêmement perturbant.

Will fut surpris lorsque Danforth se leva de sa table pour se rapprocher de lui tout en s'assurant qu'il n'était pas trop proche non plus à cause de sa phobie des contacts humains.

– Tu pars donc pour une folle escapade à Londres à la recherche d'activités liées à l'utilisation de Lumière noire, lui dit Danforth à voix basse. Tu vois ça comment, toi ?

– On ne m'a encore rien dit là-dessus. Drake ne m'a pas encore briefé.

– « Pas de raison, de pourquoi, il n'y a qu'à faire et mourir », déclara Danforth en citant approximativement un poème de Tennyson. Comme c'est admirable. Tu es prêt à risquer ta vie pour défendre la cause ?

– Euh… non… il faut tout faire pour arrêter la Phase, non ? répondit Will en croisant le regard intense du professeur derrière ses lunettes, mais l'homme ne répondit pas.

Pendant un instant, le professeur et l'adolescent se fixèrent ainsi comme s'ils cherchaient à se sonder l'un l'autre pour mieux se comprendre. Will sentit à nouveau chez lui quelque chose du dévouement obsessionnel du Dr Burrows à sa quête de connaissance. Un frisson lui parcourut l'échine. Il aurait presque pu s'imaginer au côté de son père défunt. Mais il y avait cependant une différence frappante entre les deux hommes : le regard du professeur était dépourvu de la moindre trace de chaleur ou de compassion. Personne n'avait d'importance pour lui. Absolument personne, ce qui effrayait Will.

Danforth se mit à sourire de manière déplaisante.

– Pourquoi ? Qu'est-ce qui cloche dans ce projet ? demanda Will qui espérait en savoir plus.

– Eh bien, ça promet d'être intéressant, dit Danforth d'un air sarcastique. Regarde un peu les forces dont nous disposons, ajouta-t-il en indiquant ceux qui se trouvaient sur la Plateforme. Un résidu du IIIe Reich, un traître styx, un homme qui a un four à micro-ondes dans la tête, et une bande d'adolescents agités de la gâchette comme toi. Et pour couronner le tout, on a pour chef un ancien des commandos qui est assez vieux pour demander sa carte Vermeil. Comment pourrions-nous rater notre coup, vraiment, je te le demande ?

Tout le monde se tourna soudain vers Mme Rawls alors que Drake venait de terminer de vacciner Chester et s'apprêtait à s'occuper de ses parents.

– Non ! Je refuse que mon mari et mon fils participent à ce truc ! explosa-t-elle. Vous ne trouvez pas que ma famille en a déjà assez fait pour vous, non ? lança-t-elle à Drake sur le ton du reproche alors que Chester et M. Rawls se tenaient à son côté.

– Il y a de la rébellion dans l'air, commenta Danforth. Voilà qui n'augure rien de bon.

Comme le lui avait indiqué Danforth, Will se mit à découper des bandes de tissu kaki avant d'en envelopper chaque compteur Geiger et de les déposer dans un carton. Les compteurs, plutôt défraîchis, le boîtier en émail écaillé par endroits, ressemblaient à ceux que Will avait vus répartis un peu partout à l'intérieur du Complexe. La seule différence notable était l'antenne courte qu'on leur avait ajoutée, et les cadrans analogiques qu'on avait remplacés par des écrans LED modernes. Mais Will n'avait pas vraiment envie de discuter avec le professeur pour savoir à quoi ils allaient servir.

M. Rawls et sa femme quittèrent la Plateforme et la discussion animée prit fin. Chester se dirigea alors vers Will.

– C'était plutôt gênant, lui dit-il.

– Qu'est-ce qui se passe, Chester ?

– Maman ne veut pas que papa, ou moi d'ailleurs, on se retrouve encore en danger. Elle est un peu tendue à cause de tout ce qui se passe ces temps-ci, répondit Chester. Du coup, on vient toujours, papa et moi, mais Drake lui a promis qu'on ne serait là que pour vous appuyer. On n'ira pas en première ligne. Et puis, maman reste ici avec...

Il n'alla pas jusqu'à mentionner le nom de Danforth. De toute façon, le professeur était bien trop absorbé par son ordinateur portable pour l'entendre.

– Oh, dit Will qui comptait sur son ami pour l'épauler lorsqu'ils affronteraient l'ennemi à Londres.

– Ne t'inquiète pas, Will. Je ne vais pas me défiler comme une mauviette après tout ce qu'on a traversé, lui dit Chester en se penchant vers lui.

Chapitre Treize

Ils avaient tous reçu l'ordre de prendre leur équipement et leurs armes avant de se rassembler dans la zone adjacente aux deux corps de garde jumeaux, tout au bout du tunnel d'accès au Complexe.

Le moment du départ était enfin venu, et ils partaient tous.

Drake leur avait distribué des parkas blancs aux capuches doublées de fourrure et d'épais pantalons de la même couleur. Même si cet attirail était quelque peu encombrant, ils seraient bien contents de porter des vêtements isolants une fois dehors.

Dans leurs tenues de combat blanches, ils laissaient transparaître des signes de nervosité, même s'ils affichaient un certain détachement. Will savait parfaitement ce qu'ils éprouvaient, ils cherchaient à masquer leur peur. À l'abri du complexe souterrain, ils se sentaient plus ou moins en sécurité. La menace que constituait la Phase styx leur semblait alors si lointaine, tel quelque cauchemar qu'ils oublieraient bien vite.

Pourquoi nous ? Quelqu'un d'autre ne pourrait-il s'en charger ? songea Will. Il devait bien y avoir quelqu'un d'autre qui était au courant de ce qui était en train de se passer, quelqu'un de mieux placé pour combattre les Styx.

Si on lui avait laissé le choix, Will aurait tout simplement tourné les talons. Le Complexe était certes très éloigné du monde réel, mais c'était ce qui se rapprochait le plus d'un foyer, chose qu'il n'avait pas connue depuis bien longtemps. Il contempla de nouveau ses amis, et c'est alors qu'il comprit ce qui se cachait derrière le visage impassible de Drake et d'Eddie : le sens du devoir, doublé d'une froide détermination. Ils rempliraient leur mission coûte que coûte. Il fallait qu'il prenne exemple sur eux et qu'il y puise sa force.

– Est-ce que tu as tes bouchons d'oreilles ? répéta Drake.

Will acquiesça. Il était tellement perdu dans ses pensées qu'il n'avait pas entendu Drake la première fois.

Assis sur son scooter pour handicapé, le sergent Finch aidait Drake à passer en revue leur équipement avant de les autoriser à gravir le plan incliné qui menait au sas d'entrée plongé dans le noir. Will avait vidé son sac à dos et en avait disposé le contenu sur le sol à côté de sa cartouchière et de son pistolet mitrailleur Sten.

– Tenue impeccable, le complimenta Drake. On va faire de toi un vrai soldat.

– Une dernière chose… Vérification des radios, lui rappela Finch en scrutant la liste accrochée à sa chère écritoire, un chat dormant sur ses genoux.

– Un deux, un deux, murmura Drake en portant la main à son casque.

– Reçu cinq sur cinq, confirma Will.

– À la bonne heure, mais coupe ta radio maintenant pour préserver la batterie. Bien, te voilà paré, déclara Drake avant de se tourner vers Chester pour procéder de même.

Will rangea son sac à dos, puis il attendit son ami, qui était visiblement gêné que sa mère se montre aussi peu encline à le voir partir. Will la regarda s'accrocher à son fils avec compassion tandis qu'elle lui parlait d'une voix douce. Contre toute attente, la famille Rawls avait été réunie et il semblait injuste de devoir les séparer à nouveau. M. Rawls et Chester laissaient en effet Mme Rawls derrière eux.

Will lança un coup d'œil à sa propre mère qui se tenait là, l'air complètement détaché du monde. C'était à peine s'ils formaient encore une famille à présent. Ils étaient plus comme des compagnons de guerre.

– Pauvre maman, dit Chester en rejoignant son ami. Elle ne veut vraiment pas nous laisser partir, ajouta-t-il sur le ton de la confidence.

Les deux garçons pénétrèrent ensemble dans le sas où se trouvait déjà Parry, posté à côté du panneau coulissant qui ouvrait sur l'extérieur.

– Sweeney nous accompagne, n'est-ce pas ? demanda Will.

Il ne l'avait pas vu à côté des corps de garde.

– Il surveille les caisses à l'extérieur. Il ne fait pas partie du détachement. Il est... ajouta Parry sans terminer sa phrase, se contentant de consulter le cadran phosphorescent de sa montre.

Quelques instants plus tard, tout le monde s'était entassé dans l'espace confiné du sas. Ployant sous le poids de leurs armes et de leurs lourds sacs à dos, ils avaient de plus en plus chaud dans leurs uniformes polaires.

– Cinq clics sur une ligne de vol nord – nord-ouest, crachota soudain la radio de Parry. À vous.

Ligne de vol, pensa Will qui aurait bien voulu croiser le regard de Chester à cet instant précis, ce qui était impossible dans les ténèbres qui les entouraient. Personne ne leur avait indiqué comment ils allaient se rendre à Londres. Drake leur avait dit qu'ils n'avaient nul besoin de le savoir pour l'heure.

– Bien reçu, répondit Parry. Qu'on peigne le LZ. Terminé.

Parry raccrocha sa radio à sa ceinture en toile. Il avait dû sentir que les deux garçons mouraient d'envie de savoir de quoi il retournait, car il se lança dans une explication.

– De nos jours, on ne délimite plus les zones d'atterrissage par un marquage au sol situé dans le spectre visible. Au lieu de cela, on emploie des balises infrarouges, expliqua-t-il. Le pilote les repère à plus d'un kilomètre à la ronde sur son écran de contrôle.

– D'accord, répondit Will comme s'il comprenait parfaitement ce qu'avait dit Parry, mais une chose était sûre, ils rallieraient le Sud en avion.

– Il est l'heure, dit Parry à l'ensemble du groupe. Je sais que vous êtes tous surchargés, mais il faudra garder l'allure. Ne vous laissez pas distancer par le colonel, qui va vous conduire au LZ. Nous disposons d'un créneau très serré et nous ne pouvons nous permettre aucun retard.

Parry ouvrit la porte coulissante et les garçons se rangèrent sur le côté pour laisser passer le colonel, puis ils partirent à sa suite dans le blizzard tourbillonnant.

– Mon Dieu, mais il fait un froid de canard ! s'exclama Chester en inspirant l'air glacial.

Ils se déplacèrent rapidement, franchissant les uns après les autres la chaîne qui entourait le Complexe avant de dévaler la colline en frappant le sol verglacé de leurs bottes.

Will suivait Chester et le colonel. Parry était juste derrière lui et il distinguait les vagues silhouettes des autres membres de l'équipe, M. Rawls, Eddie et Elliott, Stephanie, Mme Burrows et enfin Drake qui fermait la marche.

Des bourrasques de vent balayaient les flancs de la montagne, faisant gémir les lignes électriques suspendues au-dessus de leurs têtes. La lune était à peine visible sous l'épais couvert nuageux, si bien que Will ne parvenait pas à discerner quoi que ce soit au-devant de lui. M. Rawls avait du mal à suivre. Will se demandait s'ils étaient encore loin du but. Se dirigeaient-ils vers le fond de la vallée ? Une vingtaine de minutes plus tard, ils atteignirent un plateau et le colonel commença à ralentir l'allure. Sweeney était accroupi près de plusieurs caisses qui contenaient les détecteurs portables que Will avait aidé à empaqueter.

– Ne bougez plus, ordonna Parry avant de s'éloigner avec Drake.

Les deux hommes se tenaient à plus d'une centaine de mètres l'un de l'autre, brandissant des appareils semblables à des lampes torches dont n'émanait cependant aucune lumière.

Tout à coup retentit un bruit de tonnerre aussi fracassant qu'inattendu, si bien que tout le monde leva les yeux vers le ciel, puis s'accroupit pour se mettre à couvert. L'hélicoptère volait si bas qu'il s'était matérialisé au-dessus de leurs têtes sans crier gare. Cette énorme machine de guerre qui planait à moins d'une centaine de mètres au-dessus d'eux était des plus effrayantes. Le souffle surpuissant de ses pales balayait les flocons de neige comme autant de confettis.

Une fois à l'aplomb de la zone délimitée par Parry et Drake, l'appareil amorça sa descente, puis bascula légèrement en arrière en maintenant une inclinaison de quarante-cinq degrés par rapport au sol. À l'instant où les roues situées à l'arrière du fuselage touchèrent terre, une rampe s'ouvrit. Parry et Drake leur ordonnèrent alors de monter à bord en hurlant pour couvrir le bruit des moteurs de

l'hélicoptère. Des voyants rouges à basse luminosité marquaient les bordures de la rampe pour guider leur ascension. En montant à bord, Will aperçut des symboles militaires dessinés sur le fuselage. Pendant ce temps, Drake, Sweeney et le colonel finissaient d'acheminer les caisses en haut de la rampe d'accès qui se referma ensuite avec un bruit sourd, et voilà qu'ils s'élevaient déjà dans les airs.

Will prit place à côté de Chester, puis boucla les sangles de sécurité. Des sièges entouraient de part et d'autre la cabine, qui devait mesurer facilement deux fois la largeur d'un wagon de train. Il n'y avait cependant pas la moindre trace de l'équipage. Alors que Parry se rendait à l'avant de l'hélicoptère, Will et Chester aperçurent les deux pilotes baignés dans la lueur verte de leurs instruments avant que ne se referme la porte du cockpit.

– Alors, qu'est-ce que vous dites du voyage ? leur demanda Drake en se rapprochant d'eux, car il avait remarqué leur curiosité.

– Délire ! répondit Chester.

– C'est quoi, comme appareil ? cria Will.

– C'est un Chinook de l'escadron 27. Il retourne à Hampshire. Papa a passé quelques coups de fil à deux ou trois relations pour que quelqu'un vienne nous prendre en stop. Notre présence ici n'a bien entendu rien d'officiel et il n'y aura aucune trace de notre passage dans le journal de bord.

Will et Chester acquiescèrent.

Drake pointa le hublot qui se trouvait juste derrière eux. Ils se retournèrent et virent alors deux minuscules points lumineux qui luisaient comme des étoiles dans le lointain. À part cela, il n'y avait que des tourbillons de neige qui s'agitaient dans les ténèbres.

– Restez attachés. Ça va secouer. Nous volons juste au-dessus des arbres pour éviter autant que possible de nous faire repérer par les radars, leur dit-il.

– Ouais, ça décoiffe, dit Will d'un ton enjoué tandis qu'ils survolaient une route illuminée à vive allure.

Mais alors que Drake rejoignait son siège, l'enthousiasme initial de Will se dissipa bien vite. Le bruit régulier des moteurs et les brusques changements d'altitude lui rappelaient son dernier voyage en hélicoptère. Malgré la pénombre, Will était certain qu'Elliott et le colonel Bismarck l'observaient. Il se demandait s'ils songeaient eux aussi au vol qu'ils avaient effectué ensemble dans le monde intérieur, peu après la mort du Dr Burrows lorsqu'il avait été abattu par l'une des deux Rebecca.

Will avait été submergé par un tel accès de rage mêlée de chagrin qu'il avait fallu que deux soldats néo-germains le forcent à monter à bord de l'appareil. Pire encore, Will avait accusé Elliott d'avoir causé la mort de son père. Assise en face de lui dans l'hélicoptère, elle avait les yeux étincelants. Il avait tellement honte de s'être comporté de la sorte. En outre, il ne pouvait s'empêcher de penser à la mort violente qu'avait connue son père au sommet de la pyramide.

Will était encore perdu dans ces pensées lorsque Chester lui donna un coup de coude. Il était rayonnant et levait le pouce avec enthousiasme, mais Will ne parvint qu'à esquisser un faible sourire. Au moins Chester appréciait-il ce voyage en hélicoptère.

Peut-être Will s'était-il assoupi, mais il n'avait pas fallu longtemps avant que le bruit des moteurs ne descende d'une octave. Il aperçut d'autres lumières à travers les hublots alors qu'ils perdaient de l'altitude. Un instant plus tard, l'hélicoptère se posait brutalement. Parry et Drake leur donnèrent l'ordre de descendre en hurlant pour couvrir le bruit des pales qui tournaient encore. Ils déchargèrent rapidement les caisses, et moins d'une minute plus tard, l'hélicoptère redécollait déjà.

Will avait les oreilles qui bourdonnaient dans l'atmosphère à présent silencieuse. L'hélicoptère les avait déposés dans un champ. Il neigeait encore plus dru qu'avant, si bien qu'ils n'avaient plus aucune visibilité. C'est alors que, l'espace d'un instant, deux phares s'allumèrent dans le lointain. Parry répondit au signal à l'aide de sa lampe torche et le champ s'illumina soudain de multiples lueurs.

Des véhicules commencèrent à approcher, les uns après les autres. Il y eut d'abord un camping-car, puis une Land Rover et un break Volvo suivi par toute une série de voitures ordinaires. Parry s'adressait à chacun des chauffeurs pendant que Drake et Sweeney chargeaient une caisse dans le coffre, puis ils reprenaient leur route en faisant crisser leurs pneus sur la neige.

– C'est ici que nos chemins se séparent. Bonne chasse, dit Parry à Eddie qui se tenait à côté de la dernière caisse de détecteurs alors que la dernière voiture disparaissait dans la nuit.

– Très bien. Elliott, tu veux venir avec moi ? demanda alors Eddie à sa fille.

– D'accord, répondit Elliott avec nonchalance, non sans avoir d'abord pris le temps de jeter un coup d'œil en coin en direction de Will.

Will n'en revenait pas. Jamais il n'aurait cru qu'elle accepterait cette proposition. Il se sentait trahi et abandonné, et même s'il n'était pas prêt à l'admettre, il était un rien jaloux de la relation qu'Elliott venait de nouer avec son père. Il comptait tant sur la présence d'Elliott à son côté, tout comme sur celle de Chester d'ailleurs. Alors que Parry s'éloignait déjà vers la bordure du champ, Will n'avait toujours pas bougé d'un pouce.

– Tout va bien, mon pote, elle sera de retour parmi nous en moins de temps qu'il ne faut pour le dire, lui assura Drake en lui administrant une petite tape amicale.

– Hum, d'accord... Oui... marmonna Will qui venait de s'apercevoir qu'on pouvait lire dans son cœur à livre ouvert.

Il se plia en deux et feignit une quinte de toux pour ne pas être obligé de parler à Drake tandis qu'ils marchaient côte à côte. Luttant contre le blizzard, ils traversèrent plusieurs champs à la suite de Parry jusqu'à atteindre enfin une zone entourée de clôtures. Parry ouvrit un portail derrière lequel se dressait un monticule couvert de neige de la surface de plusieurs courts de tennis. Will cherchait à déterminer leur position, mais Parry ne lui en laissa pas le temps. Il contourna le monticule d'un pas vif, puis descendit quelques marches verglacées avant de franchir une porte.

Ils n'étaient pas mécontents d'échapper enfin à la neige et au vent glacial. Ils suivirent Parry en file indienne, descendirent plusieurs volées de marches en béton, et arrivèrent devant une porte en métal cabossé sur laquelle un panneau indiquait SALLE DES POMPES À EAU.

– Regarde un peu ça ! s'écria Chester à mi-voix en passant devant Will.

Ils se trouvaient sur un quai. Un métro les attendait dans le tunnel. Le quai n'était pas si différent des anciens quais du réseau souterrain de Londres encore en usage. Les parois étaient carrelées, mais il était impossible d'en déterminer la couleur d'origine sous l'épaisse couche de crasse et les efflorescences dont elles étaient couvertes. Le quai était jonché d'énormes bobines de câble haute tension et de caisses en bois putréfié remplies de matériel technique dont la rouille avait rongé le métal.

Will repéra un tableau en haut duquel figurait une inscription à peine visible : ÉTAT D'ALERTE. Il y avait deux crochets juste en dessous, mais rien n'y était suspendu. Will eut beau scruter le reste de la station, il ne trouva aucun indice qui puisse lui apprendre son nom.

– On doit être à côté de Londres, non ? demanda-t-il à Parry.

– Non, on est à une bonne cinquantaine de kilomètres de la capitale. On est dans l'Essex, répondit Parry en indiquant le plafond. Nous sommes pile en dessous du réservoir de Kelvedon, et tu ne trouveras aucune trace de cet endroit dans les livres d'histoire. On le désignait comme « le Premier Cercle » des infrastructures de défense. Il devait permettre au gouvernement de décamper de la capitale en cas de pépin. À l'origine, cette liaison ferroviaire allait jusqu'à Westminster.

– C'est donc là que nous allons ?

– Non, ça fait des années que les deux derniers kilomètres de voie sont hors d'usage à cause des inondations.

Will s'intéressait à présent au train lui-même. Deux voitures étaient éclairées devant lui, dont les vitres étaient si crasseuses qu'elles en étaient presque opaques.

– Quelques membres de la Vieille Garde l'ont maintenu en état de marche. C'était plus un passe-temps qu'autre chose, expliqua Parry avant de pivoter sur lui-même au moment où un sifflet retentit à l'autre bout du quai. D'ailleurs, voici l'un d'eux, dit-il en voyant s'ouvrir les portes du train dans un grincement.

L'homme était toutefois trop loin pour que Will puisse distinguer son visage.

– En voiture tout le monde ! cria Parry en saluant l'homme d'un geste de la main.

L'intérieur de la voiture comportait un plancher sur lequel étaient empilées des toiles goudronnées en lambeaux.

– Étant donné l'état des rails, il faut qu'on roule à vitesse réduite. Le voyage durera environ une heure et vous devriez essayer de dormir un peu, recommanda Parry pendant qu'ils se délestaient tous de leurs sacs à dos et s'installaient dans le wagon.

– Règle d'or : dormir à la moindre occasion, poursuivit Drake. Vous ne saurez jamais quand vous pourrez vous reposer de nouveau.

– Bon, on a déjà pris l'hélicoptère, maintenant c'est le train, et puis quoi ensuite ? demanda Chester.

– Peut-être un bateau, suggéra Will en s'allongeant sur le sol pour se mettre à son aise, la tête posée sur son sac à dos. Oui, un bateau, ajouta-t-il avec un gros bâillement tandis que se refermaient les portes. On n'a pas navigué depuis notre dernier périple dans les Profondeurs.

– Hors de question ! J'ai horreur des bateaux, dit Chester d'un air renfrogné. Les bateaux, les ascenseurs et les expéditions souterraines. Et puis je déteste aussi le froid et l'humidité, ajouta-t-il.

Il s'essuya le visage en reniflant.

– Et les insectes, alors ? Tu oublies les insectes, conclut Will.

– On arrive bientôt à la station ! cria Drake.

Will ouvrit les yeux d'un coup, mais il lui fallut un instant pour comprendre où il se trouvait en voyant le visage paisible de Chester à moins d'un mètre de lui.

– Hé, mocheté ! Réveille-toi ! dit Will en poussant son ami. On est arrivés !

– Bon sang ! Je rêvais que j'étais en vacances, se plaignit Chester en regardant tout autour de lui d'un air hébété. De retour à Center Parcs, avec papa et maman.

– Désolé de te décevoir.

Ils débarquèrent du train. Une silhouette les attendait près de la sortie, située à l'extrémité du quai semblable à celui duquel ils étaient partis. L'homme avait les yeux dissimulés sous un masque de ski et portait une arme de poing à la ceinture, mais il n'avait rien d'intimidant. Il tirait sur sa pipe et paraissait encore plus vieux que Parry.

– Merci, Albert, dit Parry en lui donnant une tape sur l'épaule au moment où il franchissait le seuil de ce qui, compte tenu de son épaisseur, ne pouvait être qu'une porte anti-explosion.

Ils gravirent ensuite les marches d'un escalier en colimaçon qui semblait ne jamais devoir finir, puis parvinrent enfin à une autre porte ouvrant sur un couloir plongé dans l'obscurité. Le sol était recouvert d'une moquette marron, découpée en de nombreuses dalles disjointes. On avait empilé du mobilier de bureau dans un coin. Parry appela le petit ascenseur de service situé tout au bout du couloir. La cabine était trop petite pour pouvoir les accueillir tous, c'est pourquoi il emmena d'abord Will, le colonel et Stephanie avec lui.

– Où sommes-nous exactement, maintenant ? demanda Will tandis qu'ils grimpaient dans les étages.

– Tu verras bien, lui répondit Parry.

Les portes s'ouvrirent avec un cliquetis. Ébloui par la lumière, Will plissa les yeux. Ils suivirent alors Parry.

– C'est scandaleux ! Cet endroit ne sert presque plus de nos jours, dit Parry. Il y avait un restaurant deux étages plus bas avec une plateforme tournante.

– On est dans la BT Tower, souffla Will.

– On est à Londres ! glapit Stephanie, ravie.

La lumière du jour inondait la pièce circulaire, complètement vide à l'exception de la cage d'ascenseur qui se trouvait en son centre. Depuis les vitres, on avait une vue époustouflante sur le paysage urbain. Tout Londres s'étendait à leurs pieds. Will se rapprocha pour regarder les toits couverts de neige et les passants qui circulaient dans la rue. Il fit lentement le tour des fenêtres et repéra un groupe de camions militaires dans Charlotte Street.

À part cela, tout paraissait normal.

– Mon Dieu ! Qui aurait cru voir ça ? s'exclama soudain Parry, horrifié par ce qu'il voyait au-dehors.

À environ cinq kilomètres de là, plusieurs épaisses colonnes de fumée noire s'élevaient dans le ciel depuis une portion de ville qui s'étendait de Westminster à la City. Will repéra la légion d'hélicoptères qui planait au-dessus des zones touchées, et c'est alors qu'il entendit le hurlement incessant des sirènes à l'arrière-plan.

– C'est l'anarchie là-bas, dit Parry. Les Styx ont réussi l'impossible, c'est la guerre civile.

Drake était monté par l'ascenseur avec le reste du groupe. Ils avaient tous rejoint le vieil homme et contemplaient la scène audehors dans un silence choqué.

– Tout va bien, maman ? demanda Will en voyant sa mère vaciller sur ses pieds.

– Trop de gens, murmura-t-elle en serrant les poings, le visage fort pâle. Je sens leur haine et leur peur. C'est pire que la dernière fois que nous sommes venus. C'est trop pour moi… et un homme vient de prendre l'ascenseur, ajouta-t-elle en reculant vers le centre de la pièce.

Quelqu'un s'éclaircit la voix derrière eux et ils se retournèrent tous pour découvrir un homme âgé qui arborait une moustache en guidon de vélo et portait une salopette bleue.

– « Le dragon dort »… commença-t-il en lisant une fiche à voix haute.

– Oh, laissez tomber ces sornettes, dit Parry en s'avançant vers lui pour lui serrer la main avec poigne. Vous êtes le cousin du sergent Finch, je présume.

Le vieil homme acquiesça. Un petit bruit aigu retentit tout à coup, puis cessa à peine se fut-il tapoté l'oreille.

– C'est mon Sonotone qui fait des siennes, expliqua-t-il. Je suis Terrence… Terry Finch.

– Regardez un instant par ici, s'il vous plaît, dit Drake en pointant la Purge de Danforth vers le visage du vieil homme.

Le jet de lumière violette se réfléchit dans les yeux chassieux du vieillard, qui ne broncha pas.

– Vous m'avez pris en photo ? demanda Terry.

– Net, dit Drake en rangeant la Purge. Il n'a pas connu la Lumière noire.

– On vérifie juste que vous êtes bien des nôtres, dit Parry.

– Une seule suffit ? demanda alors Terry mettant sa main en cornet, car il n'avait manifestement pas entendu Parry.

– A-t-on remis l'ordre de réquisition au personnel chargé de la sécurité en bas ? Nous ne voulons pas être dérangés, dit alors Parry en parlant encore plus fort qu'à l'accoutumée.

– Pardon ? répondit Terry.

– Terry, conduisez-moi jusqu'à la salle des transmissions ! cria Drake en se penchant vers le vieil homme après avoir poussé un soupir. Il faut que j'installe le dispositif.

Dans un autre quartier de Londres, Harry descendait d'un pas lourd à l'étage inférieur, la tête penchée sur l'épaule tandis qu'il négociait chaque marche. Sa posture n'avait rien d'inhabituel. Cela faisait en effet vingt ans qu'il se tenait ainsi à la suite d'un saut en parachute en haute altitude avec ouverture tardive de la voile, dit « saut HALO[1] », lequel avait très mal tourné. Il n'avait quasiment plus que du titane à la place des cervicales.

– Janey, je sors et je prends la voiture, lança-t-il. D'accord ?

– D'accord, Papa, répondit sa fille en s'arrachant à son livre pour jeter un coup d'œil à son père, âgé de soixante-cinq ans, qui pivotait sur lui-même pour retrouver les clés, faute de pouvoir tourner son cou trop raide.

– Tu ne saurais pas où j'ai mis les chargeurs Hi-Power qui me restaient ? demanda-t-il en entrant dans le salon.

– Si, sur la cheminée, répondit-elle. Dans Mr Clowny.

– Merci, répondit son père.

Janey le regarda s'avancer vers le clown en céramique aux couleurs criardes, puis soulever le couvercle en forme de chapeau melon. Il plongea la main à l'intérieur et en extirpa deux chargeurs pour son revolver. Il marqua un temps d'arrêt avant de reposer le

1. HALO s'applique à des opérations militaires en chute libre et signifie *High Altitude Low Opening* (« haute altitude à faible ouverture ») *(N.d.T.)*.

couvercle, puis il prit également le long poignard qu'il y avait également dissimulé.

– Tu prends aussi le Sykes-Fairbairn ? Tu feras bien attention dehors, hein, Papa ? lança Janey d'un air soucieux.

– Je ne vais tout de même pas me laisser empoisonner la vie par quelques casseurs de vitrines sans cervelle, répondit Harry sur le ton du défi.

– Ce qui se passe en ce moment est un tout petit peu plus grave que ça. Je ne parlais pas des émeutes de toute façon, mais du temps. Il doit faire largement en dessous de zéro, dehors.

Coiffé d'un bonnet et vêtu d'une écharpe en laine et d'une épaisse veste verte, Harry avait la tenue qu'il portait habituellement pour aller à la pêche, mais il ne semblait pas avoir pris sa canne ni le reste de son matériel. Quoi qu'il en soit, ce n'était pas la saison de la pêche, et Janey en avait donc déduit qu'il devait s'agir de son autre passe-temps.

– Tu vas au jardin ? demanda-t-elle en le voyant quitter la pièce, mais elle ne reçut pour toute réponse que le claquement de la porte d'entrée.

Janey reposa son livre, se leva de son fauteuil pour se rendre à la fenêtre dont elle écarta le voilage. Dès l'aube, il était tombé deux nouvelles chutes de neige, si bien que tout était blanc et glacé au-dehors.

– Il n'est quand même pas en train de jardiner ? Pas par ce temps... s'étonna-t-elle à voix haute.

Elle continua à observer l'ancien lieutenant Harry « Hoss » Handscombe, alors qu'il déblayait la neige et la glace accumulées sur le pare-brise de sa voiture à grands coups de racloir.

– Bon, où le vieux débris peut-il bien aller ? se demanda Janey d'un ton affectueux, puis elle haussa les épaules, alluma la télévision pour zapper, mais comme toutes les chaînes étaient toujours indisponibles, elle se renfonça dans son fauteuil et se replongea dans son livre.

Au bout de dix minutes de route, Harry s'engagea sur le parking d'un supermarché dont il fit le tour, en pivotant sur lui-même pour voir à travers son pare-brise. Comme dans la plupart des magasins londoniens, il n'y avait plus grand-chose à acheter, suite aux récents mouvements de panique. Le parking était donc loin d'être plein et il ne lui fallut pas longtemps pour trouver ce qu'il cherchait.

Harry gara sa voiture, sans toutefois s'approcher trop près de la Land Rover cabossée qui se trouvait au coin de l'esplanade. Avec sa démarche si particulière, le dos toujours aussi raide, Harry s'avança vers le véhicule en contemplant le dragon vert qu'on avait scotché en haut du pare-brise. La portière du conducteur s'ouvrit au moment où il arriva à sa hauteur et une femme sensiblement du même âge que lui passa la tête au-dehors.

– Contente de vous revoir, Hoss, lui dit la femme aux yeux gris sans sourire, l'air déterminé mais néanmoins amical.

– Moi de même, Anne, répondit-il en lui serrant la main. Vous savez, je pense souvent à Ian. Il me manque.

– Il vous aimait beaucoup aussi, dit-elle en acquiesçant. Après votre accident, il plaisantait souvent à ce propos. Il racontait que vous aviez fait tout votre possible pour épargner le financement de vos obsèques à votre famille, car vous aviez percuté le sol avec une telle force que vous aviez réussi à vous enterrer tout seul.

– S'il y a bien une chose qui ne me manque pas chez ce vieux machin, c'est son sens de l'humour, répondit Harry en riant, puis il reprit un air grave. Comment était-il, sur la fin ?

– Il avait accepté sa maladie. Il m'a dit qu'il s'était fait à l'idée, car il avait obtenu ce qu'il voulait, il s'apprêtait à mourir chez lui plutôt que dans quelque jungle perdue, contrairement à tant d'autres parmi vous, il y a trois décennies de cela. Mais assez de mièvreries absurdes… Comment va votre arthrite ? demanda-t-elle en changeant de sujet.

– Pas mal dans l'ensemble. Il me faut de plus en plus de temps pour démarrer le mat…

Harry se tut soudain. Il venait de voir arriver en trombe sur le parking deux voitures de police. Il chercha aussitôt son Browning Hi-Power dans la poche de sa veste. C'est toutefois devant le supermarché qu'elles se rangèrent, et les agents bondirent hors de leurs véhicules et se précipitèrent à l'intérieur du bâtiment.

– Encore des clients qui se battent en caisse, c'est sûr, marmonna Anne qui fixait les voitures de police. Mais on ne sait plus à qui faire confiance de nos jours, pas vrai ? À part nous autres, les retraités, car tout le monde nous a déjà mis à l'index. Nous sommes invisibles, ajouta-t-elle en gloussant, et elle reposa son fusil à canon scié à ses pieds.

– Nous vivons une époque troublée, lui accorda Harry. Je continue à penser qu'il est ridicule d'avoir demandé à l'armée de patrouiller dans les rues. C'est pour moi, j'imagine ? demanda-t-il en voyant Anne prendre un objet enveloppé dans une toile kaki posé sur la banquette arrière.

– Oui, avec les meilleurs sentiments du commandant, répondit-elle. Parry vous a indiqué la marche à suivre ?

– Oui, il m'a déjà briefé, confirma Harry.

– Bonne chasse, Hoss, lança-t-elle après lui avoir tendu le compteur Geiger reconverti, puis elle referma la portière, mais Harry avait eu le temps d'apercevoir les nombreux autres colis kaki entassés à l'arrière de la Land Rover.

De retour au volant de sa voiture, Harry posa soigneusement le détecteur mobile sur le siège passager à côté de son GPS et de son Browning Hi-Power, puis il les recouvrit d'un journal.

La journée sera longue, se dit-il en lui-même, puis il repartit après avoir vérifié le niveau de la jauge à essence.

Il lui fallait trouver une station-service dont les réserves ne soient pas encore épuisées pour y faire le plein. Il avait encore du chemin à faire avant d'atteindre l'autoroute qui le conduirait à Londres, puis dans le quadrant que lui avait assigné Parry.

– Oui, la journée sera longue pour la Vieille Garde, dit Harry.

Danforth était de retour sur la Plateforme et coordonnait les opérations, tandis que Drake contrôlait les antennes paraboliques de la BT Tower à l'aide de son ordinateur portable. Drake scrutait une carte à l'écran et Danforth lui relayait les informations chaque fois que l'un des hommes de la Vieille Garde ou que l'un des Limiteurs d'Eddie repérait une activité liée à l'utilisation de Lumière noire grâce à son détecteur portable. Drake se servait alors des antennes paraboliques montées au sommet de la tour pour trianguler avec précision les coordonnées de la zone incriminée.

Les multiples coupures d'électricité ne contribuaient guère à la bonne marche des opérations, car elles interrompaient le fonctionnement des paraboles de Drake. Il devait attendre à chaque reprise que soit rétabli le courant avant de pouvoir relancer le système et reprendre sa quête.

– Je crois que nous tenons peut-être quelque chose, lança-t-il à Parry au bout de plusieurs heures en inclinant la tête vers la carte qui s'affichait à l'écran. Nous captons des signaux un peu partout, mais il y a un endroit à l'ouest où nous avons détecté un pic d'activité liée à la Lumière noire.

– Près de Slough, remarqua Parry en scrutant le nuage de points rouges qui clignotait sur la carte. Faut-il mobiliser les troupes et nous y rendre sur-le-champ ?

– Pas encore, répondit Drake en secouant la tête. Inutile de perdre notre temps si ça n'a rien à voir avec la Phase. Danforth a envoyé quelques équipes en reconnaissance.

Après avoir quitté l'autoroute, Harry traversa deux ronds-points. Il se dirigeait vers la zone industrielle lorsqu'il repéra un barrage routier tenu par des militaires un peu plus haut sur la route. Il scruta rapidement l'horizon. Il n'y avait que des accotements enherbés de part et d'autre de la route et pas un seul bâtiment en vue. Il était trop tard pour faire marche arrière. Il s'assura donc que le détecteur mobile était bien éteint et hors de vue alors qu'il s'approchait du barrage.

Il y avait un véhicule blindé garé sur le côté de la route. Il s'agissait d'un Viking à l'intérieur duquel se trouvait un soldat armé d'une mitraillette 50 millimètres. Or, il la pointait directement sur Harry. Quelque chose ne tournait pas rond. Même en tenant compte de l'agitation sociale actuelle et du niveau de sécurité renforcée, voilà qui était quelque peu excessif pour accueillir un vieillard parti faire un tour en voiture.

Le soldat qui tenait le barrage lui fit signe de s'arrêter, puis il s'approcha de sa voiture.

– Puis-je vous demander ce qui vous amène par ici, monsieur ? demanda-t-il avec brusquerie.

– Je vais chercher ma petite-fille à une fête, mentit Harry.

– Votre petite-fille, vraiment ? Vous voulez bien sortir du véhicule, monsieur, et garder les mains bien en vue ? ordonna le soldat.

– Il y a un problème plus haut ? demanda Harry en essayant d'entrevoir la route par-delà le barrage.

– Sortez de votre voiture. Maintenant ! lança le soldat d'une voix rauque trahissant son agacement en pointant son arme sur Harry qui s'exécuta et leva les mains en l'air. Mettez-vous contre le véhicule ! ordonna le soldat en invitant Harry à se retourner d'un geste du doigt. Jambes écartées !

Harry obéit. L'autre soldat qui les avait rejoints procéda alors à une fouille au corps minutieuse.

– Je vois que vous faites partie du régiment des parachutistes, lui dit Harry. Vous êtes loin de votre QG régional ?

Le soldat se releva d'un coup, car il était parvenu en bas de ses bottes. Il avait donc fini de lui palper les jambes. Il attrapa Harry par l'épaule et le retourna sans ménagement.

– Et qu'est-ce que vous en sauriez au juste, Papy ?

– J'étais dans les paras, moi aussi. J'ai servi de 1951 à… répondit Harry imperturbable.

– Vos papiers, rétorqua le soldat d'un ton sec.

Harry sortit lentement son portefeuille avant de le lui tendre. Le soldat se mit alors à examiner son permis de conduire.

– Harold James Handscombe, lut-il avec un dédain manifeste en détournant aussitôt la tête pour bien marquer à quel point Harry lui était indifférent, mais c'est alors que retentirent les mots qu'Harry redoutait tant.

– Ne bougez pas d'ici ! lui dit le soldat armé du fusil d'assaut. Nous allons inspecter votre véhicule.

Tout les voyants étaient au rouge et Harry avait les nerfs à vif, si bien qu'il avait l'impression qu'une décharge électrique lui traversait le corps tout entier.

– Bien sûr, répondit-il en jetant un coup d'œil au siège du conducteur pour calculer le temps qu'il lui faudrait pour atteindre le Browning Hi-Power caché en dessous.

Le timing serait serré, et même s'il arrivait à récupérer son arme, il avait peu de chances de s'en sortir. Il faudrait qu'il neutralise d'abord le soldat le plus proche avant de s'occuper des deux autres.

Cela faisait longtemps qu'il n'avait pas tiré sur qui ce soit, mais les vieux instincts n'étaient jamais bien loin. Fort de toutes les années où il s'était retrouvé dans des situations particulièrement tendues, il savait que la situation allait dégénérer. C'était bien plus qu'une simple intuition, pour Harry, cela ne faisait aucun doute.

Les soldats avaient les yeux légèrement vitreux. Si Parry ne lui avait pas parlé des Styx et expliqué leurs techniques de contrôle mental, Harry en aurait déduit que ces hommes étaient sous l'emprise de la drogue. Quant à la manière dont se comportaient ces soldats, elle était parfaitement inacceptable.

– Le capot est ouvert ? demanda le soldat en contournant le véhicule par l'avant.

– Oui, répondit Harry qui savait qu'il découvrirait forcément le détecteur mobile, le GPS, et enfin le revolver caché sous le siège du conducteur avant même d'atteindre le capot.

Or, le soldat ouvrait déjà la portière avant du côté passager. Il se pencha pour examiner ce qu'il y avait sous le journal posé au pied du siège et découvrit le compteur Geiger modifié. Il releva la tête pour avertir l'autre soldat et Harry sut alors que la partie était terminée. Il se déplaça aussi vite que le lui permettait son corps peu agile, pivota sur un pied et tendit la main vers le siège du conducteur quand il perçut soudain du coin de l'œil quelque chose d'étrange : le soldat armé du fusil d'assaut s'était effondré sur le plancher de la voiture tandis que son camarade gisait sur le sol. Harry se releva et vit que le soldat qui occupait le Viking était lui aussi avachi sur sa lourde mitraillette.

– Le Pr Danforth a pensé que vous auriez peut-être besoin d'aide, lui lança Eddie en dévalant l'accotement recouvert de neige, accompagné de trois de ses hommes armés de fusils tranquillisants, et ils rejoignirent Harry qui n'y comprenait décidément plus rien.

Une demi-heure plus tard, Drake reçut un coup de fil d'Eddie sur son téléphone satellite. Une fois la conversation terminée, Drake informa Parry sur la situation.

– Nous sommes sur une piste. Eddie a découvert des Limiteurs et des équipes de soldats compromis qui tenaient des points de contrôle sur les routes menant à la zone industrielle. Ils les ont complètement bouclées, mais Eddie a dégagé une voie d'accès avec ses hommes.

– Ça m'a l'air prometteur, dit Parry.

– Mieux encore. Eddie se trouve déjà dans la zone avec une partie de la Vieille Garde. Ils surveillent une usine de taille où sont massés les Limiteurs. La circulation y est également importante, puisqu'ils ont vu au moins deux camions réfrigérés qui livraient sans doute de la viande. Le dernier vient d'entrer. Il pourrait s'agir de nourriture pour les larves de Guerriers. Je pense qu'on a peut-être décroché le jackpot.

– Qu'en dit Danforth ? demanda Parry.

– Il pense aussi que l'usage qu'ils font de la Lumière noire là-bas est d'une intensité exceptionnelle. Nous y sommes, d'après lui. Il transmet tout de suite les plans de l'usine à Eddie.

– Attention, vous tous ! hurla Parry après s'être accordé un instant de réflexion. Les affaires reprennent !

Troisième Partie

L'assaut

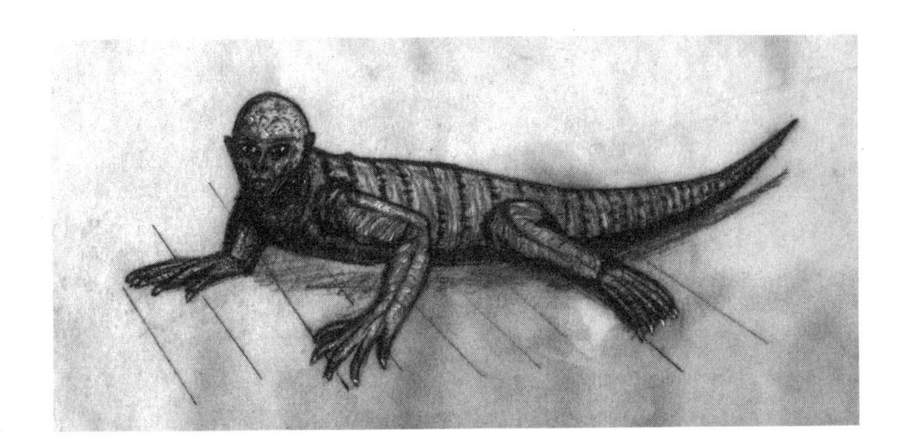

Chapitre Quatorze

– C'est vraiment pépère. Je pourrais m'habituer à la vie en entreprise, plaisanta Rebecca en sirotant son Coca light avec une paille.

– Tu m'étonnes, répondit Rebecca bis.

Les jumelles styx étaient dans la salle du conseil et se prélassaient dans leurs fauteuils rembourrés, les pieds sur la table.

– Je suis rassasiée, déclara Rebecca en parcourant du regard les assiettes de sandwichs auxquelles, avec sa sœur, elles avaient à peine touché.

– Moi aussi. Pourriez-vous débarrasser la table et nous apporter deux glaces, s'il vous plaît, Johann ? demanda Rebecca bis en observant le capitaine Franz se diriger vers la cuisine.

– Tu veux bien cesser de prendre des pincettes avec lui ? s'écria Rebecca en frappant la table avec sa canette de Coca. Tu ne lui demandes pas de faire quelque chose, tu le lui ordonnes. Et puis n'emploie pas son prénom ! Tu m'inquiètes, tu sais. Il faut que tu te reprennes !

Rebecca bis se contenta de boire bruyamment.

– Ça n'a pas d'importance, de toute façon. Nous devrons nous débarrasser de lui dans peu de temps, déclara Rebecca en envoyant valdinguer sa canette dans la pièce d'un revers de la main, alors que Rebecca bis évitait le regard de sa sœur.

Le capitaine Franz revint avec deux bacs de glace. Rebecca prit le sien pour le lui jeter aussitôt au visage, mais c'est à peine s'il cligna des yeux au moment de l'impact.

– C'est de la vanille. J'en voulais une au chocolat. Va tout de suite me chercher de la glace au chocolat !

– Tu ne lui avais pas dit ce que tu voulais, souligna Rebecca bis tandis que le capitaine Franz s'éloignait d'un pas traînant.

– C'est quoi ton problème, au juste ? dit Rebecca. C'est à nous de montrer à ces impies qui commande, ajouta-t-elle en secouant la tête d'un air exaspéré, lorsque soudain la sonnerie de son téléphone portable retentit.

Elle ôta ses pieds de la table, puis se leva pour aller chercher l'appareil dans la poche de son manteau.

– Je ne connais pas ce numéro, dit-elle en scrutant le cadran. Qui pourrait bien m'appeler à cette heure, de toute façon ? Comment avez-vous eu mon num… ? lâcha-t-elle d'un ton sec en répondant après un moment d'hésitation, puis elle se tut soudain.

– Alors ? Qui est-ce ? risqua Rebecca bis pendant que sa sœur écoutait son interlocuteur sans dire un mot.

Le capitaine Franz était revenu avec un bac de glace au chocolat, mais Rebecca le congédia d'un geste de la main. Elle avait l'air préoccupé.

– Comment puis-je savoir que vous êtes bien à niveau ? demanda-t-elle.

Quelques instants plus tard, apparemment satisfaite de la réponse qu'elle avait obtenue et toujours à l'écoute de son interlocuteur, elle posa la main sur le micro du téléphone pour s'adresser à sa sœur.

– Prends ton manteau, murmura-t-elle.

– Pour quoi faire ? demanda Rebecca bis, mais sa sœur ignora sa question et se dirigea vers la porte.

Une fois dans le couloir, Rebecca posa à nouveau la main sur le micro.

– Ordonne à Franz de nous amener la Mercedes en passant par l'arrière. Dis-lui de ne pas couper le moteur, dit-elle à sa sœur à la hâte.

– Pourquoi ? Qu'est-ce qui se passe ? siffla Rebecca bis qui était près d'exploser, tant la curiosité la dévorait, mais sa sœur se précipitait déjà au bout du couloir en enfilant son manteau tant bien que mal.

– Qu'est-ce que vous voulez en échange ? dit-elle au téléphone en tournant à l'angle du couloir.

Les deux sœurs se retrouvèrent alors nez à nez avec le Limiteur qui gardait les portes de l'entrepôt. Rebecca lui fit signe de la main.

– Ton revolver, vite ! lui ordonna-t-elle avec le ton pressant et la voix étouffée qu'adoptent les gens lorsqu'ils sont en plein milieu d'une conversation téléphonique.

Le Limiteur s'exécuta et déboutonna le rabat de son étui pour lui tendre son arme.

– Un silencieux. C'est bien, dit-elle en examinant le canon. Non, pardon… rien, répondit-elle aussitôt à son interlocuteur à l'autre bout du fil. Je réglais juste quelque chose ici. Très bien, vous m'avez convaincue, dit-elle alors d'un ton autoritaire. Marché conclu. Je vous en donne ma parole de scout, etc. À bientôt.

Elle mit fin à l'appel puis, sans perdre un instant, leva son arme contre le torse du Limiteur et tira à bout portant.

– Bon sang ! s'exclama Rebecca bis en s'écartant d'un bond, tandis que le Limiteur s'effondrait à ses pieds. Pourquoi est-ce que tu as fait ça ?

– Raison d'État… pas le temps de t'expliquer.

Rebecca enjamba le corps du Limiteur et ouvrit les portes. La moiteur et la puanteur de la viande crue émanant de l'entrepôt les enveloppèrent soudain.

– Trouve-moi Hermione et Vane ! hurla-t-elle à sa sœur. Et vite ! lança Rebecca en se précipitant à l'intérieur.

Parry emprunta l'ascenseur avec le premier groupe. Il leur avait demandé à tous d'ôter leurs parkas polaires et d'enfiler les vêtements moins voyants qu'on leur avait fournis quand ils étaient encore au Complexe. Lorsqu'ils étaient entrés dans le hall de réception de la BT Tower, vêtus de leurs vestes sherpa et de leurs épais pantalons de velours, on aurait cru voir un équipage d'alpinistes partant en expédition.

Terry Finch se tenait à côté des portes tournantes et surveillait attentivement ce qui se passait sur Mortimer Street.

– Vous vous êtes chargé du personnel ? demanda Parry d'une voix forte en parcourant du regard l'endroit plutôt morne et le comptoir désert de la réception. Le signal d'évacuation a visiblement fonctionné.

– Eh bien… Ils sont allés dans un café au coin de la rue. Ils attendent mon feu vert pour revenir, répondit Terry.

– Vous n'avez pas l'air très convaincu, rétorqua Parry en fronçant les sourcils. Y a-t-il eu un problème ? pressa-t-il avec impatience.

– L'un des hommes de la sécurité voulait vérifier l'information auprès du bureau principal. Je lui ai donc fourré le document officiel sous le nez.

– Et ça a marché ?

– Non, il n'a pas gobé mon histoire, et j'ai donc sorti mon Webley, dit Terry avec un sourire espiègle en extirpant de son étui le revolver qu'il avait caché au creux de ses reins. Ça a fonctionné comme par magie.

– Booon… souffla Parry, visiblement de plus en plus soucieux, puis il se tourna vers Will et Drake. Ayez vos fusils tranquillisants à portée de main, dit-il avant de s'adresser à Mme Burrows. Celia, pourriez-vous garder les narines en alerte et nous signaler tout problème potentiel ? J'ai besoin de savoir ce qui nous attend au coin de la rue.

– Un très bon restaurant italien à environ trois cents mètres sur la gauche. Leur *calzone* me donne une faim de loup, dit-elle avec un sourire.

– Pourquoi est-ce qu'on ne répond jamais directement à mes questions ? grommela Parry tandis que deux minibus se garaient sur la ligne jaune devant la tour.

Le reste du groupe était sorti de l'ascenseur et ils quittèrent le bâtiment les uns après les autres, puis chargèrent leur équipement à l'arrière des véhicules. Les conducteurs de chaque minibus gardèrent le silence alors qu'ils se faufilaient à travers les rues de Londres. Will découvrait l'étendue des troubles qui avaient touché la capitale. Mis à part les groupes de soldats et de policiers stationnés un peu partout sur Euston Road, la rue semblait tout à fait normale et la circulation assez dense, mais dès qu'il regardait les rues adjacentes, c'était une tout autre histoire. Il apercevait parfois une voiture brûlée, d'immenses tas d'ordures domestiques qui n'avaient pas été ramassées depuis des semaines. En passant devant

Regent's Park, il vit que les portails étaient bloqués par des camions de pompier tandis que toute une rangée d'immeubles blancs se consumait dans les flammes.

Ils tournèrent à droite en quittant Marylebone Road et empruntèrent plusieurs rues secondaires à vive allure, car le chauffeur du premier minibus avait repéré des troubles en amont, puis ils émergèrent enfin au départ de la passerelle de Marylebone qu'ils franchirent à la hâte. Tout le monde alluma ensuite sa radio pour recevoir les instructions de Parry qui se trouvait dans le premier minibus et s'adressait à eux par l'intermédiaire de son laryngophone. Stephanie, Sweeney et le colonel étaient avec lui.

– J'ai reçu un rapport indiquant des troubles à Shepherd's Bush. L'armée est en force là-bas. Nous allons donc emprunter la M3 pour quitter Londres, puis nous prendrons un raccourci en passant par la campagne pour rejoindre la M4. Silence radio à partir de maintenant, sauf en cas de pépin.

– De pépin ? reprit Mme Burrows au moment où leurs écouteurs cessèrent d'émettre après un dernier cliquetis.

Drake, qui se trouvait à l'avant, se retourna pour lui répondre. Il en profita pour jeter un coup d'œil à Will, Chester et M. Rawls.

– Mon vieux père voulait dire qu'en cas de pépin, ils ouvriront le feu et affronteront l'ennemi pour nous permettre de filer. Il faut absolument que l'un des véhicules franchisse les barrages et arrive à destination.

– Mon Dieu ! Je suis bien content d'être avec vous, s'exclama Chester.

La larve de Guerrier styx qui faisait partie des premières à avoir vu le jour était à peine reconnaissable. Elle n'avait plus rien à voir avec le petit asticot dodu que Vane avait bercé dans ses bras quelques jours plus tôt. Elle avait désormais deux paires de pattes, une queue musculeuse et évoquait plutôt un têtard en passe de se transformer en grenouille. Cependant, aucun nénuphar n'aurait pu soutenir le poids de cette bête qui mesurait plus de un mètre de long, tel un gigantesque monstre de Gila.

Pendant toute sa croissance, elle n'avait pensé qu'à manger pour emmagasiner des réserves de protéines avant d'entrer dans la phase de pupaison qui approchait. Elle ne dormait que par à-coups, cherchant à satisfaire sa faim insatiable chaque minute du jour et de la nuit. C'est pourquoi, lorsqu'elle tomba sur la flaque de sang chaud qui s'était répandue jusque sous les portes de l'entrepôt, la larve de Guerrier se mit à la laper énergiquement en dardant le sol de sa langue grise. Les livraisons régulières de viande étaient certes les bienvenues, mais elles restaient sans comparaison avec une proie vivante ou fraîchement abattue. Après avoir nettoyé le sol de béton, la larve se mit à chercher d'où provenait ce sang.

Tel un chien devant la porte d'un garde-manger, elle sautillait sur place en sondant l'interstice de sa langue. Lorsque ses récepteurs olfactifs détectèrent la trace d'un corps de l'autre côté, une bave maculée de sang se mit à couler de sa gueule béante. Elle grogna d'agacement, ne sachant comment accéder à ce repas savoureux. Elle avait recommencé à sautiller lorsqu'elle se cogna contre l'une des portes. Elle observa alors la manière dont la porte déverrouillée s'ouvrait légèrement en pivotant sur ses gonds.

La larve de Guerrier avait marqué un temps d'arrêt, considérant l'obstacle de ses pupilles fendues, puis elle entreprit de défoncer la porte à coups de tête, frappant toujours plus fort, jusqu'à ce qu'elle parvienne à dégager une brèche assez large pour pouvoir s'y faufiler. Quelle chance inouïe ! songea-t-elle en découvrant le corps inerte du Limiteur sur le sol. La porte s'était refermée derrière elle, mais la larve de Guerrier n'en avait cure, car elle n'avait nullement l'intention d'informer ses sœurs de sa trouvaille. Il était bien trop tentant de garder le corps tout entier par-devers elle. Elle commença à se gaver de la viande savoureuse du cadavre, sans se soucier de ce qui l'entourait. De ses dents acérées, elle arrachait des lambeaux de chair au visage du Limiteur avant de les engloutir d'une seule bouchée.

Les minibus se garèrent à l'arrière d'un bâtiment de deux étages, et tout le monde débarqua pour suivre Parry à l'intérieur. Eddie et l'un de ses hommes les attendaient dans une pièce remplie de cartons. Will chercha Elliott du regard, mais elle demeurait introuvable.

– Les membres de votre Vieille Garde ont cerné l'usine. Pour le moment, rien n'indique que quiconque à l'intérieur ait perçu notre présence, rapporta Eddie à Parry, et nous sommes parés pour isoler complètement la zone.

– Parfait, répondit Parry. Allez-y, scellez les lieux ! À partir de maintenant, plus personne ne rentre ou ne sort.

Eddie s'adressa à son homme dans la langue des Styx et le soldat partit précipitamment.

– À l'étage du dessous, il y a un entresol qui sert à entreposer les marchandises. J'en ai fait l'un des quatre points de ralliement de la Vieille Garde. Vous pouvez observer notre cible d'ici, mais ne vous aventurez pas trop près des fenêtres, dit-il en s'adressant à Drake et au reste du groupe, puis il se tourna vers Parry. Mon équipe de surveillance vous attend sur le toit, commandant.

– Excellent. Je vais aller jeter un coup d'œil, mais je veux d'abord que vous me disiez ce que vous en pensez, Celia, répondit-il en se tournant vers Mme Burrows. Vous savez... Votre truc... Vous pouvez y arriver, depuis là où nous sommes ? J'ai besoin que vous me disiez ce qu'il y a de l'autre côté de la route.

Mme Burrows acquiesça, puis elle renversa la tête en arrière, les yeux révulsés, si bien qu'on n'en voyait plus que le blanc. Will entendit Stephanie qui prenait une profonde inspiration.

– Des gens... des humains... peut-être cinq cent cinquante... pas plus, je pense. Peut-être six cents. Je ne peux pas vous le dire plus précisément, dit Mme Burrows.

– Et des Styx ? demanda Parry.

– Oui... mais pas beaucoup. Je ne sais pas... trois douzaines, voire plus ?

– Il nous serait utile de connaître leur nombre exact, pressa Parry.

– Ça ne va pas. Je reçois des signaux brouillés, murmura-t-elle alors que la sueur perlait à la naissance de sa chevelure avant de lui rouler jusqu'au milieu du front. C'est étrange, ajouta-t-elle avec un frisson qui lui parcourut tout le corps tandis que ses yeux revenaient en place. C'est comme si je ne parvenais pas à trouver la bonne fréquence.

– Ne vous inquiétez pas, répondit Parry en se caressant la barbe d'un air songeur. Vous nous avez donné plus qu'une simple confirmation. Ils ont dû amener tous ces gens dans le cadre du programme d'alimentation des larves. Qu'est-ce qu'ils iraient faire d'autre là-bas ? Même s'il y a tout un régiment de Limiteurs à l'intérieur, il faut qu'on se charge de ce boulot, dit-il en se dirigeant vers Eddie.

– Non, attendez ! s'écria soudain Mme Burrows. Vous ne comprenez pas. Il y a quelque chose là-bas qui ne *veut* pas que je le trouve. Quelque chose de plus puissant que les Styx. Quelque chose de sombre.

Parry se contenta d'acquiescer.

– Très bien, tout le monde en bas avec moi, dit Drake à l'ensemble du groupe.

– Avant que vous ne partiez… Elliott est stationnée au poste d'observation qui se trouve sur le toit, et si cela ne vous dérange pas, elle a émis une requête.

– Quoi donc ? demanda Drake tandis que Chester et Will échangeaient des regards.

Les deux garçons commencèrent à s'avancer vers Eddie. Ils pensaient en effet qu'Elliott voulait qu'ils viennent lui tenir compagnie.

– Elle a demandé que Stephanie aille la rejoindre là-haut, expliqua Parry.

– Quoi ? murmura Chester.

Will resta stupéfait.

Une fois sur le toit, Stephanie, Parry et Eddie s'approchèrent du parapet en rasant le sol. Les anciens Limiteurs se trouvaient là en masse. Ils avaient tendu un filet de camouflage bleu ciel à quelques mètres au-dessus du parapet, pour éviter que leurs silhouettes ne se découpent sur fond d'azur.

– Commandant, dit Harry Handscombe en voyant Parry passer sous le filet de camouflage, avant de lui serrer la main avec vigueur. Coup de chance, pas vrai ? Que je déniche la cible au tout début de la traque ?

– Et comment ! répondit Parry en souriant à son vieil ami. Mais tu as bien failli te faire dégommer par ces troupes conditionnées à la Lumière noire. Je ne t'ai jamais demandé de jouer les casse-cou, tu sais.

– C'est bon, tu peux arrêter avec tes blagues sur mon cou, vieux dépravé ! rétorqua Harry qui aurait secoué la tête s'il avait pu le faire, mais il dut se contenter de lui adresser un sourire ironique.

Parry s'approcha du bord du toit, jumelles à la main. Il vérifia la position du soleil pâle pour s'assurer qu'aucun reflet ne viendrait trahir sa présence, puis il se mit à inspecter l'usine qui se trouvait en face.

– Ah oui, les voilà, dit-il à mi-voix en repérant les Limiteurs et les gardes néo-germains qui patrouillaient sur la zone de stationnement.

Stephanie se tenait loin du parapet, ne sachant pas trop ce qu'on attendait d'elle, lorsque Elliott lui fit signe d'approcher. Stephanie s'exécuta en regardant les anciens Limiteurs avec une certaine appréhension.

– Ne fais pas attention à eux. Ils ont certes l'air assez effrayants, mais ils sont de notre côté, lui confia Elliott.

– Cool, répondit Stephanie en déglutissant, puis elle regarda Elliott d'un air perplexe. Mais pourquoi est-ce que tu voulais que je vienne ici ? Tes deux petits copains bavent d'envie d'être là, quoi, avec toi.

– Au Complexe, tu m'as dit que tu pouvais tout affronter. Voici l'occasion de le prouver, lui répondit Elliott d'un ton dépourvu de toute agressivité, ce qui n'échappa pas à Stephanie. Dans un instant, on va neutraliser tous les êtres vivants qui se trouvent à l'extérieur de ce bâtiment juste en face de nous.

– Neutraliser ? demanda Stephanie.

– Nous allons abattre tous ces hommes aussi vite et aussi proprement que possible. Tu veux bien m'aider ?

– Est-ce que c'est un peu comme un truc que font les sœurs entre elles ?

– Si c'est comme ça que tu le vois, répondit Elliott en haussant les épaules. Je n'ai jamais eu de sœur.

– Tu veux que je tire aussi sur des gens ? demanda Stephanie en jetant un coup d'œil à la carabine qu'Elliott avait pourvue d'un silencieux et camouflée avec de la bande adhésive blanche.

– Non, je veux que tu repères les cibles pour moi, dit Elliott en montrant la lunette qui se trouvait à côté d'elle. Je compte sur toi pour m'indiquer la position des gardes, car une fois qu'on aura ouvert le feu, nous ne pourrons pas nous permettre la moindre erreur. Si l'un d'eux donne l'alarme, nous perdrons l'avantage de la surprise.

– D'accord, j'imagine que c'est dans mes cordes, répondit Stephanie en s'emparant de la lunette.

Quelle ne fut pas la surprise de Will lorsqu'il découvrit le nombre de membres de la Vieille Garde présents dans le sous-sol mal éclairé ! Ils avaient les yeux dissimulés sous des lunettes de ski, mais il percevait leur impatience et leur nervosité alors qu'ils discutaient entre eux à voix basse.

– Des fusils de chasse ? demanda-t-il en remarquant les armes que transportaient certains d'entre eux.

– Nous ne savons pas ce qui nous attend de l'autre côté de la route, expliqua Drake. Pour ce genre de combat rapproché, un semi-automatique de calibre 20 s'impose.

– Et ces réservoirs ? Qu'est-ce que c'est ? demanda Chester en voyant qu'un certain nombre d'hommes transportaient deux cylindres sur le dos.

– Des lance-flammes pour la phase finale de l'offensive, répondit Drake. Tu vois, il ne suffit pas de raser le bâtiment cible. Les créatures parviennent parfois à survivre dans des poches d'air sous les gravats. Nous voulons éviter à tout prix qu'une larve de Guerrier sorte de là en rampant, une fois que nous aurons quitté les lieux. Si jamais ne serait-ce qu'une seule d'entre elles parvenait à s'échapper, elle pourrait trouver d'autres humains et faire la noce, et pour nous, ce serait le retour à la case départ !

– Je vois, répondit Chester tandis que les autres écoutaient Drake.

– Il n'y a pas d'autre possibilité, il faut qu'on entre et qu'on mette les mains dans le cambouis. Il faut qu'on soit sûrs que rien n'a survécu, continua Drake.

– Vous voulez dire qu'il faut les tuer tous ? s'exclama Mme Burrows. Et les humains dont je sens la présence là-bas ? Il pourrait s'agir de Colons ou de Surfaciens innocents qui se sont retrouvés là malgré eux. Ne pouvons-nous pas les déconditionner grâce à la Purge de Danforth, et prendre ensuite…

– Inutile de rêver, la coupa Drake, le visage lugubre. Nous n'avons pas ce luxe. Pour cette opération, c'est tout ou rien. Il faut mettre un coup d'arrêt à la Phase, quel qu'en soit le prix.

Mme Burrows s'apprêtait à objecter, mais Drake s'était déjà éloigné pour s'entretenir avec Parry sur une fréquence privée. Une fois sa conversation terminée, Drake revint vers le groupe.

– Tout le monde en place autour du bâtiment cible, le compte à rebours final a commencé, dit-il en se délestant de son sac à dos. Ne gardez que votre équipement tactique, armes et munitions, et rien d'autre. Rangez tout le reste ici. Vous pourrez ensuite observer la première phase de l'opération depuis les fenêtres.

Armés de leur Sten, Will et Chester se rendirent à l'avant de l'entresol et se haussèrent sur la pointe des pieds pour scruter la scène derrière les fenêtres poussiéreuses.

– Saleté de Limiteurs, rugit Will qui avait vu deux soldats devant le portail. Ils se comportent comme si l'endroit leur appartenait.

– Ces autres hommes... Tu crois que ce sont des Néo-Germains ? demanda Chester.

Will jeta un coup d'œil au colonel Bismarck qui observait le bâtiment depuis une autre fenêtre. Certains des soldats qui se trouvaient sur la route appartenaient bien à ses troupes venues du monde intérieur. Or, Will se demandait ce que pensait le colonel de la politique de Drake, lequel ne voulait faire aucun prisonnier. Will savait aussi que si le colonel n'avait pas subi un choc lors de l'explosion dans la City, il serait encore sous l'influence de la Lumière noire et pourrait très bien faire partie lui aussi de ces soldats dont on avait lavé le cerveau et qui patrouillaient actuellement aux alentours de l'usine.

– Alpha, je répète, alpha, s'éleva soudain une voix dans son casque, interrompant le flot de ses pensées.

Il s'agissait de Parry qui déclenchait la première phase de l'opération. Il détachait nettement chaque syllabe.

– Éliminez les cibles désignées à mon signal, dit-il avant de marquer une courte pause, puis il commença le compte à rebours. Cinq, quatre, trois, deux, un... feu !

Il n'y eut pas un seul bruit, mais les hommes postés sur le parc de stationnement s'évanouirent, soudain hors de vue.

– Cible suivante en mouvement. Il tourne. Il se dirige vers l'entrée, dit Stephanie d'une voix de plus en plus stridente sous l'effet de l'excitation, l'œil rivé à sa lunette.

– Je le vois, répondit calmement Elliott, puis elle appuya sur la détente.

Armé d'un silencieux, son fusil s'anima entre ses mains sans émettre aucun son, si ce n'est le sifflement des balles. Le Limiteur bascula en avant et sa tête vola en éclats, maculant la neige blanche d'une giclée écarlate.

– Oh, dit Stephanie en se couvrant la bouche. En plein dans le mille !

– Bravo, annonça Parry à la radio. Je répète... Bravo. Nous avons éliminé les sentinelles.

– Bien, tout le monde dehors, ordonna Drake.

La larve de Guerrier avait découpé le sommet du crâne du Limiteur comme s'il s'agissait d'un œuf à la coque et prélevait les derniers morceaux de cervelle à l'aide de sa langue préhensile. Elle avait le regard empli d'extase en se délectant de cette délicieuse matière grise, et son système digestif hyperefficace en absorbait les protéines à mesure qu'elle les engloutissait.

Will et Chester traversèrent la route, accompagnés de Drake et de Sweeney, le colonel Bismarck, M. Rawls et Mme Burrows à leur suite.

– Regarde ça ! s'exclama Will en faisant référence à la centaine d'hommes de la Vieille Garde de Parry qui avançaient en ligne. Je ne savais pas qu'il y en avait autant.

Or, ce n'était que la partie émergée de l'iceberg. Il devait y en avoir à peu près autant sur les flancs de l'usine.

– Oui, nous contrôlons tout le périmètre, intervint Drake qui avait entendu Will. Mon vieux mène la danse dans les règles de l'art, dit-il, le regard plein d'admiration en voyant son père qui rejoignait le front de la Vieille Garde un peu en amont sur la route. Il a même dépêché deux unités dans les égouts, au cas où quoi que ce soit tenterait de s'échapper par les conduites.

La neige qui recouvrait le tarmac contribuait à assourdir le bruit des pas de la Vieille Garde qui se rapprochait. On n'entendait plus que le bruit d'une bourrasque occasionnelle lorsqu'ils atteignirent la clôture d'enceinte du site. Quand, tout à coup, un Limiteur manifestement pressé franchit les portes principales du bâtiment où se trouvaient les bureaux. Quelque chose l'avait troublé, mais à peine avait-il effectué quelques pas que la flèche d'une arbalète vint le frapper en plein cou. Il s'effondra sur le sol. Les membres de la Vieille Garde retinrent leur souffle, mais personne d'autre ne sortit derrière lui.

– Charlie, grésilla la voix de Parry dans la radio. Je répète, Charlie. Avant que nous ne perdions l'avantage de la surprise.

Drake fit signe à Will et aux autres de le suivre alors qu'il franchissait le portail qui fermait l'aire de stationnement. Tout autour d'eux, des soldats de la Vieille Garde se hâtaient vers les différents points d'accès de l'usine auxquels les avait assignés Parry.

– Restez bien en arrière, ordonna Drake tandis qu'il passait par l'entrée principale des bureaux avec Sweeney.

Les deux hommes se couvraient l'un l'autre. Il n'y avait personne dans le hall de réception, si bien que Drake s'engagea directement dans le couloir suivant pendant que Sweeney vérifiait les pièces situées de part et d'autre du passage.

– La salle du conseil, murmura Drake dans son laryngophone, tandis que Sweeney franchissait les dernières portes. Je l'ai repérée sur le plan du rez-de-chaussée.

Pistolets mitrailleurs parés à tirer, les garçons gardaient leurs distances comme le leur avait dit Drake. Mme Burrows, le colonel et M. Rawls couvraient leurs arrières. Deux membres de la Vieille Garde pénétrèrent dans le hall de réception, mais eux restèrent à côté des portes.

Sweeney sortit de la salle du conseil, puis il continua à avancer pas à pas dans le couloir avec Drake. Tout à coup, une petite explosion secoua toute l'usine, suivie du crépitement des armes automatiques et les deux hommes se figèrent aussitôt.

– Delta ! Delta ! Delta ! cria Parry à la radio d'un ton pressant. Laissez tomber les gants !

– Les Styx savent désormais que nous sommes là, mais nous allons malgré tout y aller tranquillement, sans précipitation, dit Drake en s'adressant à l'ensemble de la troupe tout en dévissant le silencieux de son Beretta.

Drake et Sweeney continuèrent d'avancer dans le couloir jusqu'à ce qu'ils parviennent à l'endroit où il formait un coude. Sweeney s'engagea le premier, dos au mur, tandis que Drake rasait la paroi opposée. Sweeney leva le poing et Drake se figea. L'homme imposant indiqua son oreille, puis il pointa vers l'avant. Il avait entendu quelque chose.

La larve de Guerrier aurait pu pulvériser ce qui restait du crâne du Limiteur de ses puissantes molaires, mais les autres morceaux plus mous et plus juteux du cadavre étaient bien trop tentants. Elle se dirigeait vers les jambes du Limiteur lorsqu'elle entendit l'explosion et les coups de feu qui suivirent. Elle s'arrêta un instant, mais ne put résister à l'odeur du sang qui s'écoulait des deux plaies ouvertes dans le torse de l'homme transpercé par les deux balles tirées par Rebecca. La larve remonta le long du corps du Limiteur, se mit à lécher ses blessures, puis elle s'attaqua à la viande qui lui garnissait les côtes.

– Drake, qu'est-ce que c'est ? murmura Sweeney.

La queue couleur ivoire de la larve s'agitait de part et d'autre de leur ligne de mire. Elle était maculée de sang, quand elle disparut soudain hors de vue : elle grimpait alors sur le cadavre du Limiteur. La larve avait-elle entendu ou senti la présence des deux humains qui s'approchaient dans le couloir ? Toujours est-il qu'elle avait cessé de s'alimenter à contrecœur et s'était plaquée contre le sol, prête à bondir. Sweeney s'efforçait en vain d'entendre ce qui se trouvait là-bas, mais il y avait trop de bruit qui provenait d'un peu partout dans le bâtiment.

– Attention, murmura Drake en avançant à tout petits pas.

La larve n'éprouvait aucune peur. Elle en était d'ailleurs incapable. Elle était uniquement mue par l'excitation que lui procuraient ces nouvelles proies vivantes qui s'approchaient. Elle sortit soudain de sa cachette et se précipita dans le couloir.

– Mon Dieu ! Contact ! s'écria Drake au moment où la larve fila devant lui comme un lézard, plantant les griffes de ses pattes opposées dans la moquette.

La créature se déplaçait à une vitesse phénoménale, mais les réflexes de Sweeney étaient tout aussi rapides. Il parvint à tirer une balle qui lui sectionna la queue. Il avait contourné l'angle du couloir en une fraction de seconde, et il avait l'arrière-train de la créature qui battait en retraite dans sa ligne de mire, mais il lui fut impossible de tirer une seconde fois. Will se trouvait en effet pile dans le champ, à la merci d'une balle perdue.

Le premier coup de feu avait certes quelque peu ralenti la larve de Guerrier, mais elle fonçait toujours vers le centre du couloir.

– Arrêtez-la ! hurla Drake.

Quelque temps plus tard, Drake devait se demander pourquoi il n'avait pas ouvert le feu. Était-ce à cause de la vélocité de la créature, ou bien à cause de ce qu'il avait vu ? La larve de Guerrier se déplaçait certes à une vitesse fulgurante, mais il avait pu être influencé par son apparence. Elle avait en effet une tête des plus étonnantes. Will et Chester en étaient d'ailleurs restés bouche bée. La larve avait le tronc d'un amphibien et le visage d'un enfant aux traits typiquement humains, ce qui était pour le moins choquant. Les yeux, le nez et les oreilles étaient parfaitement formés et recouverts d'écailles blanc cassé, tandis qu'elle avait une bouche hérissée de dents blanches acérées et luisantes. Elle dardait l'air d'une langue qui mesurait au moins trente centimètres de long. Pire encore, elle avait poussé un cri semblable à celui d'un bébé au moment où Sweeney l'avait touchée.

La larve de Guerrier fonçait vers les portes principales, mais l'un des soldats de la Vieille Garde qui avait entendu l'avertissement de Drake se précipitait déjà pour l'intercepter. Il leva son fusil de chasse, mais la larve franchit l'obstacle d'un bond.

– Mince alors ! s'écria-t-il, mais le vieux soldat qui n'avait pas perdu ses réflexes tenta de l'abattre en basculant vers l'arrière.

Il manqua toutefois sa cible et le plafonnier du couloir vola en mille morceaux qui retombèrent en pluie sur l'ensemble du groupe. M. Rawls qui se tenait devant les portes principales constituait désormais l'ultime obstacle qui lui barrait la route de la liberté.

La larve de Guerrier bondit alors à nouveau.

L'autre membre de la Vieille Garde tenta de l'abattre en plein vol, mais il manqua sa cible et fit voler en éclats un vase posé sur le comptoir de la réception. M. Rawls avait reculé d'un pas. La larve de Guerrier s'était efforcée de modifier sa trajectoire en agitant la queue, mais en vain, elle percuta M. Rawls et lui planta les griffes dans le torse.

– Colonel ! Abattez-la ! cria Drake qui avait compris que la larve menaçait de s'échapper, mais le Néo-Germain ne pouvait pas tirer, de crainte de blesser le père de Chester.

Malgré la larve qui pesait sur lui de tout son poids, M. Rawls était encore debout, mais il vacillait sur ses pieds, menaçant de basculer en arrière, comme s'il exécutait quelque étrange danse tombée dans l'oubli.

– Au secours ! Au secours ! balbutia-t-il au moment où la larve planta ses crocs dans son épaule, lui arrachant un hurlement de douleur mêlée de terreur.

– Débarrassez-le de ce truc ! cria Chester en ajustant le tir de son Sten, même s'il savait qu'il ne pourrait s'en servir.

C'est alors que quelque chose fendit l'air à la vitesse de l'éclair.

La larve de Guerrier s'effondra sur le sol. Un couteau plongé dans le cou jusqu'à la garde, elle agitait encore faiblement ses membres dans un ultime mouvement réflexe.

– Quelle créature repoussante ! marmonna l'un des soldats de la Vieille Garde.

– Joli coup, colonel, commenta Sweeney. Je croyais que ce scarabée gluant allait nous filer entre les doigts.

Le colonel Bismarck se rapprocha de la larve de Guerrier, posa un pied sur son échine et retira son couteau d'un coup sec.

– *Ich war es nicht*, dit-il, puis il remit son couteau dans sa gaine accrochée à sa ceinture et se tourna vers Mme Burrows. C'était Celia. Elle a pris mon couteau.

– Maman ! s'exclama Will. Comment est-ce que tu as fait ça ? Tu ne vois rien !

Mme Burrows haussa les épaules tandis que Drake examinait déjà la créature qui se tortillait encore.

– Mieux vaut s'assurer qu'elle est bien morte. Qui sait ce dont ces créatures sont capables, dit-il.

À la surprise générale, le colonel se contenta d'écraser la tête de la larve sous sa botte. Au moment où sa tête d'enfant se fendit sous la pression, on entendit un craquement des plus effroyables, forçant Will et Chester à détourner le regard.

– Papa, informe tout le monde que les Guerriers matures sont des bestioles rapides et très agiles, dit Drake qui venait d'ouvrir un canal radio. Elles peuvent également exécuter des bonds assez hauts.

– On le sait déjà, répondit Parry en hurlant alors que retentissaient des cris et des coups de feu dans le fond, puis il coupa la communication.

– Celia, est-ce que vous pouvez accompagner Jeff de l'autre côté de la route pour qu'il fasse examiner cette morsure ? demanda Drake.

Mme Burrows s'exécuta, tandis que Will et Chester emboîtaient le pas à Drake et Sweeney pour se rendre au bout du couloir. Ils s'efforcèrent de ne pas regarder le Limiteur qui gisait à terre, sans cervelle. De l'autre côté des portes, ils entendaient les membres de la Vieille Garde qui se frayaient un chemin à travers l'entrepôt. Ils tuaient tout ce qui bougeait, et de terribles cris ne cessaient de retentir les uns après les autres.

– Restez ici et assurez-vous que rien ne s'échappe, ordonna Drake aux garçons alors qu'il se préparait à entrer avec Sweeney.

– Vous ne voulez pas qu'on vous aide ? demanda Chester.

– Non, l'opération de nettoyage à l'intérieur n'est guère jolie à voir. Je ne le souhaiterais pas à mon pire enn… C'est encore Parry, s'interrompit-il soudain en ouvrant le canal privé de sa radio.

– Jiggs ? Avec nous ? répondit Drake en se tournant vers Sweeney d'un air perplexe tandis que ce dernier secouait la tête. Personne ne l'a vu ici.

– Eh bien, il a repéré une caméra de surveillance dans le couloir où vous vous trouvez, poursuivit Parry. Il dit qu'il y a une salle de vidéosurveillance au premier étage. Vous voulez bien aller vérifier ?

– Reste en position, Sparks. Il faut que j'aille voir ça, dit Drake à Sweeney après avoir terminé sa conversation avec Parry.

Drake rebroussa chemin à la hâte le long du couloir avec les garçons à sa suite. Ils voulaient en effet savoir ce qu'il s'apprêtait à faire. Drake s'arrêta devant la salle du conseil où il repéra une caméra placée juste en dessous du plafond.

– Oui, la voilà, dit-il en se tournant vers le hall de réception pour s'adresser au colonel Bismarck. Jiggs a repéré la salle de vidéosurveillance à l'étage du dessus. S'ils ont laissé le dispositif en marche, les bandes vidéo pourraient nous être très utiles.

Drake se précipita à l'étage avec le colonel Bismarck, laissant Will et Chester en arrière pour qu'ils prennent la relève de Sweeney posté à côté des portes de l'entrepôt.

– Je vais peut-être revenir par ici. Ne me faites pas sauter la cervelle ! leur dit Sweeney avec un grand sourire juste avant de filer à l'intérieur de l'entrepôt.

Seuls à présent, les deux garçons montaient la garde armés de leur Sten, à l'écoute d'une bande-son issue de leurs pires cauchemars. Ils entendaient des cris perçants et incessants, comme si l'on massacrait des bébés et des jeunes enfants par milliers.

– Je sais qu'elles ne sont pas humaines... mais je suis bien content de ne pas être à l'intérieur, murmura Chester.

Will se contenta d'acquiescer.

L'air était empli d'une vapeur lourde. Seuls les éclairs produits par les coups de feu venaient déchirer les ténèbres épaisses. L'escadron était parti de l'un des coins de l'entrepôt et poursuivait son avancée. Les hommes munis de lunettes infrarouges inspectaient sous les lits dont les matelas couverts de sang coagulé étaient jonchés de restes humains desséchés. Le matériel de détection infrarouge dont ils se servaient était essentiel, car ils pouvaient facilement manquer les plus jeunes larves capables de se faufiler sous des carcasses animales ou de trouver refuge dans n'importe quelle anfractuosité. Cependant, c'étaient les larves matures qui leur posaient de véritables problèmes.

– Au-dessus de vous ! cria l'un des membres de l'escadron en repérant des traces infrarouges sur les poutrelles métalliques situées juste sous le toit.

Plusieurs larves de Guerrier détalèrent au moment où les projecteurs éclairèrent leurs cachettes. Elles s'étaient servies de leurs nouveaux membres à merveille, filant le long des poutres, tandis que le tir des armes automatiques criblait la surface du toit. Touchée, l'une des larves tomba à terre et se mit à se tordre de douleur en poussant des cris stridents jusqu'à ce qu'on mette fin à ses souffrances. C'est à ce moment-là que l'escadron tomba sur les premières femmes styx.

– Je détecte de puissants signaux ici, avertit l'un des hommes en s'approchant d'un tas de lits empilés les uns sur les autres qui s'élevaient jusqu'au plafond. C'est peut-être un nid.

L'escadron s'avança. À la base de la pile une jeune larve de Guerrier pointa son nez et fut éliminée d'un seul coup de revolver qui la fit exploser, éclaboussant le sol d'un fluide laiteux. Ils repérèrent ensuite une autre larve non loin de là.

– Bon Dieu ! Attention ! se mit à hurler quelqu'un alors qu'un membre de la Vieille Garde s'apprêtait à tirer.

Une femme styx s'était postée au sommet des lits empilés. Elle faisait vibrer ses membres insectoïdes qui produisaient un bourdonnement sourd. Elle était sortie de sa cachette telle une araignée qui vient de percevoir la présence d'une proie engluée dans sa toile. Son abdomen gonflé et ses membres décharnés ne faisaient que renforcer cette image.

– Éloignez-vous de mes enfants ! ordonna la femme styx en lançant un regard mauvais à l'escadron, la bouche écumante.

À la voir hausser ainsi les sourcils de colère, les lèvres gonflées, on aurait dit quelque masque burlesque.

– Mon Dieu ! C'est mon ex-femme, je vous jure ! lança l'un des membres de la Vieille Garde, mais personne n'avait le cœur à rire.

– Soldats, baissez vos armes. Je répète, baissez vos armes, ordonna la femme à l'escadron de la Vieille Garde.

Elle avait une telle autorité dans la voix que bon nombre de vétérans avaient déjà commencé à s'exécuter, répondant à l'entraînement qu'ils avaient reçu pendant leurs longues années de service dans l'armée.

– Non ! Restez en position ! cria quelqu'un, et pendant quelques instants, les deux camps se figèrent dans un face-à-face immobile.

Puis, alors que la jeune larve de Guerrier rentrait dans sa cachette en rampant, le membre de la Vieille Garde ajusta son tir sur la créature. La femme styx se précipita sur lui avec un cri surnaturel pour atterrir devant lui en un éclair. Elle lui arracha son fusil d'assaut à l'aide de ses bras et de ses membres insectoïdes. Elle connaissait bien les armes, elle avait retourné le H&K MP53 en moins de deux et le pointait droit sur le torse de l'ancien soldat.

Elle avait déjà le doigt sur la détente, mais Sweeney avait réagi aussi vite qu'elle. Il fit voler le fusil d'assaut d'un coup de pied, déviant les balles vers le sol de béton criblé d'impacts. La femme styx lâcha un juron, cherchant à lui cingler le visage de ses membres insectoïdes. Sweeney se baissa pour esquiver le coup, puis se releva avec le MP53 entre les mains, prenant la femme styx par surprise.

Désormais désarmée, et faute d'autre recours, elle saisit l'homme qui s'apprêtait à tuer la larve de Guerrier et l'enveloppa de ses bras et de ses membres insectoïdes. Elle le serra si fort qu'elle lui brisa plusieurs côtes qui émirent un craquement sonore, puis elle le souleva du sol en l'agitant devant elle pour se protéger du reste de l'escadron qui volait à son secours.

Ils étaient trop nombreux pour elle.

Dans les ténèbres et le chaos, ils ne pouvaient l'abattre de peur de toucher l'homme qu'elle tenait sous son emprise. Tandis que Sweeney leur indiquait la marche à suivre, il fallut dix membres de l'escadron pour libérer leur camarade. Ils la retinrent tandis qu'elle se débattait en hurlant et en sifflant comme un serpent.

– Trois… deux… un ! compta Sweeney avant de la lancer contre les lits entassés.

L'escadron ouvrit alors le feu sur elle et une succession de tirs rapides réduisit ses chairs en charpie. Dans un ultime hurlement, l'ancien major de l'armée britannique trouva enfin la mort.

Lorsque les armes se turent enfin, Parry ouvrit un canal radio, décréta « Écho » et ils se retirèrent tous du plateau de l'usine pour former un cordon sur la route. Un grondement sourd retentit dans les airs, comme si l'on traînait quelque chose de massif sur le sol. Le feu commença à lécher l'intérieur des fenêtres tandis que des flammes s'échappaient brusquement des conduits d'aération, telles autant de langues rougeoyantes.

– Des bombes incendiaires, dit Drake en enveloppant soigneusement dans un pull le disque dur qu'ils avaient récupéré, le colonel et lui, dans la salle de vidéosurveillance. Rien ne survivra à ces températures-là, et c'est précisément l'idée.

– Tous au point de ralliement ! hurlèrent plusieurs hommes alors que retentissait un sifflet, et tout le monde se rassembla autour de Parry au bout du parc de stationnement situé de l'autre côté de la route.

Parry se tenait debout sur une caisse d'armes, un appareil à la main. Outre les hommes d'Eddie qui formaient un petit groupe isolé, il devait y avoir au moins trois cents membres de la Vieille Garde qui attendaient là en silence, encore affublés de leurs masques.

– Je sais que c'est sans doute l'une des missions les plus étranges auxquelles je vous aie conviés… et certainement l'une des plus éprouvantes, dit Parry en jetant un coup d'œil de l'autre côté de la route, mais je tiens à vous remercier tous de votre professionnalisme. Vous avez mené cette opération de manière impeccable…

– Encore en train de chanter vos propres louanges, commandant ? hurla quelqu'un dans la foule.

Cette remarque fut suivie par des éclats de rire qui transformèrent aussitôt l'humeur générale de cette assemblée. Certains allumaient des cigares, tandis que d'autres faisaient circuler les flasques qu'ils avaient sorties de leurs vestes. Parry chercha toutefois à remettre un peu d'ordre dans la procédure, même si la scène le faisait sourire.

– Une opération menée de manière impeccable, comme celles que nous avons montées ensemble dans le bon vieux temps. Certains d'entre vous ont encaissé bon nombre de coups, mais j'ai le plaisir de vous informer qu'il n'y a pas eu une seule victime dans notre camp.

Tout le monde se tourna alors vers la Land Rover dont les portières arrière étaient ouvertes. Il y avait deux hommes étendus sur des brancards, et dix autres encore à l'extérieur du véhicule qui étaient en soins. Il ne s'agissait que de blessures sans gravité pour la plupart, ne nécessitant que des pansements.

– Voilà papa. Je ferais mieux d'aller voir comment il va, dit Chester qui avait repéré son père dans le groupe à l'arrière de la Land Rover, puis il se précipita vers lui, laissant Will seul avec lui-même.

– Et j'estime qu'il s'agit d'une victoire écrasante, poursuivit Parry, immédiatement acclamé par la foule. Même si notre travail est loin d'être fini, car il nous faut encore éradiquer les Styx de la surface, aujourd'hui, dit-il avant de prendre son inspiration, aujourd'hui, nous avons évité un désastre qui aurait pu avoir des répercussions globales.

– C'est fini. Nous avons vraiment stoppé la Phase, murmura Will. Bon sang, on y est arrivé !

Avec tout ce qui s'était produit au cours de la dernière heure, Will avait en effet perdu de vue ce qu'ils venaient d'accomplir.

– … et je ne pense pas être l'homme de la situation, continuait Parry qui tenait toujours un appareil à la main.

– Allez-y, commandant ! crièrent plusieurs personnes dans la foule, mais il secoua la tête.

– Non, je voudrais que mon vieil ami, lui qui a posé sa tête sur le billot aujourd'hui…

Un grognement s'éleva dans la foule.

– … nous fasse l'honneur. Montre-toi, Hoss ! lança Parry tandis qu'un homme de grande taille faisait mine de se cacher dans la foule. Allons… ce n'est pas ton genre de jouer les timides, le taquina Parry.

Will observa l'homme qui sortait du rang en s'avançant d'un pas lourd, pivotant sur lui-même pour pouvoir regarder ses camarades. Hoss prit alors l'appareil que lui tendait Parry et le brandit bien haut.

– C'est pour nous tous. Après avoir eu affaire à ces bestioles repoussantes, je ne me plaindrai plus jamais des insectes de mon jardin !

La foule se mit à hurler de rire.

– Juste un dernier avertissement, dit Parry d'une voix forte en scrutant la foule avant de poser les yeux sur Will. Pour ceux d'entre vous qui n'ont qu'une expérience limitée des combats, il ne faut jamais lever les yeux lorsqu'on se trouve si près d'une explosion de cette ampleur. Tu peux y aller maintenant, Hoss.

Harry appuya sur le bouton, déclenchant une puissante explosion. Une partie du toit de l'entrepôt principal s'éleva dans le ciel, suivi par une boule de feu. Les flammes engouffrèrent le reste de la structure qui s'effondra sur elle-même jusqu'à ce qu'il ne reste presque plus un seul mur debout.

Will comprit alors pourquoi Parry l'avait averti lorsque, quelques secondes plus tard, des débris enflammés retombèrent non loin du parc de stationnement en sifflant au moment où ils percutaient le sol couvert de neige. Mais la Vieille Garde n'en avait cure et continuait à pousser des acclamations tout en esquivant les retombées ardentes. Quelqu'un lui donna soudain une petite tape dans le dos. Will se retourna pour se retrouver face à Elliott.

– Salut, lui dit-il, ravi de la voir.

– Salut, répondit-elle, mais Elliott, qui semblait soucieuse, ne lui rendit pas son sourire.

Pendant un instant, elle parcourut l'horizon du regard à l'opposé des ruines incandescentes de l'usine.

– Pourquoi as-tu réclamé la présence de Stephanie ? demanda Will en s'efforçant de masquer sa désapprobation.

– Parce que c'est l'une d'entre nous maintenant. Il faut que quelqu'un lui apprenne les ficelles du métier, rétorqua Elliott d'une voix distante. Et puis, j'ai un pressentiment… ajouta-t-elle en se massant la nuque. Ah ! Les voilà, annonça-t-elle sans laisser à Will l'occasion de lui demander ce qu'elle voulait dire par là.

Eddie et Stephanie venaient à leur rencontre. Will éprouvait malgré tout une certaine tristesse. Rien n'était plus pareil, à présent que tous ces autres étaient impliqués dans leur lutte. Ce n'était plus Elliott, Chester et Will contre les Styx, et puis Drake pour mener la troupe.

Certains soldats de la Vieille Garde, excités par l'alcool que contenaient leurs flasques, discutaient et plaisantaient bruyamment, tandis que d'autres se tenaient par l'épaule et chantaient ce qui ressemblait à un hymne victorieux.

Ils affrontèrent le fer du tyran,
La crinière sanglante du lion.

Will prit soudain conscience d'une chose. L'année passée avait certes été difficile, mais sans les deux Rebecca, les Styx et cette menace permanente, il n'aurait jamais connu pareils amis… C'étaient les meilleurs amis du monde. Il pouvait compter sur eux dans les situations les plus extrêmes. Or, s'ils battaient les Styx et qu'ils mettaient fin à cette menace, rien ne serait jamais plus pareil.

Ils saluèrent le souffle de la mort.
Qui les suit dans leur sillage ?

Ils partiraient peut-être chacun de son côté. Elliott avait retrouvé son père à présent, et Chester, ses parents. Quant à Drake, il s'en irait sans doute trouver quelque autre cause à défendre. Et quelle existence mènerait-il pour sa part, une fois que tout serait terminé ? Où se retrouverait-il au juste ? À Highfield, avec sa mère et son nez surpuissant ? Will ne voyait pas comment tout cela pourrait marcher. Pire encore, il faudrait qu'il retourne à l'école. Il éprouvait une terreur sombre à l'idée de devoir retourner à une vie normale.

– Mon père va prendre l'un des Humvee pour nous emmener sur une partie du chemin, dit Elliott en bâillant. Je n'ai plus qu'une envie, rentrer au Complexe et retrouver notre maison.

– Oui, tu as raison, répondit Will. C'est bien notre maison.

Chapitre Quinze

La Bugatti Veyron filait à travers les champs enherbés du parc de Windsor, lorsqu'elle frôla un bosquet d'arbres.

– Tu roules trop vite, dit Rebecca alors que la voiture s'élançait du haut d'une côte pour retomber brutalement sur le sol, secouant violemment les passagers.

– Ralentis, je crois que nous y sommes…

Vane rugit et donna un brusque coup de volant, tout en écrasant la pédale de freinage. La voiture exécuta un tour complet sur elle-même, éjectant de la neige alentour. Vane jaillit de la voiture, tandis que le moteur s'arrêtait, fouettant l'air de ses membres insectoïdes.

– Qu'est-ce que tu as fait ? lança Vane d'une voix stridente à l'adresse de Rebecca qui venait de sortir du véhicule.

Vane se mit à tousser, avant de se plier en deux pour vomir un sac d'œufs baigné dans un fluide jaune. Elle tomba à genoux et prit le sac dans ses mains comme si elle exécutait quelque prière.

– Quel terrible gâchis, vraiment ! dit-elle d'une voix rauque. Mes bébés ont besoin d'un hôte. Ils vont mourir.

La Mercedes que conduisait le capitaine Franz traversa l'étendue herbeuse à toute vitesse avant de se ranger à côté de la Veyron. Hermione était également en piteux état. Elle trébucha en sortant de la voiture dont Rebecca bis venait d'ouvrir la portière, si bien qu'il fallut l'aider à rejoindre sa sœur agenouillée non loin de là. Hermione et Vane ne dirent rien en se voyant, mais elles communiquèrent grâce aux cliquetis que produisaient leurs membres insectoïdes. Encore à genoux, Vane tendit le sac d'œufs à sa sœur qui secoua la tête avec le plus profond désespoir. Vane se remit enfin sur pied tant bien que mal, et les jumelles se tournèrent alors vers leurs jeunes homologues.

– Pourquoi avez-vous fait cela ? Vous avez tout gâché ! lança Hermione à Rebecca bis d'un ton accusateur.

– Je n'ai rien décidé, répondit-elle. Je ne sais pas pourquoi nous sommes ici, rétorqua la jeune fille en se tournant vers sa sœur.

– Pourquoi nous avoir forcées à abandonner nos bébés, et tous ces corps chauds ? demanda Vane en s'avançant vers Rebecca, comme pour la frapper.

– Voilà pourquoi, rétorqua Rebecca, imperturbable, en pivotant sur ses talons.

Au loin, on pouvait voir de la fumée qui s'élevait vers le ciel. Vane et Hermione s'efforcèrent de comprendre la scène. Encore sous l'emprise de la Phase, elles avaient le visage décharné, la peau du visage presque translucide et tendue sur les os de leur crâne, et les yeux marqués de cernes violets.

– J'ai essayé de vous l'expliquer dans la voiture, mais vous n'écoutiez pas, dit calmement Rebecca.

Un éclair jaillit dans le lointain, suivi par le bruit d'une explosion qui se rapprochait.

– C'était notre usine ? demanda Vane.

– Oui, elle est partie en fumée. Ils ont dégommé nos entrepôts et tous ceux qui se trouvaient à l'intérieur, répondit Rebecca avec un soupir, la voix tremblante.

– Non ! Non ! Non ! hurla Hermione à tue-tête.

– Mais comment est-ce que tu as su ce qui allait arriver ? C'est le coup de fil que tu as reçu sur ton portable ? demanda Rebecca bis.

– Oui, répondit sa sœur d'une voix cassée. C'était un avertissement. Cette petite ordure de Will Burrows, aidé de Drake et de cette sang-mêlé d'Elliott, et puis tous ces autres qu'on aurait dû enterrer il y a des mois, ce sont eux qui sont derrière tout ça. Ce sont eux les responsables, expliqua-t-elle en ravalant ses larmes, si bien qu'il lui fallut quelques instants pour se reprendre avant de poursuivre. Je savais qu'ils étaient trop nombreux. Nous n'avions pas le temps de faire quoi que ce soit.

– Si on peut nous atteindre ainsi, nous ne serons en sécurité nulle part, dit Hermione.

– C'est la Roumanie qui recommence, ajouta Vane d'une voix caverneuse. Nous ne sommes plus assez nombreuses pour poursuivre la Phase. C'est fini, dit-elle en ouvrant la main, laissant choir le sac d'œufs sur la neige.

– Non, ce n'est pas fini, dit Rebecca avec détermination. J'aurais voulu pouvoir sauver d'autres sœurs encore, mais j'ai au moins réussi à vous faire sortir toutes les deux, et nous allons vous séparer pour augmenter nos chances de réussite, dit-elle en se rapprochant de Vane et d'Hermione pour leur toucher le bras.

– Pourquoi ? Dans quel but ? demanda Rebecca bis.

– Nous avons peut-être encore le temps d'agir en Surface, dit Rebecca en ignorant sa sœur pour regarder tour à tour Vane et Hermione. Je ne sais pas si ça marchera, mais nous pouvons tenter d'induire la Phase chez nos sœurs cadettes. Nous serons peut-être alors assez nombreuses pour relancer l'opération. Mais le principal, dit-elle en relâchant le bras d'Hermione, c'est que nous partions toutes les deux dans un endroit où ces infects Surfaciens ne pourront nous atteindre. Quelque part où nous disposerons de tout le temps dont nous aurons besoin et où les conditions seront idéales pour la Phase… I-dé-ales.

Chapitre Seize

Drake avait relié le disque dur du système de sécurité de l'usine à son ordinateur portable. Il tapa à toute allure sur le clavier pendant quelques minutes, avant de se renfoncer dans son siège pour s'étirer les bras.

– J'aurais besoin que vous veniez jeter un coup d'œil à ça, dit-il.

Will, Elliott, Parry et Sweeney se rassemblèrent autour de lui.

– J'ai fait sauter les verrous informatiques, l'encodage n'avait rien de spécial, et ce disque dur contient les douze dernières heures filmées par les caméras de vidéosurveillance du site. Je vais diffuser les différentes vidéos en mosaïque sur l'écran principal, expliqua-t-il en se penchant en avant pour taper quelques instructions supplémentaires. Chacun d'entre vous se chargera de visionner les bandes de deux caméras. Je vais passer le tout en accéléré. Si vous repérez quelque chose d'intéressant, criez. Lumière ! Action ! dit Drake, tandis que Will et les autres s'alignaient devant l'écran, le souffle court.

Une grille composée de dix images monochromes s'afficha à l'écran et les vidéos commencèrent à défiler à un rythme saccadé. Will scrutait les deux scènes dont il avait la charge. Il pensait reconnaître les lieux. En haut de l'écran, il y avait le hall de réception de l'usine, tandis que sur l'autre vidéo, il voyait une partie du couloir qui desservait le hall. La caméra de la réception donnait sur les portes vitrées de l'entrée. Il faisait manifestement encore nuit.

Les autres s'étaient réparti les scènes à visionner, mais Parry ne semblait pas du tout satisfait de son choix. Il était en train de regarder ce que les deux caméras de l'entrepôt principal avaient enregistré lorsqu'il se rapprocha un peu de l'écran pour observer l'un des corps allongés sur un lit : il semblait bouger. Assis sur son fauteuil roulant, le sergent Finch qui l'avait rejoint était tout aussi absorbé par ces images et caressait distraitement le chat qui ronronnait sur ses genoux.

Le corps se mit à se contorsionner avec violence avant d'éclater et de se fendre du cou jusqu'à l'aine, laissant échapper des larves de Guerriers styx. La scène était encore plus terrible à voir en accéléré.

– Par la barbe du pape ! s'exclama le sergent Finch d'une voix si puissante que Parry eut un mouvement de recul et que le chat détala de frayeur. On croirait voir l'une de ces satanées saucisses qu'on a fait cuire trop longtemps et qui du coup se rompent par le milieu.

– C'est une abomination, coassa Parry. J'en avais déjà vu bien assez dans l'usine, mais voilà qui dépasse l'entendement.

– Concentre-toi, Papa, concentre-toi, pressa Drake. On a besoin d'être sûrs qu'on a bien terminé le boulot.

À ces paroles, Parry se mit à grommeler et se lança dans une tirade dont les autres n'entendirent que quelques bribes.

– Tu veux apprendre à ta grand-mère à faire du vélo, c'est ça ? marmonna-t-il avant de se redresser pour se concentrer à nouveau de manière un peu plus appropriée.

Dans la pénombre, surgirent soudain des femmes styx qui couraient en tous sens tels des insectes pour féconder d'autres humains ou se nourrir de viande fraîche.

– J'ai un Limiteur en vue, mais il ne porte pas d'uniforme, annonça Elliott lorsque apparut sur son écran l'un des soldats styx qui gardaient le portail principal. Deux Limiteurs, en fait, précisa-t-elle en découvrant la présence d'un second soldat.

Eddie la rejoignit pour regarder la scène avec elle, sans toutefois émettre le moindre commentaire, alors que le nombre de Limiteurs ne cessait de croître.

Chester se trouvait dans le petit réfectoire juste à côté de la Plateforme et préparait du thé pour tout le monde, tandis que sa mère s'occupait des sandwichs.

– Tout est devenu bien calme là-bas, observa-t-il en jetant un coup d'œil par l'embrasure de la porte, puis il termina de remplir les dernières tasses avec l'eau de la bouilloire.

– Je suis tellement heureuse que tu sois revenu sain et sauf, répondit Mme Rawls.

– Je vois une voiture. Elle entre par l'avant. Heure 9 h 15, rapporta Elliott lorsqu'un véhicule visiblement fort coûteux parut devant le portail principal avant d'être autorisé à entrer.

– Le numéro d'immatriculation pourrait nous être utile, mais je n'arrêterai pas la bande… répondit Drake.

– D'autres voitures, l'interrompit Elliott.

Chester ôta les sachets de thé de chaque tasse à l'aide d'une cuiller, puis y ajouta du lait.

– Je leur apporte tout ça et je me charge de la distribution. Comment tu t'en sors, de ton côté ?

Mme Rawls ne répondit pas et continua à confectionner les sandwichs en tournant le dos à Chester.

– Tu n'as pas encore fini de beurrer le pain ? demanda-t-il avec surprise en se rapprochant d'elle.

Il ne comprenait pas pourquoi elle mettait si longtemps.

– Je suis juste si heureuse que tu sois revenu sain et sauf, répéta-t-elle.

– Maman, tout va bien ? demanda-t-il en secouant la tête.

Mme Rawls ne répondit pas et continua à étaler méticuleusement le beurre sur une tartine déjà largement beurrée.

– J'ai les deux Rebecca en vue, là, dans le couloir, annonça Will avec un frisson d'horreur. Je crois que l'une d'elles est en conversation sur son portable.

Les jumelles disparurent alors de l'écran.

– Je vais ralentir un peu la bande, dit Drake en tapotant sur son ordinateur portable.

– Trop tard, elles ont déjà disparu, mais je suis quasi certain que l'une d'elles parlait au téléphone, dit Will.

– Je l'ai retrouvée dans l'entrepôt principal. Ne change pas la vitesse de défilement, dit Parry. C'est intéressant. Elles se déplacent rapidement... mais qu'est-ce qu'elles mijotent ? Vous voyez ça ? Elles entraînent deux femmes styx avec elles ! Elles les ont sorties de l'entrepôt ! s'exclama-t-il en frappant le sol de sa canne.

– Maintenant j'ai l'une des Rebecca qui se dirige vers l'entrée principale avec une femme styx, dit Will.

– Et j'en ai une autre qui fait le tour par-derrière. Elle est aussi accompagnée d'une femme styx, ajouta Elliott.

– Des femmes styx ? Vous êtes sûrs de ça ? demanda Drake en scrutant l'écran.

– Oui, j'ai bien vu ses membres insectoïdes, répondit Elliott d'un ton inhabituellement monocorde.

– Moi aussi, intervint Will qui avait repéré d'autres déplacements de son côté.

– Ce n'est pas bon. Gardez les yeux ouverts. Il faut qu'on sache ce qui s'est passé avant d'intervenir.

– Maman ? Qu'est-ce qui se passe ? Est-ce que tu es fâchée parce que papa a été blessé ?

Chester posa la main sur l'épaule de sa mère, mais elle se décala le long du plan de travail pour s'occuper de la tartine suivante et elle se mit à étaler encore une autre couche de beurre.

– Tu ne crois pas que tu en rajoutes un peu trop ? demanda Chester d'une voix douce.

Elle garda le silence.

– Parce que si tu es fâchée qu'il ait été blessé, Drake n'y est pour rien. Il a fait de son mieux pour nous mettre hors de danger.

Chester tendit le cou pour voir son visage. Sa mère ne paraissait certainement pas préoccupée.

– Pourquoi ne vas-tu pas rejoindre papa ? Mme Burrows est en train de lui poser un nouveau pansement, et je suis sûr qu'il apprécierait vraiment ta présence.

– ... revenus... revenus... revenus... marmonna Mme Rawls comme un disque rayé.

– Quoi ? demanda Chester qui ne comprenait pas ce qu'elle disait. Ils ont annoncé des averses de grenouilles en chocolat demain, déclara-t-il après un instant de réflexion. On devrait en attraper quelques-unes pour les manger. Qu'en penses-tu, hein ? Des grenouilles en chocolat ?

– Je suis tellement contente que vous soyez revenus sains et saufs, répondit Mme Rawls d'une voix qui semblait normale, mais Chester avait déjà un peu trop entendu cette rengaine.

Plusieurs images monochromes virèrent au noir tandis que d'autres se chargeaient d'une nuée de parasites.

– C'est à ce moment-là qu'on est entrés, dit Drake. La lumière des explosions a saturé les capteurs des caméras.

– Donc on est à peu près certains que les jumelles ont déguerpi comme des cafards, sans vouloir faire de jeu de mots, dit Parry en agitant la tête d'un air consterné. Et elles ont exfiltré deux des femmes styx, ajouta-t-il en se tournant vers Drake. Le timing était particulièrement bien choisi. Tu penses ce que je pense ?

Drake haussa les sourcils.

– L'appel qu'elles ont reçu sur leur portable visait peut-être à les avertir que nous allions entrer en scène côté jardin, poursuivit Parry.

– Il y aurait donc une taupe au sein de la Vieille Garde ? pensa Will à haute voix. Ou bien un traître parmi les Limiteurs d'Eddie ?

– Impossible, contra Eddie.

– Drake, il faut que je vous parle, dit Chester qui venait d'arriver de la cuisine en plein milieu de la conservation.

– Un instant, Chester, répondit Drake en rembobinant la bande vidéo jusqu'à l'instant où Will avait vu l'une des deux Rebecca entrer dans le couloir, puis il fit un arrêt sur image. Tu as raison. Elle est bien au téléphone. Si l'horloge du système de vidéosurveillance était réglée à l'heure exacte, nous pourrons plus ou moins déterminer le moment où l'appel a eu lieu. Danforth peut essayer de remonter à la source du coup de fil grâce à l'antenne la plus proche.

– Drake, dit Chester d'une voix tremblante de désespoir.

– Où est le professeur, au fait ? demanda Drake en se remettant à taper sur le clavier de son ordinateur.

– Pourquoi ne m'écoutez-vous pas ? Il y a quelque chose qui cloche chez ma mère ! s'exclama Chester en refermant d'un coup l'écran de l'ordinateur portable, manquant presque de lui écraser les doigts.

– Qu'est-ce que tu veux dire ? demanda Drake qui ne s'était pas rendu compte plus tôt du désarroi dans lequel était plongé Chester.

– Elle se comporte bizarrement et répète tout le temps la même chose lorsque je lui parle… bafouilla Chester tandis que Drake et Elliott échangeaient des regards inquiets.

Ils s'emparèrent tous deux de leurs armes et partirent à la hâte. Will s'était rapproché du centre de la Plateforme pour voir Mme Rawls qui se trouvait au réfectoire, mais il avait découvert quelque chose d'assez incongru.

– Voilà Danforth, dit-il en indiquant l'entrée du tunnel.

Tous les sas étaient ouverts et le petit homme se trouvait déjà loin au fond du tunnel. À cet instant, il y eut une soudaine panne de courant qui affecta l'ensemble de la Plateforme et ils se retrouvèrent tous plongés dans l'obscurité la plus totale.

– Est-ce que ce sont les Styx ? demanda Mme Burrows qui avait senti que quelque chose n'allait pas.

Elle était entrée sur la Plateforme sans que Will s'en aperçoive, même si l'obscurité ne faisait bien entendu aucune différence pour elle.

– Non, on n'en sait rien. Tous autant que vous soyez, restez où vous êtes, ordonna Parry en essayant de maintenir le calme.

– Où est partie Emily ? demanda Mme Burrows.

Les systèmes de secours se mirent en route et Mme Rawls apparut dans la pâle lueur jaune qui baignait le couloir. Elle se dirigeait à grands pas vers le professeur.

– Maman ! lui cria Chester.

Elle n'avait pas encore atteint Danforth, lorsqu'elle s'arrêta et se retourna brusquement.

– Qu'est-ce qu'elle porte ? demanda Chester d'une voix étranglée, en voyant que sa mère était vêtue d'une sorte de veste épaisse.

– Je devrais pouvoir le blesser, murmura Elliott assez fort pour que Drake puisse l'entendre, car elle tenait le couloir dans sa ligne de mire.

– Danforth, qu'est-ce qui se passe au juste ? cria Drake après lui avoir adressé un imperceptible signe de la tête. C'est quoi, tout ce cirque ?

– C'est le plan B, s'esclaffa le professeur. Je ne pensais pas que vous seriez si vite sur mes traces, dit-il.

Danforth tenait quelque chose à la main, mais il ne s'agissait pas d'une arme.

– Tes traces ? Qu'est-ce que tu veux dire ? demanda Drake en s'avançant vers lui.

– Je te conseille fortement de garder tes distances, menaça le professeur en brandissant la télécommande qu'il tenait à la main. J'ai conditionné Mme Rawls à la Lumière noire pendant que le sergent Finch faisait sa sieste. J'ai peut-être été un peu vite en besogne et le travail n'est pas aussi raffiné que ce que j'aurais voulu dans l'idéal, mais je l'ai programmée pour qu'elle exécute une tâche relativement simple. Sa veste contient assez d'explosifs pour faire s'effondrer le toit si je lui ordonne d'en actionner le détonateur. Et si jamais quelqu'un me tire dessus, ou même s'approche un peu trop près de moi, elle sait aussi ce qu'elle doit faire. C'est l'heure de faire *boum* !

– Danforth ! beugla Parry. Mais à quoi tu joues, bon sang ?

– Deux tons en dessous, mon commandant, mon vieil ami. J'ai pris le contrôle de tous les systèmes du Complexe, alors montrez-vous un peu plus civil avec moi. Vous ne pouvez rien faire, dit Danforth en appuyant sur la télécommande déclenchant la fermeture des portes du tunnel qui le séparaient de Mme Rawls.

Mme Rawls ne broncha pas et resta figée comme une statue. Danforth actionna à nouveau sa télécommande et les portes rentrèrent dans le mur en coulissant en sens inverse. Le sergent Finch avait beau essayer de presser les boutons situés sur le guidon de son scooter pour handicapé, il n'obtenait aucun résultat.

– Expliquez-vous, Danforth ! hurla Parry d'une voix tonitruante.

– La partie est déjà perdue, proclama le professeur. Les Styx ouvrent une nouvelle ère. Vous savez que j'ai achevé la traduction du *Livre de la prolifération* pendant que vous étiez à Londres. Il s'agit du plan de ce qui succédera à… l'espèce humaine. Or, ce que j'ai trouvé en examinant Elliott… Eh bien, ça m'a ouvert les yeux. Rien de personnel, Parry… c'est l'évolution, et je veux faire partie de l'équipe qui gagne.

– Vous changez donc de camp ? C'est ça ? cria Parry. Voilà qui me semble sacrément personnel, espèce de malade !

– Pourquoi devrais-je m'en priver ? rétorqua Danforth. J'en ai assez de ma propre espèce. Les humains ont profité des travaux auxquels j'ai consacré ma vie, et en guise de remerciements, j'ai été contraint de prendre une retraite anticipée et j'ai écopé d'une assignation à résidence dans quelque trou perdu d'Écosse. Ce n'était pas juste, mais je ne m'attends pas à ce que vous compreniez mon choix, Parry.

– Non, je ne comprends pas, bon sang ! rugit le vieil homme. Nous avons tous fait ce que nous demandait notre pays et aucun d'entre nous n'a jamais attendu qu'on lui remette une médaille en retour.

– Je n'attendais pas de fichues médailles, répondit Danforth dont la voix grimpa d'une octave alors qu'il perdait pour la première fois son flegme et se balançait d'un pied sur l'autre. J'espérais de la gratitude, ajouta-t-il en prenant une inspiration pour se calmer. Tout ce que je voulais, c'est que quelqu'un me dise : « Beau travail, professeur Danforth, grâce à votre ingéniosité, vous avez rendu le monde meilleur. » Mais au lieu de cela, j'ai reçu une lettre officielle dans une enveloppe bulle m'obligeant au silence, assortie d'un aller simple dans une voiture de police qui m'a conduit jusqu'à votre vieux domaine minable, Parry.

– Vous avez donc décidé de nous trahir comme un gamin geignard ? dit Parry.

– Je n'ai eu aucune peine à retrouver le numéro du téléphone portable des deux Rebecca. Il était trop tard pour sauver leur opération dans l'usine, mais je leur ai fait une offre qu'elles ne pouvaient décliner, et elles ont donc accepté. Une fois l'ordre nouveau en place, elles veulent que je reprenne le développement de leur technologie. C'est un travail de rêve !

– Vous vous leurrez, dit Eddie. Elles n'ont pas besoin de vous.

– Loin de là, répondit Danforth dont la confiance n'avait nullement été ébranlée. On m'a garanti une place auprès des nouveaux seigneurs de ce monde.

– Lorsque vous vous montrerez, elles se contenteront de vous exécuter. Vous êtes un Surfacien, déclara Eddie de sa voix monocorde, mais Will aurait juré y avoir décelé une pointe vindicative.

– Au contraire, je suis désormais sur la liste des espèces protégées, répliqua Danforth avec un rire ironique, contrairement au reste d'entre vous, y compris ceux qui ont retourné leur veste, comme vous-même, Eddie, mon vieux. Vous faites partie des espèces menacées, comme ces pauvres bons vieux pandas.

– Tu as donc indiqué notre position aux Styx ? Ils sont en route ? demanda Drake.

– Non, vous me trouverez peut-être sentimental, mais je ne voulais pas avoir votre sang sur les mains. Elles n'ont pas demandé où vous étiez, sans doute car la partie a déjà repris et que vous serez tous morts dans quelques mois, de toute façon, dit-il avec un sourire satisfait. N'allez pas vous imaginer que vos singeries à l'usine ont fait une quelconque différence. Vous ne pouvez arrêter l'inévitable, et la Phase doit avoir lieu. C'est le progrès. Les Styx ont besoin de moi, ajouta-t-il en se redressant de toute sa hauteur. Grâce à mon examen détaillé du *Livre de la prolifération,* je leur ai démontré qu'ils auraient pu organiser les choses différemment... et mieux que cela.

– De quoi parles-tu ? demanda Drake.

– Eh bien, où trouve-t-on des conditions semblables à celles de la Surface avec un stock d'hôtes humains tout frais, et où des Surfaciens du Neandertal comme vous n'interféreront pas dans le processus ?

Il y eut un instant de silence, puis le professeur se tapota le front avec l'index.

– Vous n'allez jamais jusqu'au bout de votre raisonnement, pas vrai ? Sur mes conseils, les Rebecca sont en train de transférer la Phase là où elle aurait toujours dû avoir lieu, c'est-à-dire dans le monde intérieur du colonel Bismarck. Vous êtes tellement abrutis que pas un seul d'entre vous n'avait anticipé cela, n'est-ce pas ? On ne pourrait rêver meilleures conditions que celles qui règnent là-bas. Quoi qu'il en soit, ajouta Danforth en consultant sa montre avant de reculer d'un pas en agitant sa télécommande, il est grand temps que j'aille retrouver mes nouveaux copains. Aucun d'entre vous ne me suivra, car je vais fermer cet endroit pendant assez longtemps pour filer, et mon assistante fort compétente – j'ai nommé Emily Rawls – garantira que vous ne tenterez pas de forcer le passage pour sortir.

Dans l'obscurité qui régnait tout au bout de la Plateforme, Will perçut tout à coup la présence de quelqu'un qui se déplaçait lentement. Il s'apprêtait à alerter Drake, lorsque M. Rawls surgit de la pénombre et entra dans la douce lumière jaune du couloir. Il venait manifestement tout juste de faire examiner son pansement, car il avait la chemise encore déboutonnée.

– Emily ! C'est moi, mon amour. C'est Jeff ! cria-t-il en accélérant le pas et il fila droit sur sa femme, les bras ouverts.

– Non, Papa ! cria Chester.

– Je vous avertis ! Rappelez ce débile ! menaça Danforth en reculant un peu plus loin au bout du tunnel.

– Emily, c'est moi, Jeff… poursuivit M. Rawls. N'écoute pas cet homme.

– Jeff, revenez ici ! C'est un ordre ! hurla Drake.

– Ça ne sent pas bon, murmura Parry.

Will vit Danforth actionner sa télécommande. Il secouait la tête alors que les portes coulissantes scellaient le couloir devant lui. M. Rawls s'avançait toujours à grands pas vers sa femme, mais il avait quelque peu ralenti l'allure pour lui parler d'une voix calme, douce et apaisante. Lorsqu'il parvint à hauteur de sa femme, cette dernière se tourna brusquement vers lui. Elle avait l'air ahuri.

– Maman ! Papa ! s'écria Chester au désespoir, et il se rua vers eux.

– Tous à couvert ! hurla Parry en empoignant le guidon du scooter du sergent Finch pour le diriger brusquement vers la zone où se trouvaient les ascenseurs.

Il y eut un éclair de lumière aveuglante, suivi par le grondement d'une explosion qui les ébranla jusqu'à la moelle. Projeté dans les airs, Will perdit conscience en retombant brutalement sur l'un des bureaux. La Plateforme se retrouva plongée dans le noir et la poussière. Ils entendirent alors le grondement des tonnes de terre et de roches qui se déplaçaient tandis que la montagne reprenait ses droits sur l'entrée du tunnel.

La seule issue qui permettait de sortir du Complexe était désormais scellée.

Chapitre Dix-sept

Lorsque Will revint à lui, il était allongé sur plusieurs couvertures étalées à même le sol et recouvert d'une fine couche de poussière. Il dut se frotter les yeux avant de pouvoir les ouvrir, mais cela ne servit pas à grand-chose, étant donné le peu de lumière qui éclairait la pièce. Sur une table située non loin de lui, on avait relié une ampoule vissée sur une culasse portative à ce qui ressemblait à une batterie de voiture. Elle n'émettait qu'une très faible lumière vacillante. Will se redressa sur son séant avec un méchant mal de crâne et fut saisi par une quinte de toux. Une fois remis, il entendit des gens parler à voix basse et d'un ton sinistre. C'est alors qu'il reconnut celle d'Elliott.

– Vous devriez rester allongé un moment, conseilla le colonel Bismarck qui venait d'entrer dans le champ visuel de Will.

– Qu'est-ce que je fais là ? demanda Will encore confus, remarquant que le Néo-Germain avait un sac en bandoulière sur lequel figurait une grosse croix rouge.

– Vous êtes dans l'une des salles de briefing. Vous avez subi un sérieux traumatisme, répondit le colonel en indiquant son front. J'ai arrêté l'hémorragie et je vous ai bandé la tête, mais il faut vous reposer.

– L'explosion, marmonna Will en palpant le bandage tout en s'efforçant de se rappeler ce qui s'était passé.

En dépit des protestations du colonel Bismarck, Will avait décidé qu'il se lèverait. Dans la faible lumière de l'ampoule, il distingua Chester et Elliott assis sur des chaises à l'autre bout de la pièce.

– Hé ! s'exclama Will, ravi de retrouver ses amis sains et saufs, quand soudain le souvenir de ce qui s'était passé une fraction de seconde avant l'explosion lui revint en mémoire comme la pièce manquante d'un puzzle.

Les parents de Chester dans l'entrée du tunnel. Ils étaient ensemble. M. Rawls tenait sa femme dans ses bras, mais ce souvenir n'aboutissait nulle part et se dissolvait en un tourbillon de feu et de ténèbres qui se terminait dans le néant. Comme propulsé par une puissante bourrasque, Will chercha un appui sur le bord de la table.

– Hé, répéta-t-il dans un souffle.

– Salut, Will, répondit Chester d'une voix monocorde. Comment vas-tu ?

– J'ai mal à la tête… j'ai un peu le tournis, et puis j'ai les oreilles qui bourdonnent, répondit Will.

– Moi aussi. J'ai une brûlure au bras, mais rien de grave. J'ai eu de la chance.

Will longea la table et croisa le regard d'Elliott au moment où elle relevait la tête. Elle avait pleuré et ses larmes avaient creusé des sillons dans la crasse qui lui couvrait le visage. Chester se tenait raide comme un piquet, agrippé aux bras de son fauteuil comme s'il se trouvait sur des montagnes russes.

– Chester… dit Will en s'éclaircissant la voix. Je… je ne sais pas quoi dire. Je suis… tellement…

Will effectua un autre pas en avant, la main tendue vers son ami sans pour autant le toucher. Chester avait gardé jusqu'alors les yeux rivés sur l'ampoule vacillante, mais il fixait désormais la main de Will. Sa mâchoire se mit à tressaillir comme s'il s'apprêtait à céder au chagrin, mais il redressa soudain la tête, le visage impassible et le regard à nouveau posé sur l'ampoule. Will resta planté devant lui, la main toujours tendue, les doigts légèrement écartés. Il ne savait que trop bien ce qu'il avait ressenti lorsque son propre père avait été abattu de sang-froid par l'une des deux Rebecca, mais l'explosion qui avait eu lieu dans le tunnel avait emporté dans la mort les deux parents de Chester.

– Est-ce que les autres vont bien ? demanda Will pour combler le silence, mais il regretta aussitôt cette formule.

Est-ce que les autres vont bien ? Pourquoi diable est-ce que j'embête mon ami avec une question pareille ?

– Oui, je crois, confirma Chester qui jeta un coup d'œil furtif en direction d'Elliott, laquelle acquiesça, puis il se remit à contempler l'ampoule. Le sergent Finch a perdu quelques-uns de ses chats. C'était malheureux.

À ces mots, Will se sentit encore plus mal. Son ami exprimait de la compassion pour des chats alors qu'il avait subi la pire chose qu'on puisse imaginer. Chester avait toujours été proche de ses parents, surtout après la mort prématurée de sa sœur. M. et Mme Rawls avaient choyé le seul enfant qui avait survécu à l'accident, mais Will le leur avait enlevé en l'entraînant dans la Colonie.

Ses parents s'étaient retrouvés plongés dans ce cauchemar malgré eux, aux prises avec les Styx, même si Chester n'y était pour rien, et voilà qu'ils venaient de payer l'ultime tribut. Will éprouvait un tel sentiment de culpabilité qu'il aurait voulu se jeter aux pieds de Chester pour implorer son pardon. Mais il n'en fit rien. Au lieu de cela, il tendit à nouveau le bras vers Chester et lui toucha la main cette fois-ci. Chester ne broncha pas lorsque Will effleura son poing crispé posé sur l'accoudoir du fauteuil. C'était un geste maladroit, et Will ne savait guère comment s'y prendre à partir de là. Contrairement à Elliott, il ne pouvait embrasser son ami.

– Je suis désolé, marmonna-t-il en retirant sa main, puis il sortit de la salle en manquant de trébucher.

Il fallait qu'il s'échappe.

– Oh ! mon Dieu… Pourquoi fallait-il que ça arrive ? dit-il d'une voix étranglée et pleine de remords une fois dans l'obscurité du tunnel. Pourquoi fallait-il qu'ils meurent ? Pourquoi eux, et pas moi ?

Will recula jusqu'à rencontrer la paroi derrière laquelle son pauvre ami s'efforçait d'affronter la perte de ses parents. L'idée qu'il ne puisse rien faire pour arranger les choses en faveur de Chester était une véritable torture pour Will. Il ne pouvait ramener ses parents à la vie. Il avait l'impression qu'il était en proie à l'un de ces cauchemars enfiévrés dont il avait souffert durant son plus jeune âge, et desquels il se réveillait avec le sentiment tenace d'avoir commis une terrible faute. Même s'il n'avait jamais su quelle était la nature de ses crimes, sa culpabilité était telle qu'il avait l'impression qu'un couteau lui fouillait les entrailles.

Il avait le front très endolori, mais il se retourna et le pressa fort contre la paroi, puis se frappa violemment la tête contre le mur à plusieurs reprises, trouvant un certain réconfort dans les pointes de douleur.

– Non, non, non !

Will cessa de se cogner la tête au moment où il sentit le sang lui dégouliner dans les yeux, l'obligeant à battre des paupières. C'est alors qu'il entendit des cris qui provenaient de la Plateforme, puis le bruit d'une chute. Drake hurlait quelque chose. Will se reprit, car quelqu'un avait peut-être besoin d'aide, et il se mit à progresser à tâtons dans le tunnel pour rejoindre la Plateforme.

Il subsistait encore quelques nuages de fumée dans l'atmosphère, mais Will avait pu d'emblée constater l'étendue des dégâts à la lumière des lampes de secours disposées tout autour de la zone. Tout était recouvert d'un mince film de suie grise et de nombreux bureaux avaient été soufflés par l'explosion. Ceux qui se trouvaient le plus près de l'entrée du tunnel étaient même noircis par les flammes.

Will enjamba les débris qui jonchaient le sol et se dirigea vers le tunnel obstrué sur un peu plus d'une dizaine de mètres par les énormes blocs de béton armé qui s'étaient détachés du plafond. Les grilles d'aération et les gaines électriques pendaient du plafond et des murs comme autant d'artères que l'on aurait tranchées. Ce qui restait du tunnel était maculé de taches carbonisées aux endroits où l'on avait visiblement éteint des départs d'incendies.

– Nous avons de la chance d'être encore en vie, dit Parry en se rangeant au côté de Will pour contempler les dégâts avec lui.

– Les parents de Chester... Est-ce qu'ils ont pu s'échapper d'une façon ou d'une autre ? demanda Will en fixant les gravats.

– Danforth s'en est sans doute tiré, car il était du bon côté de la porte anti-explosion, mais pas eux, j'en ai bien peur.

– Est-ce qu'on peut se frayer un passage en creusant ? demanda Will après un instant de silence.

– Je crois qu'il faudrait entre deux et trois semaines à une équipe de spécialistes disposant de matériel d'excavation pour dégager le passage. Comment va Chester, sinon ? demanda Parry presque d'une seule traite.

– Honnêtement, je ne sais pas, répondit Will en se tournant vers lui. Je crois qu'il est encore en état de choc.

– Tu es couvert de sang, observa Parry avec surprise en examinant le visage de Will. Le colonel m'avait pourtant dit qu'il t'avait nettoyé.

– Ce n'est rien, marmonna Will qui n'était certainement pas prêt à admettre qu'il avait aggravé sa blessure en se frappant la tête contre la paroi du tunnel.

Will se tourna pour regarder Drake de l'autre côté de la Plateforme, les pieds noyés dans les câbles électriques à l'endroit où Danforth avait travaillé auparavant. Drake cria quelque chose à l'adresse de Sweeney qui travaillait sur un autre panneau. Il avait l'air paniqué.

– Nous sommes dans le pétrin, n'est-ce pas ? demanda Will à Parry.

– Mis à part le fait que nous devrions être aux trousses des jumelles et des femmes styx, oui, nous sommes dans un sacré pétrin ici, répondit-il. Danforth a coupé tous les systèmes de la Plateforme. Tout est éteint, répondit Parry d'une voix si sourde et si sinistre que Will eut bien du mal à l'entendre.

– Tout ?

– Nous n'avons plus que deux téléphones satellites – mais il nous est impossible d'obtenir le moindre signal –, des batteries industrielles et un seul ordinateur portable encore en état de marche, soupira Parry avant de reprendre son souffle. J'accorde peut-être trop d'importance à Danforth, mais lorsque je le retrouverai, je te jure que je vais étrangler cette petite ordure. Cependant, je ne crois pas qu'il ait voulu nous tuer. Je ne pense pas qu'il ait jamais imaginé en arriver là et que Mme Rawls ferait exploser sa veste.

– Ah non ?

– Non, il voulait juste nous retenir assez longtemps pour pouvoir s'enfuir, mais Danforth ne laisse jamais rien au hasard, il a disposé des charges pour détruire tous les générateurs de secours. Ils sont tous morts.

– Ça veut dire qu'on n'a plus du tout d'électricité ? demanda Will. Pourquoi est-ce qu'il a fait ça ?

– Pour éviter qu'on tente de détourner les circuits électriques pour alimenter les portes anti-explosion, j'imagine, dit Parry en agitant sa canne en direction de ce qui restait du tunnel d'accès. Nous avons vérifié et revérifié. Tous les générateurs sont fichus et totalement irréparables. Par conséquent, il n'y a plus d'électricité pour assurer le fonctionnement du système d'aération. Quoi qu'il en soit, les flammes ont consommé une bonne partie de l'oxygène disponible. D'après une estimation grossière, je dirais que nous avons une quinzaine de jours devant nous. Peut-être moins, car nous sommes très nombreux.

– Nous allons manquer d'air ? murmura Will qui s'efforçait d'encaisser cette nouvelle. Et les conduites d'aération ? On ne peut pas les ouvrir manuellement ? suggéra Will en accompagnant Parry qui s'avançait lentement vers Drake. On ne pourrait pas les emprunter pour remonter à la Surface ?

– Ce serait une excellente idée… commença Parry en tâtant une tasse du bout de sa canne avant de se baisser pour la ramasser. La seule chose, c'est qu'il n'y en a pas. Ce complexe a été construit pour pouvoir être complètement isolé de l'environnement extérieur. Il est scellé hermétiquement… Pas une seule molécule ne peut entrer ou sortir.

– Mais d'où vient l'air, dans ce cas ? demanda Will.

– Dès lors qu'on augmente le niveau d'alerte, le tunnel d'entrée se referme et l'air est fourni par les réservoirs sous pression répartis sur chaque niveau.

– Dans ce cas, tout va bien, car… répliqua Will avec optimisme.

– Les réservoirs sont vides, le coupa Parry.

– Ça ne fait qu'empirer, n'est-ce pas ? murmura Will alors qu'ils arrivaient à hauteur du sergent Finch assis sur son scooter pour handicapé.

Le sergent avait la tête penchée sur un minuscule ballot posé sur ses genoux. Il caressait un chaton mort enveloppé dans du tissu. Stephanie était agenouillée au côté de lui. Les cheveux en bataille et le visage maculé de crasse, elle ne ressemblait plus vraiment à la jeune fille qu'ils avaient l'habitude de voir. Elle croisa brièvement le regard de Will, puis reprit son ouvrage. Elle était en train de draper d'un linceul le corps d'un autre chat. Il y avait au moins six petits corps duveteux alignés et recouverts d'un torchon. Ces pitoyables petits cadavres rappelaient à Will les images qu'il avait vues à la télévision à la suite de terribles accidents ou d'attentats terroristes. Même s'il ne s'agissait que de chats, et non de gens, la scène n'en était pas moins écœurante, car le coton blanc des torchons avait bu le sang des victimes.

– Parry, est-ce que quelqu'un vérifie régulièrement comment se porte le sergent Finch ? demanda Will à voix basse alors qu'ils continuaient leur chemin vers l'endroit où se trouvait Drake. Je me souviens vous avoir entendu parler d'une prochaine livraison de vivres.

– Oui, nous tenons un inventaire tous les deux mois lorsqu'un membre de la Vieille Garde dépose des vivres dans un cabanon de l'autre côté de la montagne.

– Un cabanon ? répéta Will à qui ce mot n'était pas familier.

– Oui, répondit Parry en haussant légèrement les épaules. Il s'agit d'une cabane en pierre dont on ne se sert plus. Pour des raisons de sécurité, la Vieille Garde ne sait pas du tout à qui sont destinés ces vivres. La nourriture restera donc là-bas jusqu'à ce qu'elle pourrisse. En outre, en raison de restrictions budgétaires, l'obscure section ingénierie des services de renseignements du M15 chargée de s'occuper de ce complexe n'envoie une équipe qu'une seule fois par an. La prochaine inspection n'est pas prévue avant sept mois. Je suis désolé de devoir te dire qu'il faut qu'on se débrouille tout seuls, Will.

– Et Old Wilkie, au fait ? demanda Will qui venait d'avoir une idée après s'être retourné vers Stephanie au moment où un chat s'était mis à hurler. Il ne va pas finir par se demander ce qui nous est arrivé ?

– Peut-être, mais il ne sait pas où nous sommes. Encore une fois, pour des raisons de sécurité, je lui ai mis un bandage sur les yeux avant de l'abaisser à une centaine de kilomètres d'ici. Et je lui ai également donné l'ordre de maintenir le silence radio.

– Jiggs ! Et Jiggs ?

– Il est ici avec nous, répondit Parry en s'éloignant, tandis que Will scrutait les ténèbres en se demandant où cet homme insaisissable pouvait bien se trouver à cet instant.

Les journées se succédaient, mais Chester semblait toujours passer le plus clair de son temps le regard perdu dans le vide. Les rares fois où il s'endormait, il se réveillait en hurlant le nom de son père et de sa mère. Même si Mme Burrows venait parfois s'asseoir à son côté, Elliott avait pris l'initiative de ne jamais le laisser seul avec lui-même. Elle avait d'abord tenté de lui parler pour le distraire de son chagrin, mais comme Chester n'avait pas manifesté le moindre intérêt, elle avait fini par se contenter de lui tenir compagnie.

Will se trouvait donc tout seul. Il errait dans les ténèbres du Complexe avec l'impression qu'il était la cinquième roue du carrosse, faute de pouvoir faire quoi que ce soit pour aider les autres.

Chester n'était toutefois pas le seul à rester éveillé. Drake et Parry s'efforçaient de trouver le moyen de sortir du Complexe, ou tout au moins d'appeler du secours, et c'est à peine s'ils fermaient l'œil de la nuit. Mme Burrows avait sorti des boîtes de conserve qu'elle avait mis à la disposition de tous dans la cuisine, et lorsque Will s'y aventurait, il s'arrêtait souvent pour écouter les longues conversations de Parry et de Drake. Le colonel Bismarck, Eddie ou le sergent Finch se trouvaient parfois là eux aussi, mais c'étaient le père et le fils qui prenaient le plus souvent la parole.

C'était Parry qui avait suggéré la première initiative dont avait entendu parler Will. Il voulait faire sauter les portes d'un ou plusieurs niveaux pour libérer un peu plus d'air. Will était en effet parti explorer les étages inférieurs, mais il avait découvert par lui-même que le système de verrouillage automatique des portes anti-explosion des troisième, quatrième et cinquième niveaux avait fonctionné, en scellant de fait le passage. Will avait donc interrogé Parry. Il s'agissait d'une mesure visant à protéger toute personne se trouvant à l'un de ces niveaux au cas où l'intégrité du Complexe aurait été compromise.

Drake s'était aussitôt opposé à l'idée de Parry, avançant qu'ils n'en retireraient qu'une quantité d'air négligeable. Après de nombreux calculs, ils décidèrent qu'il serait trop risqué d'utiliser des explosifs au cœur du Complexe. La détonation consumerait probablement la plus grande partie du supplément d'oxygène.

Après d'autres discussions tout aussi stériles, Drake et Eddie commencèrent à échafauder une autre stratégie. Avec l'aide du sergent Finch, ils avaient localisé les plans du Complexe que l'on avait reproduits sur microfiches. Will ne savait pas ce qu'était une microfiche, et c'est donc avec d'autant plus d'intérêt qu'il regarda Drake se servir du scanneur de Danforth qu'il avait alimenté en électricité grâce à une série de batteries industrielles mises en réseau. Will découvrit à cette occasion qu'il s'agissait de transparents de la taille d'une carte postale contenant des photographies miniatures de divers documents. Après avoir numérisé les microfiches, Drake fut en mesure de les agrandir suffisamment pour les afficher à l'écran de son ordinateur portable.

Drake et Eddie inspectèrent tour à tour ces documents. Il s'agissait principalement de dessins d'architecte de la structure du Complexe et de schémas électriques sur lesquels figurait jusqu'au moindre détail. Aucun d'eux n'avait expliqué ce qu'ils cherchaient, mais ils passèrent des heures à les scruter.

Ils avaient également envisagé d'utiliser l'antenne radio dissimulée dans le pylône électrique au sommet de la montagne pour envoyer un message de détresse. Cependant, Danforth avait manifestement anticipé cette démarche, ce qu'ils découvrirent en allumant l'une des radios de la Plateforme. Drake eut beau tout essayer, il n'arrivait à rien. Danforth avait sans doute employé des coupe-circuit ou bien placé d'autres charges explosives pour mettre l'antenne hors d'usage.

Les choses se présentaient plutôt mal, et les échanges de Drake et de Parry devenaient de plus en plus mornes à mesure qu'ils épuisaient les solutions. Cependant, après avoir entendu Parry évoquer l'existence d'un arsenal au niveau 6, tout au fond du Complexe, Will avait décidé d'y descendre pour y mener une inspection en règle. En outre, il devenait de plus en plus difficile de respirer sur la Plateforme. Peut-être était-ce le fruit de son imagination, mais il commençait à éprouver une certaine claustrophobie.

Will était d'abord passé dans ses quartiers pour y prendre son globe lumineux. Il se dirigeait à présent vers la cage d'escalier lorsqu'il tomba sur Stephanie. Elle était redevenue elle-même, elle s'était lavé les cheveux et sentait le propre. Will remarqua qu'elle était même maquillée. Au milieu de la crasse et des ténèbres du Complexe, elle brillait de mille feux.

– Tu es magnifique ! s'exclama-t-il malgré lui.

– Merci, Will, dit-elle avec un petit sourire. Je crois avoir fait ma part du travail auprès du sergent Finch.

Stephanie avait en effet passé des jours entiers à tenir compagnie au vieil homme, très perturbé par la mort de ses chats.

– C'est un amour, mais… il ne sent pas très bon, lui dit-elle sur le ton de la confidence en se penchant vers Will. J'ai donc pensé que j'avais tout à fait mérité un peu de repos. J'ai pris un peu de temps pour moi toute seule.

Stephanie demanda à Will où il s'en allait ainsi et insista aussitôt pour l'accompagner. Cela dit, il n'était pas mécontent d'avoir enfin un peu de compagnie.

– C'est vraiment effrayant, non ? dit Stephanie en faisant mine de frissonner lorsqu'ils atteignirent le fond de la cage d'escalier.

Le niveau 6 tranchait nettement avec les autres niveaux. Il n'y avait pas de couloir principal, juste un espace ouvert dont le sol, les parois et les colonnes régulièrement espacées étaient toutes en béton brut et maculées par endroits de traînées de rouille. Le globe lumineux de Will jetait des ombres mouvantes autour d'eux alors qu'ils zigzaguaient entre les colonnes.

– On dirait la chambre d'un gothique, non ? gloussa Stephanie en apercevant un gros crâne souriant dessiné sur un panneau d'avertissement drapé d'une toile d'araignée.

– Ouais, répondit Will d'un ton indécis, se demandant si Stephanie se sentait obligée de meubler chaque silence. Mais est-ce que tu respires plus facilement ici ? demanda-t-il en marquant un arrêt.

– Peut-être bien, répondit-elle en avalant bruyamment une grosse goulée d'air.

– Drake a dit que le dioxyde de carbone était plus léger que l'oxygène. Peut-être qu'il y a plus d'oxygène à ce niveau, du coup ? pensa Will à voix haute en essayant de se souvenir de la conclusion à laquelle étaient parvenus Drake et Parry à l'occasion de l'une de leurs discussions.

– Hum… commenta Stephanie, songeuse, au moment où ils arrivèrent au pied de hautes structures indistinctes qui touchaient presque le plafond.

– Voici les réservoirs d'eau, dit Will en éclairant de son globe lumineux les citernes disposées de part et d'autre du plateau. Sacrément hautes, pas vrai ? On dirait que celle-ci est encore pleine, déclara-t-il en donnant une tape sur la surface métallique de la citerne qui se trouvait à côté de lui.

– Ben, au moins on ne mourra pas de soif, quoi, conclut Stephanie.

Pendant que Will inspectait les zones situées entre les réservoirs, Stephanie demeura inhabituellement silencieuse. Puis, alors qu'ils poursuivaient leur exploration plus avant, dépassant les générateurs de secours que Danforth avait mis hors d'usage, elle glissa sa main dans la sienne, ce qui le fit tressaillir légèrement. Stephanie poussa alors un petit gloussement.

– Hum, dit-il maladroitement en prenant bien garde de ne pas l'éclairer de son globe, car il ne tenait pas à ce qu'elle voie à quel point il était mal à l'aise.

– Je t'aime vraiment bien, Will, dit-elle d'une voix douce. Tu le sais, non ?

Will avançait le long de l'allée, mais il ne progressait pas très vite, car Stephanie était toujours accrochée à lui.

– Je… je t'aime bien moi aussi, dit-il au bout d'un temps.

– Tu dis juste ça pour être gentil avec moi, mais c'est pas grave, Will.

Stephanie accéléra légèrement le pas en faisant trottiner ses bottes de cuir à talons hauts sur le sol de béton, comme si elle s'apprêtait à faire la roue devant lui, si bien que Will pressa légèrement l'allure à son tour.

– J'aimerais bien qu'on passe plus de temps ensemble, tous les deux, Will, murmura Stephanie. Elliott n'est pas vraiment disponible, n'est-ce pas ? On n'est pas obligés de lui dire quoi que ce soit.

Voyant que Will ne répondait pas, Stephanie baissa encore d'un ton, ce qui lui donna l'air presque triste.

– Et si tout tourne vraiment mal pour nous tous et qu'on ne s'échappe jamais de cet endroit, plus rien n'aura plus vraiment d'importance, non ? Si ce n'est le peu de temps qu'il nous reste ?

Ils arrivèrent devant une série de portes fermées et Stephanie lui pressa plusieurs fois la main. Elle n'avait visiblement pas l'intention de la lâcher. Will faisait mine d'être trop absorbé par l'exploration du niveau pour y prêter attention, mais les pensées se bousculaient dans sa tête. Il ne pouvait s'empêcher de songer à la beauté de Stephanie lorsqu'il l'avait croisée dans la cage d'escalier.

– Voici l'arsenal. La dernière fois que je suis venu ici, la porte était fermée, dit-il après s'être éclairci la voix tandis que la lumière de son globe révélait une ouverture. Jetons un coup d'œil à l'intérieur.

– D'accord, allons-y ! dit Stephanie d'un ton plus enjoué et elle posa alors son autre main sur l'avant-bras de Will.

Quant à Will, il songeait à ses yeux bleu clair et à la façon dont ses lèvres se plissaient aux commissures quand elle souriait. Son pouls s'accéléra. Peut-être avait-elle raison ? Tout cela n'avait plus d'importance. Will savait combien Chester appréciait Stephanie, mais son ami n'était pas vraiment en mesure de s'en préoccuper à présent, ni sans doute avant bien longtemps d'ailleurs. Quant à Elliott, elle était manifestement plus soucieuse de s'occuper de Chester que de passer du temps avec lui. S'ils devaient manquer d'air d'ici une semaine environ, cela changeait tout. Stephanie avait raison. Rien n'avait plus d'importance.

À part le temps qu'il leur restait...

Sans vraiment s'en rendre compte, Will pressa la main de Stephanie et l'entraîna dans la pièce. Une fois à l'intérieur, ils s'immobilisèrent. Will avait posé le globe lumineux à ses pieds. Il ne distinguait guère plus qu'une ombre grise devant lui lorsqu'il sentit la main de Stephanie qui remontait le long de son bras.

– Tu sais, tu es quelqu'un de très spécial, dit-elle.

– Quoi qu'fous faiez, n'craquez pas d'allumette ici, leur conseilla soudain un homme d'une voix grave et inarticulée. Très, très maufaise idée.

Stephanie lâcha un cri strident.

Will se retourna dans la direction d'où provenait cette voix, ramassant aussitôt son globe pour voir qui se trouvait là. La pièce était vaste et comportait d'innombrables rangées d'étagères sur lesquelles étaient posés tous les explosifs et toutes les armes du Complexe.

– Qui est là ? demanda Will en s'efforçant d'avoir l'air aussi sûr de lui que possible. Qui est-ce ?

– C'est qu'moi, tonna la voix, toujours aussi peu articulée. Si t'craques une allumette, t'nous fais tous fauter, à cause d'munifions.

Will se rapprocha encore. Stephanie s'agrippait désormais à lui, car elle était terrifiée. La lumière du globe finit par révéler un homme avachi sur des sacs.

– Sparks ! s'exclama Will. Bon sang, qu'est-ce que vous faites là ?

– Même chose que vous quat', répondit-il d'une voix traînante. *Z*'foulais *z*ufte être un peu feul avec moi-même.

Will et Stephanie le regardèrent avec stupéfaction. Sweeney avait la chemise déboutonnée jusqu'au nombril et deux petits terminaux affleuraient sur son sternum ; il les avait connectés à une batterie industrielle qu'il tenait dans ses bras.

– Mouais... dit-il en suivant leur regard. Z'ai pas vraiment befoin de me r'charger comme fa, expliqua-t-il en clignant lentement des yeux. Mais ze m'fuis dit que z'pouvais ptêt ben r'mettre à niveau l'fieilles fellules d'réserve. Zufte au cas où.

– Sparks, vous avez l'air vraiment bizarre, risqua Will. Vous n'avez pas bu, n'est-ce pas ?

– Fûrement pas ! Zamais ze touche à f'truc-là ! F'est l'furplus de zus qu'a ft'effet-là, des fois. Fuis un peu dans les fapes, du coup, répondit Sweeney en essayant de se redresser sur son séant, mais il n'alla pas bien loin. Favez quoi... z'ai capté tout f'que fous racontiez.

– Tout ? demanda Will en lançant un vif coup d'œil à Stephanie.

– Ouais... et écoutez-moi, fi on en arrive au pire et qu'on décroche la timbale, dit-il en essayant de les pointer du doigt malgré les violentes secousses qui lui agitaient le bras, on devrait touf f'zeter dans fes fiternes. Me fuis prefque noyé une fois qu'z'étais dans un fous-marin, ajouta-t-il en grimaçant, puis il agita la tête d'un air tragi-comique. C'est pas une fi maufaise manière de f'en aller. Mieux que d'fuffoquer en tout cas.

– Mais Sparks, on va sortir de cet endroit. C'est pas encore fini ! s'exclama Will, choqué d'entendre le vieux soldat parler ainsi. Vous êtes sûr que tout va bien ?

– Fûr de fûr ! Détends-toi un peu, fifton. Refte un peu avec moi. Dis à tous tes f'amis de s'zoindre à nous.

– Mais nous ne sommes que deux... commença Stephanie, qui se tut aussitôt qu'elle croisa le regard de Will.

– Bien sûr, qu'on va rester avec vous, dit Will.

Il disposa plusieurs sacs vides sur le sol pour s'asseoir par terre avec Stephanie.

Même s'il y avait largement de la place pour deux sur les sacs, Stephanie avait posé sa jambe tout contre celle de Will et l'avait laissée là.

Pendant ce temps, Will faisait de son mieux pour tenir une conversation avec Sweeney, qui n'était guère facile à comprendre.

– Puis-je vous demander sous quel nom vous avez effectué votre réservation ? demanda d'une voix alerte la réceptionniste vêtue d'un survêtement rose.

Elle sortit un crayon de ses cheveux aux boucles très serrées et se permit de jeter un coup d'œil curieux à la jeune fille très sûre d'elle qui se tenait devant le comptoir. Elle était accompagnée d'un chauffeur fort séduisant, même s'il avait l'air stupide. Puis, faisant tourner son crayon entre le pouce et l'index comme s'il s'agissait d'un bâton de majorette, la femme fit défiler une série de pages sur l'écran de son ordinateur.

– Je suppose que c'est pour quelqu'un de votre famille ? Votre mère ou votre père, peut-être ?

La réceptionniste avait vu la Mercedes haut de gamme qui s'était garée à l'extérieur avec un car à sa suite. Il s'agissait manifestement de quelqu'un d'important. Comme ils n'acceptaient pas les enfants, cette réservation ne pouvait être pour la jeune fille qui se tenait devant elle.

– Si vous pouviez leur demander de venir, nous nous assurerions que leur chambre est bien prête.

– Cool, commenta Rebecca bis en regardant tournoyer le crayon entre les doigts de la réceptionniste.

– Oh, merci. C'est un truc que m'a appris un ancien petit ami, répondit la réceptionniste d'une voix distante.

Elle était curieuse de découvrir l'identité de la personne qui s'apprêtait à honorer son établissement hors de prix, mais après avoir parcouru tout le planning des réservations qui s'affichait sur son écran, elle constata que seuls quelques habitués ne s'étaient pas encore enregistrés.

– Nous sommes absolument complets pour le moment. À quel nom était la réservation ?

– Réservation ? répéta Rebecca bis, alors que le vieux Styx pénétrait dans le hall de la réception.

Le vieux Styx se mit alors à scruter les photographies des diverses activités proposées dans cette ferme très sélecte perdue au fin fond de la campagne du Kent et dédiée à la remise en forme. On y voyait des gens qui nageaient dans la piscine olympique, se faisaient masser, recevaient des soins du visage ou couraient en groupe sur le vaste terrain qui entourait cette majestueuse demeure reconvertie.

– Oui, la réservation. J'imagine qu'elle est à votre nom, monsieur ? demanda la réceptionniste en s'adressant au vieux Styx.

Il s'était dirigé vers les grandes fenêtres situées à l'arrière du hall de la réception qui donnaient sur la piscine et observait le cours d'aquagym du matin en pleine activité.

– Monsieur ? Vous m'entendez ? dit la réceptionniste, mais l'homme grisonnant ne daignait toujours pas répondre.

La réceptionniste se mordit la langue. Aussi exaspérée fût-elle par ces deux personnes à l'air étrange, il fallait qu'elle prenne garde, car il y avait de fortes chances pour que cet homme soit un nouveau client important. Lorsqu'il se tourna vers un tableau d'affichage sur lequel figuraient toutes les activités du jour, elle en profita pour étudier son profil. Le vieil homme avait les cheveux peignés en arrière et portait un long manteau de cuir noir qui lui descendait jusqu'aux chevilles. La réceptionniste pensa qu'il s'agissait peut-être de quelque cinéaste célèbre, ou peut-être d'un musicien, à la réflexion. Elle essaya de se souvenir des noms des membres des Rolling Stones qui avaient tous l'air aussi maigre et fatigué que lui. Oui, peut-être était-ce l'un d'eux, mais pas le chanteur à la bouche pulpeuse et au déhanché si… Elle l'aurait reconnu.

Le car garé dehors était sans doute dédié à leur tournée, et peut-être avait-il effectué cette réservation sous un pseudonyme. Cela n'avait rien d'inhabituel, car les célébrités venaient dans ce centre de remise en forme pour échapper aux feux de la rampe et se préparer pour leurs prochaines performances. C'est pourquoi la réceptionniste attendit patiemment. Elle faisait tournoyer son crayon en entonnant *Time is on my Side*. Elle voulait impérativement éviter de froisser *machin chose*. C'est à ce moment précis qu'une troupe de femmes qui jacassaient à bâtons rompus traversa le hall. Elles s'en allaient à leur séance de Pilates.

– Combien de personnes séjournent ici ? demanda le vieux Styx une fois qu'elles furent parties.

La réceptionniste ne s'attendait pas à affronter la sévérité et la froideur de son regard éteint. Face à ces deux petits trous noirs, elle aurait voulu détourner les yeux, voire prendre ses jambes à son cou.

– Cent vingt clients lorsque nous sommes complets, mais nous comptons également bon nombre de gens qui souscrivent un forfait journalier pour assister aux cours et utiliser la salle de gym.

– Tous vos hôtes sont-ils chroniquement obèses comme ces femmes que nous venons de voir ? demanda le vieux Styx après avoir acquiescé.

– Je ne pense pas que ce soit… répondit la réceptionniste que cette question avait prise au dépourvu, mais le vieux Styx lui coupa la parole et s'adressa à Rebecca bis.

– Il y a largement assez de chair humaine pour répondre à nos objectifs.

– Quoi ? s'exclama la réceptionniste en lui lançant un regard perplexe.

Le vieux Styx avait extirpé un talkie-walkie de son manteau et parlait maintenant dans la langue la plus étrange que la réceptionniste ait jamais entendue.

– Désolée, ce n'est tout simplement pas votre jour de chance, dit Rebecca bis sans la moindre émotion.

Les portes principales s'ouvrirent soudain avec fracas. Le crayon de la réceptionniste partit valdinguer à travers la pièce lorsqu'une créature à la gueule écumante parut derrière Rebecca bis et le capitaine Franz. Hermione poussa un rugissement rauque et se rua sur le comptoir qu'elle renversa, si bien que la réceptionniste se retrouva allongée sur le dos. Alors qu'elle gisait sur le sol, encore sonnée, Hermione se jeta sur elle, puis lâcha un soupir de soulagement en agrippant la tête de la jeune femme des deux côtés. C'est alors qu'elle lui enfonça son ovipositeur jusqu'au fond de la trachée pour y déposer un sac d'œufs.

– Vite… une autre, dit-elle d'une voix enrouée. Tant de bébés en moi.

Jetant un coup d'œil plein d'effroi en direction d'Hermione, le vieux Styx avait battu en retraite. Il ne voulait pas se trouver en travers de sa route et se tenait à présent devant les portes principales où un escadron de Limiteurs s'était présenté pour recevoir leurs ordres.

– Je crois que nous devrions commencer par ici, dit Rebecca bis à Hermione en se dirigeant vers la porte qu'avaient empruntée les femmes qui se rendaient à leur séance de Pilates.

– Nous avons peut-être trouvé quelque chose, dit Drake alors qu'ils se rassemblaient tous autour de l'ordinateur portable.

À l'exception de Chester, qui refusait de quitter la salle de débriefing, et d'Elliott qui estimait qu'il ne fallait pas le laisser seul, tout le monde était présent. Cela faisait près d'une quinzaine de jours qu'ils étaient prisonniers du Complexe, et il était désormais clair que l'air était plus rare et qu'ils respiraient plus difficilement. Will les regarda tous les uns après les autres. Leur impatience était presque palpable alors que la lueur de l'écran se reflétait dans leurs yeux. Tout espoir n'était pas perdu. Aucune de leurs précédentes idées n'avait abouti cependant, et Will commençait à se dire que seul un miracle pourrait les sauver.

– Eddie et moi avons passé au peigne fin les plans originaux du Complexe, dit Drake en faisant défiler une série de pages à l'écran. Voici une coupe schématique de la montagne indiquant la position des infrastructures, ajouta-t-il en s'arrêtant sur une illustration, puis il tapota l'écran du doigt. Comme vous le voyez, le Complexe est entouré par une épaisse couche rocheuse destinée à le protéger.

– C'était l'idée, à la base, marmonna Parry.

– Nous n'avons rien vu au départ, poursuivit Eddie, puis nous avons comparé ces plans à ceux d'une étude géologique entreprise dans les années cinquante.

Drake ouvrit une autre fenêtre à l'écran, affichant de nouvelles coupes de la montagne sur lesquelles ne figurait aucune trace du Complexe.

– Ce rapport mentionnait plusieurs zones où l'érosion était particulièrement marquée à mi-pente, dit alors Drake en indiquant l'un des dessins. Et nous avons remarqué que sur la face nord de la montagne, juste au-dessus de la petite corniche que vous voyez ici, l'érosion était considérable. Ajoutez à cela soixante années de plus pendant lesquelles la roche a subi le ruissellement des eaux et les dégâts causés par le gel, et la roche aura été d'autant plus entamée.

– Le cycle du gel et de la fonte, intervint Will qui regretta aussitôt d'avoir pris la parole lorsqu'il croisa le regard sévère de Parry.

– Bien, mais en quoi est-ce que cela nous est utile ? demanda le vieil homme.

– On ne peut arrêter la marche du temps ni celle de l'érosion causée par l'eau, répondit Drake avec un sourire, puis il revint à la première fenêtre dont il tira une image. Voilà en quoi cela nous est utile : si on superpose l'étude géologique aux plans de construction, la zone d'érosion accélérée se trouve juste à côté du mur externe, tout au bout du niveau 2, dit-il en indiquant le plan.

– C'est donc le point le plus vulnérable du Complexe, compléta Eddie, et si nous posions toutes les charges explosives qui nous restent contre ce mur, nous pourrions nous frayer un passage au-dehors.

– Très risqué, siffla Parry qui s'appuya sur un bureau voisin et se mit à tirer sur sa barbe d'un air songeur.

Will remarqua alors que tous les yeux étaient rivés sur le vieil homme. Stephanie remuait les lèvres en silence comme si elle cherchait à le convaincre que ce plan était réalisable.

– Je vois ce que tu veux dire, reprit Parry en secouant la tête, mais le volume d'explosifs que contient l'arsenal constituera un facteur limitant. Or, même si nous utilisions jusqu'au dernier bâton de dynamite, en cas d'échec, nous aurons brûlé tout l'oxygène qui reste dans le Complexe et nous aurons précipité le tomber de rideau, dit-il en reniflant, puis il croisa les bras. Par ailleurs, ce qui reste du Complexe pourrait tout aussi bien nous tomber sur la tête.

– Euh... mon commandant, intervint le sergent Finch. Vous n'oubliez pas quelque ch...

– Non, Finch ! répliqua violemment Parry.

– Si tu as oublié de nous dire quelque chose, je crois que nous avons le droit de savoir, intervint Drake après avoir regardé tour à tour les deux hommes en essayant de comprendre de quoi il retournait.

– Non ! aboya Parry. Il y a des choses que personne n'a le droit de savoir, bon sang ! rétorqua-t-il en se levant d'un bond. Et Finch a parlé trop vite alors qu'il ne connaît pas toute l'histoire.

– Parry, intervint alors Mme Burrows d'une voix calme et posée, nous sommes les seules personnes au monde qui sachent que la Phase a peut-être repris, et nous sommes aussi les seules qui puissent faire quoi que ce soit pour l'arrêter. Qu'y a-t-il donc de si important pour que vous soyez prêt à nous laisser tous mourir ici ?

Parry avait la tête baissée. Il contractait les muscles de sa jambe comme s'il était dévoré par l'indécision, quand il releva soudain la tête et s'adressa à son fils.

– Tu es sûr que nous pourrions nous en sortir grâce à ton idée farfelue ? Absolument sûr ?

– En fonction des tolérances des dessins que nous avons vus et en supposant que l'érosion a poursuivi son ouvrage, oui, répondit Drake. Le seul point négatif est le suivant : dans l'idéal, il nous aurait fallu deux à trois fois cette quantité d'explosifs pour perforer à la fois le mur en béton armé du Complexe et le flanc de la montagne.

– Vous, les gars, vous aimez recourir à la force brute, pas vrai ? dit Parry avant de s'accorder un instant de réflexion. D'accord, vous feriez mieux de me suivre dans ce cas, décida-t-il en opinant en direction du sergent Finch.

Comme le leur avait ordonné Parry, ils rassemblèrent en chemin des masses, des ciseaux à froid et des maillets. Les ascenseurs ne fonctionnaient pas, si bien que le colonel transporta le sergent Finch sur son dos pendant que Drake et Sweeney traînaient son scooter jusqu'en bas des escaliers. Une fois parvenus au niveau 6, Parry les entraîna jusqu'à l'arsenal situé tout au bout du plateau, derrière les réservoirs d'eau. Il s'avança entre les étagères jusqu'à ce qu'il arrive devant une grande armoire métallique contre le mur.

– J'ai besoin de plusieurs d'entre vous pour déplacer tous les explosifs et autres bombes incendiaires qui se trouvent dans un rayon de six mètres. Nous ne voulons surtout pas qu'une étincelle égarée fasse exploser quoi que ce soit, dit Parry en indiquant les étagères d'un geste de la main.

Parry supervisa ensuite le travail de son fils et de Sweeney tandis qu'ils déplaçaient l'armoire métallique derrière laquelle la paroi semblait identique aux autres. Parry s'empara néanmoins d'un ciseau et d'un maillet et se mit à creuser. Ils s'aperçurent bien vite qu'il ne s'agissait pas d'une simple dalle de béton armé. Parry avait localisé un endroit en bas du mur qui rendait un son différent sous ses coups de burin. Il remontait désormais le long du mur.

– T'es doué pour ce genre de choses, mon gars. Prends des outils et dégage l'autre côté de la porte, dit-il à Will en lui indiquant une zone d'environ un mètre de long à la base du mur.

Will découvrit une latte de bois enterrée juste en dessous de la surface de béton, qu'il ne tarda pas à mettre à nu. Tandis qu'il continuait à travailler de conserve avec Parry, un rectangle de la taille d'une double porte affleura peu à peu. Après avoir terminé leur ouvrage, ils reculèrent de quelques pas.

– Sésame, ouvre-toi ! Nous entrerons par là. Maintenant, on va casser le béton qui bloque l'embrasure de la porte, dit Parry à l'ensemble du groupe après avoir vérifié que les étagères voisines étaient bien vides.

– Qu'est-ce qu'il y a là-dedans ? Une cache d'explosifs ? demanda Drake.

Parry ignora cette dernière question et jeta sa masse contre le béton en visant le coin inférieur du rectangle.

– Oui, c'est là qu'on a caché le magasin secondaire, confirma le sergent Finch, plus enclin à parler. C'est une réserve ultrasecrète.

– Et le reste, murmura Parry dans sa barbe tout en continuant à attaquer le béton.

Sweeney et le colonel se joignirent à lui. Le béton cédait certes peu à peu sous les coups, mais pas aussi vite que ne l'aurait cru Will.

– Puis-je essayer ? demanda Chester en entrant dans l'arsenal avec Elliott à sa suite, laquelle avait l'air soucieux.

– Chester ! s'exclama Will avec un grand sourire.

– Il est temps que je fasse quelque chose, dit Chester alors que le colonel lui confiait sa masse, puis il se mit au travail.

Sweeney fut le premier à atteindre l'autre côté de la paroi. Il s'arrêta pour jeter un coup d'œil.

– Non, continue, dit Parry. Mieux vaut tout dégager d'abord.

Une vingtaine de minutes plus tard, le colonel attaquait le dernier morceau de béton qui fermait le haut de la brèche et qui s'abattit d'un coup sur le sol. Parry éclaira alors le passage de sa lampe torche et le reste de la troupe s'engagea derrière lui.

– Il y a largement de quoi faire ici, dit Drake en contemplant les multiples caisses en bois à mesure que Parry les balayait du faisceau de sa lampe. Mais rien de bien terrible… Ce n'est qu'un stock d'explosifs d'après-guerre, et rien d'autre. À quoi rimait toute cette comédie ?

– La meilleure façon de cacher quelque chose, c'est de le dissimuler dans une autre cachette, répondit Parry en se retournant pour faire face au groupe. Sous aucun prétexte, vous ne devez souffler mot de ce que je m'apprête à vous dire. À personne, dit-il en se redressant de toute sa hauteur. Je vais maintenant vous demander de bien vouloir consentir à vous soumettre de manière irrévocable et sans réserve aux dispositions consignées dans l'acte de loi sur la protection du royaume, revu en 1975 et 1976.

– Drake ?

– Pour autant que tout cela ait un sens, d'accord, répondit Drake.

– Finch ?

– Oui, mon commandant.

– Colonel Bismarck. Voilà qui fait de vous un citoyen britannique à part entière. Il me faut votre réponse.

– Parry a le pouvoir de faire ça ? murmura Will à Chester alors même que le colonel donnait son assentiment.

– De même, Eddie le Styx, je vous fais citoyen de ce pays. Êtes-vous d'accord ?

– Oui, chef, répondit Eddie.

– Mme Burrows ?

– Oui, Parry, dit-elle d'une voix douce. Pourquoi voudriez-vous que je fasse le contraire ?

– Elliott, désolé, j'ai oublié qu'il fallait aussi te conférer la nationalité britannique. Réponds-moi, s'il te plaît.

– Oui, dit-elle.

– Sweeney ?

– Oui, patron.

Parry s'adressa alors à Will et à Chester, qui confirmèrent leur accord.

– Stephanie ?

– Oui, quoi, répondit-elle.

– Bien, dit Parry. Il faut que vous sachiez que si l'un d'entre vous révèle des informations relatives à ce qui va suivre, il sera passible d'une exécution sommaire, sans autre forme de procès ou autre recours légal, comme le stipule la loi sur la protection du royaume.

– Exécution ? répéta Mme Burrows.

– Je pourrais alors vous tuer de plein droit, répondit Parry comme si de rien n'était, mais le ton de sa voix ne laissait aucun doute sur sa détermination. Après le traité sur le désarmement nucléaire de 1972, un sous-comité secret du ministère de la Défense a conclu que nous nous mettions dans une position de faiblesse criante. C'est pourquoi...

Parry dirigea le faisceau de sa lampe vers le coin de la pièce, où dix conteneurs métalliques se mirent à luire faiblement.

– Hein ? s'écria Stephanie, fort déçue après toute cette mise en scène.

– Nous avons stocké quelques TN ici pour les jours de pluie, commenta Parry.

– TN ? demanda Will.

– Des têtes thermonucléaires, expliqua Parry.

– Des ogives nucléaires... il parle d'ogives nucléaires ! dit Drake en fixant les conteneurs. Et j'espère bien qu'il plaisante !

Parry et le sergent Finch, armé de sa fidèle écritoire, quadrillèrent l'arsenal et la cache secondaire, marquant d'une croix blanche dessinée à la craie les caisses qui contenaient les explosifs les plus puissants. On les chargea ensuite les unes après les autres sur un diable pour les acheminer jusqu'à la cage d'escalier. Will et Chester prirent alors la relève pour découvrir qu'ils avaient la tâche peu enviable de transporter chaque caisse jusqu'en haut des huit volées d'escaliers qui les séparaient du niveau 2, où les attendait un autre diable.

C'était un travail difficile, car les caisses en bois étaient lourdes et les garçons souffraient du manque d'oxygène. Alors qu'ils remontaient péniblement les escaliers pour la énième fois, en portant à deux une caisse dont les poignées en corde leur cisaillaient les mains, Chester semblait insensible à la douleur. Ils finirent par arriver en haut des escaliers et déposèrent prudemment leur caisse sur le diable avec les autres. Will s'adossa au mur, le souffle court, et croisa le regard de Chester qui lui répondit par un grand sourire comme si tout allait pour le mieux.

– Tu vas bien, Chester ?

– Juste content de pouvoir faire quelque chose, répondit Chester.

Chester semblait certes s'accommoder de la situation, mais Will n'en était pas moins préoccupé par son état, même s'il ne pouvait pas faire grand-chose pour lui pour le moment.

– Où est passé Drake ? demanda Chester en s'épongeant le front. Je propose qu'on lui apporte nous-mêmes ce chargement.

– D'accord.

Will tirait le chargement, tandis que Chester poussait à l'arrière. Ils acheminèrent ainsi le diable, dont l'une des roues s'était mise à couiner, jusqu'au bout du couloir.

– Cela me rappelle la fois où on était allés déverser notre brouette sur le terrain communal de Highfield, remarqua Chester.

Ils arrivèrent au bout du couloir, franchirent le seuil d'une porte et entrèrent dans la remise que Drake avait identifiée sur le plan. Il avait dit que c'était leur meilleure chance de se frayer un passage à travers le flanc de la montagne. Il y avait déjà dans la pièce des tas de caisses empilées sur lesquelles Drake était en train d'installer des détonateurs du diamètre d'un crayon qu'il avait reliés à un écheveau de câbles.

– Cool, dit Drake en jetant un coup d'œil au diable. Je vais le décharger moi-même si vous voulez poursuivre votre travail.

– Il vous en faut encore combien ? demanda Chester en regardant les piles de caisses à côté de Drake.

– Assez pour remplir cette pièce et celle d'à côté, répondit Drake. Ça doit faire encore une vingtaine d'allers-retours avec le diable.

– Une vingtaine ! s'exclama Chester avec un rire exagéré. Cool, on va continuer à alimenter la machine, ajouta-t-il en quittant la pièce.

Chester riait encore dans le couloir et scandait « Encore, encore, encore ! » tout en frappant les parois en rythme.

– Il a perdu l'esprit, déclara Drake à voix basse, le front plissé.

– N'est-ce pas notre cas à tous ? rétorqua Will.

– Eh bien, garde quand même un œil sur lui, tu veux, Will ?

Il leur avait fallu la plus grande partie de la journée pour aménager les deux pièces, quand Drake remonta enfin les escaliers pour rejoindre la Plateforme en dévidant une bobine de câble derrière lui. Parry craignait que le plafond du niveau 2 ne s'effondre, ce qui réduirait leurs efforts à néant en scellant le passage dégagé par l'explosion. Il n'y avait aucune façon de fermer les portes anti-explosion qui permettaient d'accéder au niveau 2, mais Parry avait ordonné qu'on empile des sacs de sable tout autour des deux pièces pour contenir une partie du souffle. Il n'était cependant toujours pas satisfait et supervisait la construction d'une autre barrière de sacs au milieu du couloir pour s'assurer qu'ils avaient fait tout ce qu'ils pouvaient pour réduire les risques à leur minimum.

L'heure était venue. Ils attendaient désormais tous à l'extérieur du petit réfectoire adjacent à la Plateforme où Chester avait remarqué l'étrange comportement de sa mère. Drake et Eddie avaient en effet choisi cette pièce, car ils estimaient qu'elle constituerait un refuge adéquat pour se mettre à l'abri de la déflagration.

– C'est parti, dit Parry, et ils se rassemblèrent tous au réfectoire et refermèrent la porte derrière eux.

Ils observèrent Drake en silence, tandis qu'il séparait les deux fils de cuivre torsadé qui luisaient à l'extrémité d'un câble, avant de les relier aux bornes d'un détonateur. Mme Burrows caressait Colly, lorsqu'un chœur de miaulements inquiets s'éleva de la rangée de paniers en osier disposés sur le plan de travail. Stephanie et Elliott avaient eu un mal fou à dénicher et à rassembler tous les chats du sergent Finch cachés en divers endroits du Complexe, mais c'était le moins qu'elles pussent faire pour le vieil homme. Drake avait demandé à tout le monde de déposer son sac à dos dans un coin, de manière à avoir son kit à portée de main. Outre les nombreux extincteurs qu'ils avaient apportés dans la pièce,

Parry s'était assuré qu'ils avaient assez d'eau et de vivres pour tenir quelques jours.

Drake tira sur les fils pour vérifier qu'ils étaient bien attachés aux bornes, puis il adressa un signe de tête à son père, qui prit une inspiration avant de s'exprimer.

– Je ne crois pas qu'il y ait grand-chose à ajouter, si ce n'est bonne chance à tous. J'espère sincèrement que Dieu est avec nous aujourd'hui, déclara Parry d'une voix douce, contrairement à l'accoutumée.

– Amen, dit Sweeney.

– Vous voulez bien vous mettre en position de sécurité, s'il vous plaît, ordonna Parry en frappant deux fois le sol de sa canne.

Ils aidèrent le sergent Finch à s'extirper de son scooter pour handicapé, puis ils s'exécutèrent tous et s'installèrent sur le sol, tête baissée, les mains posées sur la nuque. Will observa Drake qui remontait la manivelle du détonateur de plus en plus vite, pour générer une charge électrique suffisante alors que le vrombissement de la dynamo retentissait dans toute la pièce.

– Ça devrait suffire, déclara enfin Drake en ôtant la sécurité qui bloquait la poignée du détonateur.

– Paré ? demanda-t-il.

– Paré ! répondit Parry.

– On se retrouve de l'autre côté, conclut Drake en enfonçant la poignée d'un grand coup.

Chapitre Dix-huit

L'ascenseur s'élevait dans les étages de l'immense bâtiment de la chancellerie, située au centre de la Nouvelle-Germanie. Quand il s'arrêta enfin, les portes s'ouvrirent pour laisser sortir deux Limiteurs styx qui firent claquer leurs bottes à l'unisson sur le sol de marbre poli.

L'assistante du chancelier était à son poste. Il s'agissait d'une table baroque dorée à l'or fin sur laquelle étaient posés un téléphone et un vase de fleurs fanées. Elle se brossait les cheveux tout en regardant approcher les deux soldats. En d'autres temps, elle aurait été paralysée par la peur en voyant ces hommes morbides aux visages décharnés et aux yeux noirs de jais. Ils empestaient la mort et le chaos. Mais elle les regardait à présent d'un air détaché et endormi alors qu'ils marquaient une pause devant sa table.

– Il est là ? rugit l'un d'eux.

L'assistante acquiesça d'un regard bovin. Comme la plupart des habitants de Nouvelle-Germanie, elle avait en effet subi une exposition excessive à la Lumière noire, ce qui lui avait grillé quasiment tous les neurones. Elle avait radicalement changé d'apparence depuis le jour où, plusieurs mois plus tôt, Rebecca bis et le général des Limiteurs avaient effectué leur première visite à la chancellerie. Elle portait toujours son tailleur bleu très professionnel, mais on voyait désormais les racines plus sombres de sa chevelure platine, et elle avait porté peu de soin à son maquillage.

D'un coup de pied, l'un des deux Limiteurs ouvrit les larges portes en bois qui donnaient sur le bureau du chancelier et ils se ruèrent tous les deux à l'intérieur. L'assistante continua à se brosser les cheveux tout en écoutant le vacarme qui régnait dans le bureau. Les Limiteurs émergèrent alors de la pièce en traînant avec eux le corpulent Herr Friedrich, chancelier de son état. Ils avaient dû le surprendre en plein milieu de l'un de ses déjeuners fort copieux, car il avait toujours une serviette fichée dans le col de sa chemise.

– Je m'absente un moment, Frau Long, parvint-il à lui lancer avant que les soldats ne l'emmènent au bout du couloir.

Escortée de deux motards qui filaient à toute allure, la limousine officielle descendait Berliner Strasse en faisant vrombir son moteur. C'était l'artère la plus grandiose et généralement la plus encombrée de Nouvelle-Germanie, mais hormis cet unique véhicule à la peinture gris métallisé et au profil aérodynamique démodé qui épousait la forme d'une flèche, il n'y avait aucune circulation ce jour-là.

La limousine s'arrêta non loin de la délégation postée là, et une portière s'ouvrit alors. Rebecca émergea du véhicule sans se presser, en posant délicatement son pied chaussé d'une botte militaire sur la chaussée couleur de craie. Elle se dirigea ensuite avec la même nonchalance vers la délégation en inclinant la tête pour écouter le bourdonnement lointain des sirènes qui résonnaient dans la ville.

Rebecca se tourna alors pour inspecter l'autre côté de l'immense avenue, partagée en son milieu par un terre-plein planté de palmiers où s'était assemblée une foule de gens. Il y avait tant de Néo-Germains que les rangs qu'ils avaient formés s'étiraient tel un long serpent sur la chaussée brûlante. Aucun d'entre eux ne parlait ni n'émettait le moindre son, se contentant d'avancer à la vitesse d'un escargot.

– De l'eau… Qu'on m'apporte de l'eau, souffla Rebecca en agitant son long manteau noir pour s'éventer.

Un Limiteur de la délégation détacha aussitôt une gourde de sa ceinture pour la lui tendre. Elle avala plusieurs longues gorgées avant de la lui rendre.

– Ce climat… c'est trop pour moi ! dit-elle en plissant les yeux pour regarder le soleil incandescent qui brillait éternellement au firmament, toujours à son zénith.

Elle baissa les yeux pour regarder le général des Limiteurs qui attendait ses ordres, puis fronça légèrement les sourcils en examinant les treillis couleur sable que portaient les Limiteurs.

– Je vous confie la responsabilité de l'opération, et voilà ce qui arrive. Je sais que vous avez abandonné vos uniformes à cause de la chaleur, mais je ne suis pas certaine d'approuver ces substituts. Cela ne nous correspond pas vraiment, n'est-ce pas ? Ça fait un peu trop « soirée sur la plage », à mon goût !

Le général des Limiteurs resta de marbre, mais il était manifestement troublé par cette critique, car il examina sa veste et son pantalon de treillis amples.

– Ce sont les uniformes des forces spéciales de Nouvelle-Germanie, expliqua-t-il.

– Ne vous occupez pas de cela pour le moment, dit-elle, mais en tant que race des seigneurs, nous devons tenir notre rang. Pas vrai, chancelier ? N'était-ce pas justement ce que croyait votre merveilleux IIIe Reich…

Rebecca se tut alors qu'elle cherchait Herr Friedrich du regard. Il se tenait au milieu de la délégation, mais il était à cent mille lieues de là, la tête renversée en arrière pour observer un ptérodactyle qui chevauchait un courant ascendant haut dans le ciel.

– Hé, Porcinet ! Je te parle ! aboya-t-elle.

Le chancelier, ancien chef suprême de la nation de Nouvelle-Germanie, hoqueta de surprise. Il avait reçu lui aussi sa part de Lumière noire et en subissait tous les effets secondaires auxquels on pouvait s'attendre.

– Plaît-il ? dit-il en regardant Rebecca d'un air perplexe.

– Oh, laisse tomber, répondit-elle d'un ton sec, puis elle se tourna vers le général des Limiteurs. Mettez-moi au courant. Comment Vane s'en sort-elle ?

– Elle dépasse toutes nos attentes, répondit le général en agitant la tête, puis il indiqua l'un des bâtiments officiels qui bordaient l'avenue – il s'agissait d'un imposant édifice de granit clair d'une hauteur de dix étages. Comme vous le savez, nous avons rempli l'institut de géologie de bétail humain, dit-il en balayant d'un geste un second bâtiment tout aussi imposant, mais qui se trouvait plus près d'eux, cette fois-ci. Puis nous avons procédé de même avec les services de santé, et les départements d'études antiques et préhistoriques. Elle a inséminé tous les hôtes humains qui s'y trouvaient, ce qui nous fait trois cent cinquante corps pour la fécondation, et près du double pour l'alimentation.

– Attendez ! l'interrompit Rebecca. Elle a déjà inséminé autant de corps à elle toute seule ? Comment est-ce possible ?

– Permettez-moi de vous inviter à venir constater par vous-même, répondit le général des Limiteurs, avant d'emboîter le pas à Rebecca, suivi par le reste de la délégation, tandis qu'elle franchissait le terre-plein central en rompant les rangs d'humains.

Les gens s'écartaient de son chemin d'un air hébété, quand un vieil homme, dont le visage avait viré au rouge vif sous l'effet du soleil impitoyable, s'effondra brusquement, mais c'est à peine si Rebecca lui jeta un coup d'œil, et il resta étendu là sur le sol.

– Oui, par ici, indiqua le général des Limiteurs lorsqu'ils arrivèrent devant le bâtiment le plus proche : il s'agissait d'une immense serre botanique dont la façade s'étendait sur près de trois cents mètres.

– Kew Gardens, murmura Rebecca en remarquant à quel point cette serre ressemblait aux jardins botaniques de Sa Majesté, devant lesquels elle était passée avec Vane à peine une quinzaine de jours plus tôt.

Le général des Limiteurs lui tint la porte en lui indiquant l'escalier intérieur. Rebecca gravit les degrés de fer forgé, puis franchit une autre porte qui donnait sur une passerelle surplombant toute la largeur du bâtiment. À voir l'abondance d'arbres, d'arbustes et de fleurs en contrebas, il était manifeste que les botanistes de Nouvelle-Germanie avaient dû prélever des spécimens dans la jungle pour les cultiver.

Le général des Limiteurs et deux soldats styx qui maintenaient le chancelier restèrent en arrière, tandis que Rebecca s'avançait vers le milieu de la passerelle. Scrutant la scène de part et d'autre de la structure, elle vit à travers les feuillages les nombreux corps humains qui jonchaient le sol, déjà monstrueusement enflés par les larves de Guerriers qui croissaient en leur sein.

– Excellent, dit Rebecca. Mais comment parvient-elle à féconder si... dit-elle avant de s'interrompre, alors qu'elle venait de remarquer que l'un des corps avait éclaté, libérant de jeunes larves qui rampaient déjà dans le riche terreau d'un parterre. Je n'y crois pas ! Il leur a fallu près d'une semaine pour éclore en Surface, mais cela a pris... combien de temps ?

– Vingt-quatre heures, répondit le général des Limiteurs.

– Mais comment leur cycle de vie a-t-il pu s'accélérer à ce point ? demanda Rebecca après un instant de réflexion.

– Nous ne pouvons en déduire qu'une chose, c'est que ce que nous a dit Danforth sur les conditions qui règnent ici était juste. Peut-être l'environnement, ou la proximité du soleil et le fort rayonnement ultraviolet contribuent-ils à stimuler le processus de croissance.

– Quand bien même… Comment une seule femme a-t-elle pu réussir à faire tout ça ? Voilà qui bat tous les records.

Le chancelier regardait également la scène en contrebas, tandis qu'une partie de son cerveau qui avait survécu au conditionnement à la Lumière noire enregistrait le carnage. Il se mit à sangloter. Son peuple connaissait une fin des plus abominables.

– Oh, arrête ça ! le réprimanda Rebecca avant de s'intéresser à nouveau à la scène qui la préoccupait. Où est-elle ? s'interrogea-t-elle avant de hurler. Vane ? Tu es là ?

À ces mots, le général des Limiteurs et ses hommes reculèrent. Pour rien au monde ils ne voulaient attirer l'attention de la femme styx car ils avaient déjà été témoins de la mort regrettable de leurs camarades, au moment où ils l'avaient transportée d'un bâtiment à l'autre. Ils entendirent un bruissement dans les feuillages, puis une tête surgit entre deux palmiers dattiers. La chevelure blonde de Vane était maculée de sang, de sueur et du fluide qui lui dégoulinait de la bouche. Rien n'avait changé en cela, mais Rebecca écarquilla les yeux en découvrant les trois ovipositeurs qui sortaient de sa bouche, et son abdomen largement distendu, alors que ses organes reproducteurs continuaient à fonctionner à plein régime pour produire des sacs d'œufs toujours plus nombreux.

Vane leva les pouces vers Rebecca dans un élan d'enthousiasme, puis elle se frotta fièrement le ventre.

– Vas-y ma sœur ! Tu bats tous les records ! la félicita Rebecca.

Le chancelier sanglotait toujours, plus fort que jamais.

– Oh, mon Dieu, espèce de gros bébé, grogna Rebecca. Vous voulez bien le jeter par-dessus la rambarde ? demanda-t-elle aux Limiteurs. On t'envoie une gâterie bien grasse et bien juteuse ! lança-t-elle à Vane.

Vane répondit par le même geste, puis elle fila avec fracas à travers les broussailles. Les Limiteurs hissèrent l'homme par-dessus la balustrade de la passerelle. Le chancelier battit des jambes et des bras pendant sa courte chute, avant d'atterrir mollement sur le sol meuble d'un parterre. Il était désormais assis sur son séant, presque indemne, et regardait tout autour de lui d'un air ahuri.

–Vise un peu ça, Vane ! lança Rebecca. Bon appétit !

L'explosion fut si puissante qu'elle arracha des cris à bon nombre d'entre eux. Ils se mirent à claquer des dents sous l'effet de la secousse qui suivit aussitôt après, et qui fit tant trembler l'édifice qu'ils eurent l'impression de voir double. C'est alors que le souffle traversa la Plateforme. Les oreilles de Will se débouchèrent d'un coup, puis ils entendirent un fracas soudain, comme si une masse gigantesque venait de percuter la porte. Des casseroles tombèrent des étagères avec fracas, le plafond se fissura et ils se retrouvèrent couverts de poussière. Les miaulements qui émanaient des paniers en osier atteignirent alors leur paroxysme.

Stephanie se mit à sangloter sans bruit, pendant que le sergent Finch récitait le *Notre Père* par bribes. Will ne put s'empêcher de remarquer que Chester était secoué de violents tremblements, la tête encore baissée. Cette explosion ravivait manifestement le souvenir fâcheux de la mort de ses parents. Elliott l'avait également remarqué et elle serrait Chester fort dans ses bras.

– J'espère que c'est pas le plafond du niveau 2, murmura Parry au moment où s'éleva un grondement sourd, alors que le souffle de l'explosion perdait de sa puissance.

Puis, tout redevint calme, mis à part les appels paniqués des chats du sergent Finch. Drake se releva et s'essuya le visage pour se débarrasser de la poussière qui s'y était accumulée.

– Apportez des lampes et des extincteurs, ordonna-t-il.

Le colonel prit le sergent Finch sur ses épaules, et Drake ouvrit les portes. L'aspect de la Plateforme n'avait guère changé, mais lorsqu'ils descendirent les escaliers jusqu'au niveau 2, ils constatèrent qu'il ne restait plus grand-chose debout. La quasi-totalité des murs situés près de la cage d'escalier avait été soufflée par l'explosion.

Drake et Parry vérifiaient la solidité du plafond à mesure qu'ils progressaient plus avant sur le plateau du niveau 2, mais la poussière compacte et l'épaisse fumée réduisaient de beaucoup la visibilité. Ils s'étaient tous couvert le nez et la bouche avec des foulards et se frayaient un chemin à travers les gravats qui jonchaient le sol. Eddie et Sweeney utilisaient leurs extincteurs à plein régime pour étouffer les petits incendies qui s'étaient déclarés sur leur chemin. Ils contournèrent un bac jeté sur le côté et la fumée se dissipa quelque peu. Will aperçut une chaise qui tenait encore debout, bien qu'en proie aux flammes.

– Tu sens ça ? demanda Drake en levant le poing pour lui faire signe de s'arrêter, puis il défit son foulard, aussitôt imité par le reste de la troupe.

Ils sentirent alors l'air froid sur leur peau ruisselante de sueur. Une brise soufflait dans la pièce. Pleins d'espoir, ils s'aventurèrent plus avant jusqu'à l'endroit où se trouvait précédemment le couloir. Des débris leur barraient la route, mais Drake et Sweeney dégagèrent le passage en soulevant une cloison abattue.

À mesure qu'ils se rapprochaient de l'extrémité du plateau, les incendies se faisaient plus nombreux, mais ils envoyaient valdinguer les morceaux de bois en feu d'un coup de pied et éteignaient les flammes à l'aide de leurs extincteurs.

– Attention ! cria soudain Drake pour les mettre en garde, et ils battirent tous en retraite à la hâte.

Ils entendirent alors un grand bruit. Tout un pan du plafond venait de s'effondrer sur le sol à moins de trois mètres de là où ils se trouvaient. Ils attendirent un instant, mais comme le reste du plafond semblait encore tenir, Drake leur fit signe d'avancer. Ils arrivèrent alors aux pièces où avaient été remisés les explosifs. Ils contournèrent un grand trou béant dans le sol de béton à travers lequel on pouvait voir le niveau du dessous, trop préoccupés pour remarquer ce qu'il y avait devant eux. Cependant, Drake avait accéléré l'allure et fut le premier à distinguer la brèche aux contours irréguliers creusée dans le mur externe du Complexe.

Lorsqu'ils la virent enfin eux aussi, ils s'engagèrent tous à sa suite et poussèrent des cris de joie lorsqu'ils sentirent sous leurs pieds, non plus le béton fracassé du Complexe, mais la corniche rocheuse qu'ils avaient vue sur les plans en coupe que Drake avait affichés sur son ordinateur portable. Ils se trouvaient assez haut sur le flanc de la montagne. Un gouffre immense s'ouvrait au-dessus de leurs têtes, c'était le ciel nocturne. Ils n'avaient pas connu pareille sensation depuis des semaines.

– Des étoiles ! hurla Will. Bon sang, on a réussi !

Le colonel, qui portait toujours le sergent Finch sur son dos, sautillait sur place, et les deux hommes acclamaient de conserve.

– Oh, oui ! De l'air frais ! s'écria Stephanie. Et de la neige, ajouta-t-elle en tendant la main pour attraper les flocons.

Ils se tombèrent alors dans les bras les uns des autres. Will attrapa sa mère et la serra fort. Cela faisait longtemps qu'il n'avait pas agi de la sorte, et ça lui faisait tout drôle, mais quelle ne fut pas sa surprise lorsque Stephanie l'embrassa sur la bouche !

– Oh ! dit-il en s'esclaffant.

Alors que Colly gambadait autour d'eux comme une folle, Will vit que Drake et Parry se trouvaient déjà au bout de la corniche et pointaient du doigt les minuscules lueurs d'un village dans le lointain. Chester était resté tout près de la brèche. Il s'efforça de dire quelque chose à Will, mais une soudaine bourrasque lui coupa le souffle.

– Qu'est-ce que tu disais ? cria Will, mais Chester détourna la tête pour éviter la neige que le vent lui soufflait dans les yeux.

Chester se mit à trembler de façon irrépressible, mais le froid n'y était pour rien. À présent qu'ils s'étaient échappés de ce tombeau sans air au cœur de la montagne, il prenait enfin conscience de la dure réalité de la mort de ses parents. Chester bredouillait des paroles confuses, et c'est à peine s'il tenait sur ses jambes. Elliott avait anticipé sa chute et était parvenue à le rattraper avant qu'il ne touche le sol. Mme Burrows était également venue épauler l'adolescent pour l'aider à se tenir debout.

– Ce serpent de Danforth va me le payer très cher, promit Parry dans un rugissement soudain, après avoir vu s'effondrer Chester.

– Commençons par le commencement. Il nous faut un moyen de transport, dit Drake. Nous n'avons pas encore réussi à neutraliser la Phase, et nous avons perdu un temps précieux. Il ne faut rien négliger maintenant. C'est fondamental.

Parry regardait son fils, attendant qu'il poursuive.

– Nous allons nous séparer en deux groupes. L'un d'eux procédera aux recherches ici en surface, suggéra Drake.

– Je me charge de la coordination, dit Parry. Je ferai de nouveau appel à la Vieille Garde.

– Et je dirigerai pour ma part le second groupe dans le monde intérieur, poursuivit Drake. Nous ne pouvons prendre aucun risque et nous laisser aller à penser que Danforth nous a raconté des histoires, lorsqu'il nous a dit que la Phase reprenait là-bas, déclara-t-il encore en se tournant brusquement vers son père, car une idée venait de lui traverser l'esprit. Ces TN… Tu disais qu'il y en avait combien, déjà ?

– Je ne l'ai pas mentionné, répondit Parry. Il y en a vingt en tout. Les deux ogives les plus faibles font une kilotonne chacune, et la plus puissante, que l'on surnommait « fin de partie » dans les services secrets, fait cinquante mégatonnes à elle seule.

– C'est bien trop. Deux ogives d'une kilotonne devraient suffire pour ce que j'ai en tête, mais j'ai besoin de les acheminer rapidement jusqu'à la Colonie. À partir de là, je pourrais les transporter facilement jusque dans votre monde, colonel.

Le colonel Bismarck les avait rejoints pour écouter leur conversation, qui l'avait manifestement si profondément affligé qu'il en avait presque laissé choir le sergent Finch.

– Vous comptez anéantir mon monde ? demanda-t-il.

– Non, rien d'aussi extrême, répondit Drake. Je veux juste sceller les deux voies d'accès que nous connaissons.

– *Gott sei Dank !* s'exclama le colonel en regardant le sol.

– Sauf si je n'ai pas d'autre option, ajouta Drake, et le colonel redressa brusquement la tête. Mais nous manquons de temps et j'ai besoin de trouver rapidement une manière de me rendre là-bas, poursuivit-il en se tournant vers Eddie.

– Il y a tout un tas de voies d'accès à la Colonie, répondit l'ancien Limiteur en haussant les épaules. Faites votre choix.

– Nous disposons de toutes les forces dont nous avons besoin, dit Drake en adressant un bref coup d'œil à Sweeney avant de se tourner de nouveau vers Eddie, mais je me vois mal trimbaler ne serait-ce que deux de ces petites ogives nucléaires le long de l'un des chemins tortueux que vous empruntez d'habitude. Il est bien entendu hors de question de passer par le fleuve souterrain du Norfolk. Nous sommes trop nombreux et nous avons trop de matériel pour prendre le risque de descendre par les rapides. Non, un ascenseur serait l'idéal.

– Je devrais pouvoir vous aider, dans ce cas, intervint Will qui avait soudain dressé l'oreille.

Quatrième Partie

Nucléaire

Chapitre Dix-neuf

– Bonjour, dit la jeune femme en ouvrant la porte.

– B'jour, répondit Drake qui lui tendit alors la carte plastifiée qu'il avait tirée de la poche de son bleu de travail. Je crains qu'il n'y ait une importante fuite de gaz chez vous. Je fais partie de l'équipe d'intervention rapide qu'on a dépêchée pour la localiser.

– Une fuite de gaz… Je n'ai rien signalé, dit-elle en secouant la tête avant de rendre sa carte à Drake. Il n'y a aucune fuite ici, je vous le garantis. Je suis surprise que vous travailliez encore. Tout le monde semble être en grève, ces jours-ci. Écoutez, le moment est vraiment mal choisi, ajouta-t-elle en plissant le front. Il faut que je parte sous peu pour aller chercher mon fils chez ma mère. Ne pourriez-vous pas revenir un peu plus…

– Madame, je ne voudrais pas vous paraître impoli, mais les capteurs de notre réseau ont signalé ce problème dans le courant de la nuit, et il s'agit rarement d'une erreur, rétorqua Drake en posant sa boîte à outils à ses pieds comme s'il n'avait pas la moindre intention de partir. Si vous ne nous autorisez pas à établir notre rapport, nous serons contraints de couper l'alimentation en gaz de toute cette rue et de plusieurs autres encore qui dépendent du même réseau. Je reviendrai dans une heure, muni d'une ordonnance du tribunal vous contraignant à nous laisser entrer. Vous ne serez pas très populaire auprès de vos voisins s'il n'y a plus de gaz pour alimenter leur chauffage central, notamment par ce froid, dit-il en se frottant les mains.

La femme recula aussitôt d'un pas pour laisser entrer Drake, puis elle dévisagea Mme Burrows qui se tenait à côté de lui et reniflait l'atmosphère.

– Est-ce que vous devez entrer tous les deux ? Je ne suis pas très à l'aise avec...

– Oui, je le crains. J'ai mon détecteur électronique là-dedans, répondit Drake en touchant sa boîte à outils, mais rien ne vaut un nez humain. Mon assistante est ce que nous appelons dans le métier « un nez ». Elle est entraînée à détecter les fuites.

– Vraiment ? demanda la jeune femme en inclinant la tête comme si elle s'apprêtait à mettre en doute cette dernière affirmation, mais elle parut avaler toute cette histoire au bout du compte, car elle leur ouvrit grande sa porte.

– Très bien, Celia, dites-moi ce que nous avons ici, dit Drake en entrant dans le hall.

– La cuisine se trouve là-bas, dit Celia en humant l'air, et elle se tourna vers une porte fermée sur sa gauche. Mais elle est nette.

– Comment ça, nette ? demanda la jeune femme qui semblait quelque peu vexée.

– Celia veut dire que la chaudière fonctionne correctement et que le problème est ailleurs, expliqua Drake.

– Le salon est à droite, continua Celia. Il y a une cheminée à gaz, mais cela fait au moins un an qu'elle n'a pas servi. Il s'agit d'un de ces anciens modèles dotés d'une grille en céramique et de panneaux en faux bois de part et d'autre du foyer.

– C'est exact ! s'exclama la jeune femme. Mon mari dit qu'elle coûte trop chère à utiliser et qu'il faut qu'on la remplace. Mais comment savez-vous à quoi elle ressemble ?

– C'est l'un des meilleurs nez du pays, dit Drake. Vous voyez, elle commence tout juste à s'échauffer.

– Placard-séchoir au bout du palier avec un ballon d'eau chaude, poursuivit Celia en dirigeant son regard mobile vers le haut de l'escalier. Trois chambres. La principale comporte deux radiateurs. Les deux autres, plus petites, n'en comportent qu'un seul.

– C'est encore juste, souffla la jeune femme.

– Et... commença Celia avant de s'interrompre.

Drake se rangea sur le côté tandis qu'elle se dirigeait vers une étroite colonne de tiroirs installée contre un mur sur laquelle on avait posé plusieurs paires de gants et un chapeau d'enfant. Celia s'agenouilla et palpa sous le meuble avant d'en extirper quelque chose qu'elle regarda à peine en le tendant délicatement à la jeune femme.

– Les restes d'une biscotte, conclut Mme Burrows. Elle est rassise depuis un bon bout de temps. Elle se trouve là depuis le jour où votre fils l'a jetée là-dessous, mais elle sent la souris. L'un de ces rongeurs est venu du jardin pour la grignoter. Il ne faut pas les encourager à revenir.

– Non, en effet, dit la femme avec emphase en examinant le morceau de biscotte dure comme de la pierre qu'elle tenait entre le pouce et l'index. Oui, vous avez tout à fait raison. Il y a des petites marques de dents à l'extrémité, ajouta-t-elle en contemplant Mme Burrows avec fascination. On croirait un numéro de cirque !

La jeune femme se rendit aussitôt compte que cette dernière remarque pouvait être assez insultante pour Mme Burrows, et elle commença à s'excuser.

– Ne vous inquiétez pas, la rassura Drake en levant la main. On nous dit ça tout le temps. Nombreux sont ceux qui réagissent comme vous.

– Le vrai problème se trouve à la cave, dit Mme Burrows en plissant le front, puis elle indiqua une porte. Et c'est un problème de catégorie un. Critique !

– Qu'est-ce qu'un problème de catégorie un ? demanda la jeune femme.

– Mauvaise nouvelle, je le crains, dit Drake. Fracture majeure du tuyau d'alimentation, probablement à cause du gel. Ça doit fuir là-dedans depuis un bon moment déjà, et c'est... poursuivit-il avant de déglutir comme s'il parvenait à peine à articuler la suite, et c'est un espace clos.

– Oui, je dirais que l'anomalie dure depuis trente... non... trente-cinq heures, l'informa Mme Burrows en reniflant çà et là.

– Nom de Dieu ! siffla Drake. Aussi longtemps ? dit-il avant de se tourner vers la femme. Écoutez, madame, vous devez quitter les lieux sur-le-champ. Notre assurance ne couvre pas le décès de nos clients. S'il vous plaît, contentez-vous de prendre votre manteau et ce dont vous avez besoin, et partez loin, très loin d'ici. N'utilisez aucun appareil électrique. Même un téléphone portable pourrait faire exploser le gaz et nous expédier sur la Lune. Il va falloir mettre la cave en quarantaine, dit-il en regardant Mme Burrows, et vider la poche de gaz avant même de commencer à creuser pour réparer l'anomalie, puis il se tourna de nouveau vers la jeune femme. J'ai besoin d'un trousseau de clés et d'un numéro où vous joindre. Je vous informerai lorsque vous pourrez revenir en toute sécurité.

– Bien sûr, tout ce que vous voudrez, répondit la femme. Je serai chez ma mère, et merci d'être venus si vite.

Will et Elliott observaient la scène depuis la vitre arrière de la camionnette. Ils virent la femme qui quittait précipitamment la maison. Elle ne marqua qu'une courte pause pour griffonner un numéro de téléphone qu'elle donna à Drake, puis dévala la rue en jetant un coup d'œil par-dessus son épaule comme si c'était la dernière fois qu'elle voyait cet endroit.

– Seize, Broadlands Avenue, dit Will après avoir essuyé le verre embué par son souffle. C'est là que j'habitais avant, dit-il d'un air songeur, comme s'il cherchait à s'en convaincre, puis il posa le doigt contre la vitre et montra le premier étage à Elliott. C'est tellement bizarre… c'est la chambre des Rebecca. Ces sales petites vipères dormaient là, sous le même toit que moi, dit-il, puis il se retourna et se laissa glisser contre la portière. Je suis resté là si longtemps… et dire que je m'en souviens à peine, à présent.

– Hum, se contenta de répondre Elliott.

– Je ne vais pas vous demander ce que vous mijotez tous, dit l'homme chauve au volant de la camionnette.

Il s'agissait du mécanicien qui travaillait dans le garage logé sous les arches dans la partie ouest de Londres. On avait fait appel à lui pour qu'il fournisse la fausse camionnette de la compagnie du gaz, les bleus de travail que portaient Drake et Mme Burrows, mais aussi leurs fausses cartes d'identité. C'était, semblait-il, l'un des nombreux services que sa « clientèle » attendait de lui, outre les véhicules non immatriculés. Le mécanicien les avait retrouvés sur une aire d'autoroute où Will, Elliott, Mme Burrows et Drake avaient quitté leur Bedford pour couvrir la dernière portion du trajet jusqu'à Highfield en camionnette.

– Mais quelle que soit la petite plaisanterie que vous mijotez, c'est pas franchement légal, pas vrai ? ajouta le mécanicien chauve.

– Vous voulez vraiment savoir ? le défia Will.

Le mécanicien se frotta le menton, mais ne répondit pas.

– Si je vous disais que nous essayons de sauver l'espèce humaine, est-ce que vous me croiriez ? Et que si nous échouons, tous ceux qui se trouvent à la surface de cette planète vont mourir, dit Will d'un air totalement impassible.

À ces mots, Elliott poussa un soupir de surprise.

– Tu as raison, mon pote, dit le mécanicien avec un grand sourire qui révéla sa dent en or, je ne devrais pas venir fourrer mon nez dans vos affaires. Moins j'en sais, mieux c'est, ajouta-t-il en tapotant la poche de sa chemise, puis il se mit à glousser. Les brillants que m'a donnés votre M. Jones sont tout ce que j'ai besoin de savoir.

– M. Smith, corrigea Will avec un grand sourire. C'est M. *Smith* qui vous a donné les diamants.

À cet instant précis, M. Smith, qui n'était autre que Drake, frappa à la portière arrière de la camionnette avant de l'entrebâiller de quelques centimètres à peine.

– La propriétaire a débarrassé le plancher. J'ai appelé Sparks et les autres. Ils seront avec nous lorsque nous aurons fini de préparer les lieux, mais entre-temps, on devrait… dit Drake avant de se reprendre en remarquant que le mécanicien l'écoutait. On devrait apporter les décorations de Noël à l'intérieur.

Les fameuses décorations de Noël désignaient en vérité les explosifs dont ils disposaient en quantité suffisante pour faire sauter plusieurs mètres de roche.

– Tout a changé, maman ! s'exclama Will en regardant Mme Burrows alors qu'il pénétrait dans la maison chargé des deux lourds sacs d'explosifs. Le papier peint est neuf, et ça aussi, remarqua-t-il en frottant la pointe de sa botte contre le sol qui n'était plus tapissé de la moquette tachée qu'il avait connue toute sa vie. Ils ont refait la maison de fond en comble.

– On a besoin du matériel en bas, Will. D'accord ? intervint Drake qui venait d'arriver derrière lui.

– Pas de problème, répondit Will en se dirigeant vers la porte de la cave. C'est là que mon père disparaissait tous les soirs, dit-il à Elliott qui le suivait avec une trousse à outils. Jusqu'à ce qu'il s'évanouisse pour de bon dans la Colonie.

La cave avait elle aussi beaucoup changé. Elle était très propre et très bien rangée. Il y avait des panneaux perforés accrochés au mur sur lesquels étaient soigneusement disposés des outils électriques. Une ancienne Triumph trônait sur une toile huilée au centre de la pièce, en partie démontée.

– Joli, commenta Drake en glissant un doigt sur le chrome luisant du guidon, mais il faut qu'on dégage tout ça pour accéder à ces étagères, dit-il en regardant les rayonnages sur lesquels étaient posés des pots de peinture et du matériel de décoration.

Will et Drake travaillèrent rapidement pendant que Mme Burrows et Elliott traînaient le matelas qu'elles avaient pris dans l'une des chambres à l'étage pour le placer contre la porte arrière de la cave qui donnait sur le jardin, afin d'amortir tous les bruits éventuels. Drake extirpa une pioche de l'un des sacs dont il utilisa la pointe pour détacher l'étagère du mur. Les autres s'assemblèrent autour de lui pour le regarder déplacer le meuble derrière lequel ne se dressait rien d'autre qu'une portion de mur peinte en blanc, en tout point semblable aux autres.

– C'est là, dit Will en se rapprochant pour sonder l'endroit où se trouvait l'entrée de la galerie. C'était pile à cet endroit.

– On va d'abord recourir à la bonne vieille huile de coude pour creuser un trou jusqu'à l'autre côté de la paroi, dit-il. Ça fera moins de bruit. Que tout le monde recule, ordonna-t-il avant de lever sa pioche.

En l'espace de quelques minutes, il avait réussi à desceller suffisamment de briques pour qu'un pan de mur s'effondre sur le sol de la cave. Tout un tas de rocs et de graviers s'écoulèrent à travers la petite brèche.

– Très astucieux, commenta Drake. C'est exactement ce qu'on pourrait s'attendre à trouver, puis il poursuivit son ouvrage jusqu'à avoir agrandi la brèche. C'est assez. À toi, Will, dit-il en se tournant vers l'adolescent, le souffle court. Il faut déblayer les débris pour qu'on voie ce qu'il va falloir affronter, et puis tu aimais bien les fouilles, non ?

– D'accord, répondit Will avec un sourire, mais ça va prendre des siècles, vous ne croyez pas ?

Il se souvenait des journées de labeur qu'il avait passées avec Chester à dégager à nouveau l'entrée de la galerie, la première fois que les Styx l'avaient obstruée.

– Pas si je peux nous épargner cette tâche, dit Drake. Contente-toi de faire ton travail, Will.

– Très bien, répondit Will, et il choisit une bêche dans le sac, la soupesa, puis se cracha dans les mains. Gare ! Will Burrows est de retour ! annonça-t-il et il se mit aussitôt à creuser.

Will travailla comme une furie, ne s'arrêtant que pour soulever les plus gros gravats sur lesquels il tombait. Elliott, Drake et Mme Burrows avaient formé une chaîne et faisaient circuler les seaux remplis jusqu'au fond de la cave où ils en déversaient le contenu.

– Mauvaise nouvelle ! s'exclama Will après avoir lâché un juron, puis il se redressa. Je viens de taper dans une couche de roche compacte. Elle est sacrément épaisse, dit-il en s'épongeant le front. Il n'y avait rien de tel lorsque j'ai creusé cette galerie.

Drake ne semblait pas découragé le moins du monde par cette nouvelle, mais avant qu'il n'ait le temps de répondre à Will, son talkie-walkie se mit à crépiter.

– Vos dindes de Noël viennent d'atterrir, annonça le mécanicien qui employait le code que lui avait donné Drake.

Quelques instants plus tard, ils entendirent des bruits de pas sur les marches en bois et Eddie descendit dans la cave.

– Où sont Sweeney et le colonel ? demanda Mme Burrows. Et Colly ?

– Ils resteront dans le camion jusqu'à ce qu'on ait besoin d'eux, répondit Eddie.

– J'espère qu'ils sont aux aguets, dit Drake. Avec une telle charge explosive, on ne peut pas se permettre de prendre le moindre risque. Nombreux sont les terroristes ou les États voyous qui vendraient leur mère pour du matériel fissile déjà configuré en vue d'une utilisation offensive. En outre, Parry péterait les plombs si jamais je les perdais ! ajouta-t-il avec un grand sourire. Et puisqu'on en parle, il est temps d'employer ces charges explosives. On fera sauter la roche jusqu'à ce qu'on atteigne l'autre côté, conclut-il en se dirigeant vers l'un des gros sacs que Will avait transportés jusque dans la maison, puis il en défit la fermeture Éclair.

– Vous avez déjà rencontré la première barrière ? demanda Eddie.

– Vous voulez dire ça ? dit Will en se retournant pour frapper la paroi rocheuse à la surface irrégulière.

– Oui, elle fera environ un mètre cinquante de large. Vous trouverez ensuite encore de la terre meuble, puis la même épaisseur de roche, déclara Eddie.

– Vous semblez bien sûr de vous, commenta Drake en extirpant deux pains d'explosifs de son sac.

– Il aurait en effet été plus normal de faire s'effondrer la galerie sur toute sa longueur pour que plus personne ne puisse jamais s'en servir, d'autant que Chester et toi, vous l'aviez empruntée pour descendre, dit Eddie en adressant un coup d'œil à Will. Mais cette galerie n'a rien de normal. Nous avons envisagé qu'il faudrait peut-être la remettre en service.

– Pourquoi ? Qu'est-ce qu'elle avait de si particulier ? demanda Will qui regardait toujours la dalle rocheuse qui bloquait le passage.

– On l'appelait « la galerie de Jerome », l'informa Eddie.

– La quoi ? s'exclama Will en tournant vivement la tête vers l'ancien Limiteur.

– On l'a nommée ainsi d'après ta mère naturelle, Sarah Jerome. Une galerie menait directement chez toi, et tu t'imagines que c'était le pur fruit du hasard ? ajouta Eddie en voyant qu'il fronçait les sourcils.

– Je ne sais pas… Je n'y ai jamais vraiment songé, admit Will.

– On l'avait creusée tout spécialement pour toi, Will, ou plus précisément pour pouvoir t'atteindre rapidement si jamais Sarah se montrait. La Panoplie styx avait fait de sa capture une priorité, étant donné son influence grandissante sur les éléments les plus rebelles de notre cité. C'était leur héroïne maudite.

– Vous voulez parler des Taudis ? intervint Will.

– Non, pas seulement là-bas, mais dans tout le reste de la Colonie. Nous voulions la ramener chez nous et en faire un exemple. Bien sûr, lorsque nous avons fini par appréhender Sarah, les deux Rebecca ont concocté d'autres projets pour elle.

– Oui, elles ont essayé de la forcer à me tuer, dit calmement Will tandis qu'Eddie scrutait les ténèbres derrière lui.

– Cette galerie nous servait également à garder le contact avec les femelles styx que vous appelez les Rebecca, poursuivit Eddie.

Notamment lorsque nous les avons intégrées à ta famille, alors qu'elles étaient encore en bas âge. Cela nous permettait de les substituer l'une à l'autre quand bon nous semblait.

– Vous vous introduisiez chez nous à notre insu, dit Will en se rapprochant de Mme Burrows.

– Le plus souvent pendant la nuit, alors que vous dormiez, confirma Eddie en faisant rouler un morceau de brique sous sa botte. Par la suite, lorsque le Dr Burrows a commencé à creuser des trous dans notre sas, nous avons dû remonter le mur de la cave.

– J'y étais, à ce moment-là ! s'exclama Will en secouant la tête. Je l'ai aidé à percer le mur pour qu'il puisse y fixer ses étagères.

– Pendant ses séances d'exposition à la Lumière noire, nous avons donné au Dr Burrows des instructions relatives à l'existence de cette galerie. Nous voulions qu'il la découvre pour t'attirer vers la Colonie. Nous étions à peu près certains que tu le suivrais là-bas, Will.

– Vous voulez dire que Roger avait été conditionné pour agir ainsi ? demanda Mme Burrows. Ce n'était pas quelque chose qu'il faisait de son propre chef ?

– Pas du tout. Outre l'existence et les coordonnées de la galerie, nous lui avions également instillé son envie de voir le monde et un besoin irrépressible de partir en exploration. Au cours d'une période de plusieurs années, nous avons programmé dans son inconscient ces aspects de sa personnalité sous la forme de pulsions, prêtes à être réactivées lorsque nous déciderions qu'il était temps qu'il se mette en route. Il était très réceptif à notre conditionnement. Je n'étais pas là pour le voir, mais j'imagine que ces mêmes pulsions l'ont conduit par la suite à quitter la Colonie, à pénétrer dans les Profondeurs et à poursuivre sa quête jusqu'à ce qu'il atteigne le monde intérieur. Ces actes étaient indépendants de sa volonté. Un homme sain d'esprit n'aurait jamais entrepris pareilles choses.

– Ce qui veut dire que… Papa n'était pas vraiment un grand explorateur… et que tous ces trucs qu'il voulait tant découvrir… pour les consigner dans son journal… dépendaient entièrement de vous, dit Will en poussant un soupir.

Will avait peine à y croire. Il écarquillait les yeux en tentant de formuler les innombrables pensées qui lui traversaient l'esprit.

– Dans ce cas, Papa n'était pas vraiment… celui que je croyais. C'est vous qui l'aviez rendu ainsi. Les Styx l'avaient donc transformé en quelqu'un d'autre ?

– Oui. Comme la plupart des Surfaciens, le Dr Burrows était résolument peu motivé jusqu'à ce que nous le soumettions à la Lumière noire, dit Eddie en fixant le regard aveugle de Mme Burrows. Et nous vous avons fait subir le traitement inverse, Celia. Nous vous avons rendue complètement apathique, car vous n'aviez aucun rôle à jouer. Vous passiez le plus clair de votre temps à regarder la télévision, ce qui nous arrangeait bien.

Pendant un instant, personne ne dit mot dans la cave.

– Et moi qui croyais être celui qui détenait la bombe, murmura Drake en reposant les pains d'explosifs dans le sac.

– Je le savais, coassa Mme Burrows à plusieurs reprises en vacillant sur ses pieds, au bord de l'évanouissement.

– Maman, dit Will en la prenant par le bras pour l'aider à tenir debout.

– Toutes ces années… J'ai eu l'impression de lutter contre quelque chose qui ne me correspondait pas. J'avais l'impression de me perdre… que je n'avais pas le contrôle de ma propre vie ! Or, c'était bien le cas, car c'était vous, les Styx, qui dictiez qui j'étais. Je n'étais qu'un fantoche… une créature fabriquée de toutes pièces. Toutes ces pensées… mes pensées ne m'ont jamais appartenu !

– Oui, j'imaginais que vous l'auriez compris par vous-même, répondit Eddie sans la moindre trace de remords. Après tout, vous avez réussi à surmonter votre conditionnement lorsque vous…

– Vous avez détourné le cours de nos vies ! rugit Mme Burrows d'un ton accusateur. Et *tout ça* parce que vous vouliez Sarah Jerome.

– Pas tout à fait. C'était aussi une occasion pour les deux Rebecca de faire l'expérience de la vie parmi les Impies.

Personne n'avait remarqué que Mme Burrows avait empoigné la bêche de Will, quand elle s'avança soudain pour en frapper Eddie à la tête avec une telle force qu'il s'effondra sur sa fille.

– Hé ! Non ! hurla Drake en arrachant la pelle des mains de Mme Burrows, mais en vain, car rien ne semblait pouvoir l'arrêter, elle essayait toujours de donner des coups de poing au Styx alors même que Drake tentait de la repousser.

– Tenez-la à distance ! cria Elliott en soutenant son père étourdi. Elle a perdu la tête !

– Maman n'est pas folle, bon sang ! hurla Will. Contrairement à ces ordures ! Ils ont fichu nos vies en l'air ! Ils ont tout gâché ! cracha-t-il de rage.

La colère de Mme Burrows semblait s'être dissipée, mais Drake dut s'interposer entre Will et Elliott.

– Tout le monde se calme. Nous n'avons pas le temps de nous livrer à des querelles interfamiliales. Pas maintenant, dit-il, puis il se tourna vers Mme Burrows. Celia, je veux que vous preniez de profondes inspirations, que vous montiez à la cuisine avec Elliott et que vous prépariez du thé pour tout le monde. Quant à vous deux… ajouta-t-il à l'adresse de Will et d'Eddie. Nous allons bander la tête d'Eddie, et nous poserons ensuite les charges explosives. Vous réglerez vos différends plus tard, nous manquons de temps pour l'heure. Est-ce que vous allez tous vous comporter comme des adultes, maintenant ?

Elliott hésita. Elle s'apprêtait à dire quelque chose, mais Drake l'interrompit aussitôt.

– Je croyais t'avoir demandé d'emmener Celia à la cuisine, lui dit-il avec fermeté.

Il n'en fallut pas plus pour convaincre Elliott, qui acquiesça. Quant à Mme Burrows, elle semblait avoir repris le contrôle d'elle-même.

– Je suis désolée, marmonna-t-elle en passant devant Eddie. J'étais sous le choc. Je n'étais pas vraiment consciente de tout ça. Sous le choc…

– Tout va bien, répondit Eddie en essuyant le sang qui lui coulait dans les yeux, avant de s'effondrer soudain.

On transporta Eddie à l'étage pour l'allonger sur le canapé du salon. Pendant que les autres s'occupaient de lui, Will s'éclipsa de la pièce. Il s'attarda quelque temps au pied de l'escalier dont on avait récemment repeint la rampe. Elle lui semblait si blanche, si nette et si parfaite qu'il se sentit obligé de la toucher de ses doigts incrustés de crasse.

Will commença à monter au premier étage. Il avait gravi ces marches tant de fois au cours de sa vie qu'à chaque pas lui revenaient en mémoire de nouveaux souvenirs d'enfance. Les déjeuners du samedi pour lesquels la Rebecca qui était présente ce jour-là préparait une énorme poêlée pour toute la famille, des œufs, des saucisses, des champignons, du bacon et des gaufres, le tout dégoulinant d'une graisse malsaine. Will sourit. Il était étrange que les jumelles n'aient jamais touché à ces plats. Peut-être essayaient-elles déjà de tous les tuer ?

Will se souvint des longues conversations de sa mère avec tantine Jeanne. Il restait parfois assis sur la première marche de l'escalier pour écouter les deux sœurs qui bavardaient à bâtons rompus de quelque développement dans un feuilleton télévisé. Mais lorsque tantine Jeanne se mettait à monopoliser la conversation en énumérant ce qu'elle avait mangé ce jour-là, et comment son imprévisible système digestif s'en accommodait, ou bien la dernière de Sophie, son caniche chéri, sa mère ne ponctuait plus la conversation que de « je sais… je sais… je sais… » d'une voix tout empreinte d'ennui. À deux reprises, Mme Burrows s'était même assoupie pendant que sa sœur lui parlait.

Lorsqu'il atteignit enfin l'étage, Will comprit que ce qu'il avait accepté comme une vie de famille ordinaire n'avait rien de normal. Ce dont il se souvenait aurait tout aussi bien pu figurer dans une pièce de théâtre. Comme s'il ne suffisait pas que deux filles aient joué le rôle de sa sœur, si « filles » était le terme approprié étant donné qu'elles n'étaient même pas humaines, les Styx avaient dirigé et manipulé tout ce qui se passait dans la maison, grâce à la Lumière noire, des années durant.

– Rien de tout cela n'était réel, murmura Will.

Même la scène sur laquelle ils avaient joué cette farce s'était évanouie. Il examina l'étage où tout avait changé. Les étagères encastrées avaient disparu, l'abat-jour en papier en forme de boule avait été remplacé, et la moquette toute neuve n'était pas totalement élimée par endroits.

Will traversa le couloir pour rejoindre la chambre qui se trouvait à l'avant de la maison. Il avait l'impression de vivre un rêve éveillé. Il lui avait toujours été formellement interdit de pénétrer dans cette chambre, celle des Rebecca, qui servait désormais de bureau. Will jeta un coup d'œil sur la table où trônait un ordinateur coûteux, avant de s'arrêter sur le tableau en liège accroché sur le mur. Il reconnut la femme qui vivait désormais ici sur les nombreuses photos qu'on y avait punaisées. Elles avaient été prises en divers endroits. Elle y était le plus souvent accompagnée d'un homme qui devait être son mari.

Will se pencha pour prélever une photo sur le tableau, faisant sauter la punaise au passage, laquelle retomba sur le bureau. La femme et son mari trinquaient avec des noix de coco coupées en deux, dont dépassaient des ombrelles à cocktail et des pailles rayées. Ils avaient le visage bronzé et détendu. À l'arrière-plan, on voyait un feu allumé sur la plage.

Il y avait aussi toutes les photos de bébé, si bien que Will se doutait déjà de ce qu'il allait probablement découvrir dans son ancienne chambre. Il y trouva en effet un lit d'enfant et des jouets en mousse un peu partout. Les murs étaient peints d'un bleu azur passé et entièrement décorés d'autocollants représentant de gros nuages duveteux. Rien ne subsistait du temps où Will occupait encore cette chambre. Il n'y avait plus les étagères où il conservait sa collection de trésors, ni les affiches d'un centurion romain et du grand incendie de Londres qu'il avait collées au plafond avec du Scotch. Il s'approcha de la fenêtre où un mobile de chenilles et de papillons aux couleurs vives oscillait lentement dans la brise.

– Ne me mords pas ! Ne me mords pas ! dit-il d'un ton fantasque en touchant la tête d'une chenille béate.

– Je suis une larve de Guerrier styx, et j'ai bien l'intention de te mordre, répondit-il en imitant la voix bourrue d'un monstre.

– Non ! Aïe ! Aïe ! Aïe ! dit-il en gloussant, et il donna un petit coup à la chenille qui se mit à rebondir au bout de sa corde, puis il fut distrait par la vue du jardin en contrebas. La pelouse était sous la neige, mais elle avait été tondue contrairement à son époque. On avait récemment ajouté d'autres éléments au jardin, une aire pavée, un parterre de fleurs circulaire, et devant la nouvelle clôture, tout au fond, une balançoire et un bac à sable.

Will secoua la tête et souffla du coin de la bouche en signe de désapprobation. Ce n'était plus son jardin à lui. Il ressemblait à mille autres jardins du même genre. Peut-être valait-il mieux qu'il oublie son passé et poursuive son chemin. Au moins, ce qu'il vivait à présent était authentique, et non quelque construction sortie de l'imaginaire des Styx. C'est alors qu'il entendit Drake qui l'appelait.

– Prends ça, hideux insecte ! dit-il en donnant un si grand coup à la chenille que le mobile tournoyait encore sur lui-même lorsqu'il quitta la pièce.

Un grondement sourd s'éleva lorsque la première détonation secoua le bâtiment, ainsi que le reste de la rue alentour. Tout le monde avait décampé de la maison et il ne restait plus que Drake à l'intérieur. Will et Sweeney observaient la scène depuis l'arrière de la camionnette maquillée.

– On aurait dit un tremblement de terre, dit Will tandis que le véhicule oscillait légèrement sur ses amortisseurs.

À part cela, un peu de neige glissa du toit et deux alarmes de voiture se déclenchèrent un peu plus bas dans la rue. Au bout d'un temps, Drake ouvrit la porte d'entrée, enveloppé dans un nuage de poussière et fit un geste en direction de la camionnette.

– C'est reparti, Will, dit Sweeney. Non, attends un peu, je crois qu'on a un voisin qui vient mettre son grain de sel.

Un homme traînait sur le trottoir. Il regardait la maison. Drake s'en alla lui parler pour lui montrer ses faux papiers. À l'avant de la camionnette, le mécanicien s'était penché pour observer leur échange.

– Si jamais il pose problème, je me chargerai de lui, dit-il alors que le voisin curieux détalait déjà au loin. Sinon, je me contenterai d'attendre ici au cas où vous, ou M. Smith, auriez besoin de quelque chose, et si vous arrivez en Australie, prévenez-moi. J'y suis jamais allé.

Will et Sweeney se précipitèrent hors du véhicule, mais Will fit un rapide détour par l'arrière du Bedford. Il se haussa sur le coffre pour jeter un coup d'œil à travers la toile du capot. Elliott était assise avec Eddie qui n'avait visiblement pas encore récupéré du coup de pelle qu'il avait reçu. Il semblait endormi, les yeux fermés.

– Comment va-t-il ?

– Un peu sonné, mais je crois qu'il va bien, répondit Elliott. Les Styx ont la tête sacrément dure.

– Hum… oui, c'est bien, dit Will sans savoir si Elliott plaisantait ou non.

Il se sentait encore fort honteux de la manière dont il s'était emporté contre elle après l'accès de colère de sa mère. Assise dans un coin avec Colly, Mme Burrows semblait regretter son acte, elle aussi. Le colonel tenait son arme à la main et veillait sur le matériel couvert d'une bâche et attaché par une corde. Will jeta un coup d'œil aux formes qui se dessinaient sous la toile et mesura combien il était étrange de se trouver si près de ces armes atomiques. En entrant dans la maison, il trouva Sweeney qui l'attendait dans le hall.

– Paré pour le second round ? demanda l'homme.

– Ouais, dit Will en agitant la main dans l'air lourd.

Il remarqua qu'une photo était tombée au sol et que plusieurs grosses fissures s'étaient ouvertes dans les murs.

– Nous allons saccager cet endroit. Quel dommage, après tous les travaux qu'ils ont faits !

La poussière était encore plus épaisse dans la cave où Drake dégageait déjà les gravats de la galerie à l'aide d'une pelle. Will et Sweeney se mirent aussitôt à l'ouvrage pour l'aider à ôter les débris et pouvoir jauger ainsi leur progression.

– Nous avons gagné un bon mètre environ, dit Drake. Encore deux autres explosions et on devrait pouvoir passer.

– Si la voûte tient le coup, dit Will en vérifiant qu'il n'y avait pas de points faibles. Pas trop mal, dit-il en passant la main sur une petite fissure dans le roc.

– Oui, je dispose les charges de manière à orienter toute la force de l'explosion vers la façade rocheuse. Si Eddie a raison et si les Styx n'ont pas réduit la voûte en miettes, tout ira bien, dit Drake. Peu importe, après tout, si jamais elle s'effondre après notre passage.

– Pauvre maison, dit Will.

Comme convenu, une poignée des anciens Limiteurs aux ordres d'Eddie les rejoignirent pour les aider à creuser la galerie. Il était étrange de les regarder travailler en silence, mais Will n'était pas mécontent de recevoir un coup de main de leur part. Il fallut trois autres explosions pour frayer un passage à travers le bouchon rocheux qui bloquait la galerie. Au bout du compte, il y avait tant de gravats qu'ils s'entassaient jusqu'au plafond de la cave par endroits. Même la moto que Drake avait tant admirée était complètement ensevelie. Il ne restait plus qu'un couloir à peu près dégagé, qui reliait le bas de l'escalier à l'entrée de la galerie.

– On jette un coup d'œil, tu veux bien ? proposa Drake en écartant les débris pour avancer dans la galerie avec Will par-delà l'obstacle qu'ils venaient de faire sauter.

– Ça me rappelle quelques souvenirs, murmura Will en suivant le passage qui décrivait un coude, et voilà qu'il retrouvait la chambre en forme de demi-lune aux murs d'un blanc laiteux qu'il avait découverte avec Chester.

Will et Drake regardèrent tout autour d'eux. Le faisceau de leurs lampes de mineur semblait pénétrer la roche translucide qui luisait à la lumière. La majeure partie du sol de la grotte était submergée par une eau couleur de rouille. Will s'avançait rapidement en pataugeant pour atteindre la porte qui se trouvait tout au bout de la caverne.

– Vous savez, je croyais que la découverte de cet endroit était la meilleure chose que j'aie jamais…

– Stop ! hurla Drake d'une voix de stentor qui résonna contre les parois de la caverne.

Will s'arrêta net et faillit bien perdre l'équilibre. Drake l'avait rejoint en un instant.

– Ne bouge surtout pas, Will ! dit-il d'un ton mesuré qui ne laissait aucun doute : il fallait absolument qu'il lui obéisse à la lettre. N'avance ni ne recule ne serait-ce que d'un seul centimètre ! Tu t'es fait piéger.

– Qu'est-ce que vous voulez dire ? demanda Will.

Gardant la tête immobile, il essaya de voir aussi loin que possible. Drake avait la main posée sur un fil tendu à l'horizontale qui barrait la grotte et se trouvait directement en travers de leur route.

– Mon Dieu ! Je le touche, murmura Will en découvrant que le fil reposait contre sa poitrine.

Il était si fin qu'il en était presque invisible. Seules les gouttelettes d'humidité luisantes qui en couvraient toute la longueur en révélaient la présence à la lumière de la lampe de mineur de Drake.

– C'est sacrément sournois, dit Drake, puis il suivit le fil jusqu'au centre de la grotte où il culminait parmi les débris d'une machine gisant dans une eau plus profonde. Ce n'était plus qu'une masse de rouages en fer rouillé pris dans une carcasse tordue.

– C'est donc là qu'ils ont attaché le fil de détente... murmura Drake, puis il passa derrière Will pour remonter le fil dans le sens opposé. Il faut toujours rester aux aguets et vérifier qu'il n'y a pas un deuxième piège, dit-il en s'avançant avec précaution dans l'eau peu profonde.

Lorsque Drake atteignit la paroi de la caverne, il extirpa plusieurs éléments de la bourse accrochée à sa ceinture.

– Qu'est-ce qu'il y a là-bas ? demanda Will qui ne voyait pas ce qu'il était en train de faire et osait à peine respirer. Je peux bouger, maintenant ?

– Bon sang... suis... muscle, répondit Drake un tournevis entre les dents, avant d'y substituer le canif dont il se servait l'instant d'avant. OK, c'est bon, j'ai fini, dit-il enfin au bout d'une minute.

Le fil de détente fila soudain vers la machine en ruine, et Will put enfin soupirer.

– Tiens ! dit Drake, en lançant une petite boîte à Will qui la rattrapa en poussant un cri de panique.

De nombreux roulements à billes s'échappèrent du récipient pour retomber tout autour de Will dans un léger clapotis. Drake avait retiré un panneau à l'intérieur de la boîte, et les quelques roulements qui restaient se mirent à cliqueter en percutant ce qui ressemblait à un bâton de pâte à modeler.

– Dispositif antipersonnel styx de type 3. Journée gâchée garantie, ou on vous rembourse, dit Drake. À l'avenir, j'ouvrirai la marche avec Sweeney.

– Marché conclu, répondit Will en éparpillant les derniers roulements à billes.

Étant donné qu'il n'y avait pas assez de place dans la cave, ils transportèrent tout leur matériel dans le salon et l'étalèrent sur le sol pour que Drake puisse procéder à une ultime vérification. Will et Elliott regardèrent Sweeney et le colonel Bismarck transporter la seconde tête nucléaire dans le hall, et Mme Burrows referma aussitôt la porte d'entrée derrière eux.

– Elles ont l'air lourdes, remarqua Will.

Le boîtier en Inox ne mesurait pas plus d'un mètre vingt sur un mètre quatre-vingts, mais les deux hommes qui la tenaient de chaque côté par une poignée râlaient sous l'effort.

– Très bien, votre attention tout le monde ! lança Drake depuis le salon.

– Où veux-tu qu'on dépose la deuxième TN, patron ? demanda Sweeney en entrant avec le colonel avant de contourner une table basse.

– Là, ce sera très bien, à côté de l'autre, répondit Drake.

– Si cette femme voyait ce qui se passe dans sa maison en ce moment même ! dit Will qui se tenait dans l'embrasure de la porte et scrutait l'impressionnante quantité de matériel qui se trouvait dans la pièce.

– Oui, répondit Sweeney avec un large sourire, je crois qu'elle serait un rien énervée en découvrant que deux bombes atomiques l'empêchent de regarder sa télé.

– Surtout si son film était *Countdown*[1], ajouta Mme Burrows tandis que Sweeney et le colonel déposaient la seconde arme atomique à côté de l'autre.

Puis ils se redressèrent en se frottant les mains.

Drake était accroupi à côté d'un drôle de dispositif posé sur la table basse.

– Entre et ferme la porte, tu veux, Will, dit-il comme s'il ne faisait toujours pas confiance aux hommes d'Eddie, encore présents dans la maison. Bien, avant qu'on ne se mette en route, j'ai deux ou trois choses à vous dire, expliqua-t-il en indiquant les têtes nucléaires posées devant le téléviseur. Le transport des ogives promet d'être sacrément harassant jusqu'à ce qu'on atteigne enfin l'environnement à gravité réduite non loin du centre de la Terre. Les bombes ne sont pas si lourdes en elles-mêmes, mais étant donné leur conception dépassée, on les a enfermées dans des enveloppes qui contiennent une sacrée masse de plomb.

– Dans ce cas, pourquoi est-ce qu'on ne se débarrasse pas des boîtiers ? suggéra Elliott.

1. *Countdown* (« Compte à rebours »).

– Le plutonium fissile des bombes émet trop de radiations. On luirait comme des enseignes au néon avant même d'avoir franchi quelques mètres, mais il est possible qu'on soit obligés d'en arriver là, dit Drake d'un air sombre. Cette mission n'aura rien d'une promenade de santé et Eddie ne nous aidera pas ce coup-ci, ajouta-t-il en regardant Mme Burrows qui tenait Colly à son côté.

– À cause de sa tête ? demanda Will sans regarder Elliott.

– Oui, répondit Drake, il a besoin de temps pour récupérer, mais ce n'est pas la seule raison. Je ne sais pas quelle est la situation dans la Colonie en ce moment, mais si les Styx y sont encore en nombre, mieux vaut qu'il reste hors de vue. De toute façon, il nous est plus utile ici en surface, où lui et ses hommes peuvent aider la Vieille Garde et Parry à retrouver les femmes styx.

– À moins qu'elles n'aient toutes filé sous terre, remarqua le colonel Bismarck.

– Exact, confirma Drake. Mais ce que nous a dit Danforth à propos de la reprise de la Phase dans le monde intérieur pourrait très bien n'être qu'un stratagème visant à nous mettre sur une fausse piste. Quoi qu'il en soit, il faut qu'on le découvre par nous-mêmes, dit-il en prenant une inspiration. Bien, à moins que vous n'ayez des questions, tous en selle !

– Oui, moi, intervint Will. Qu'est-ce que c'est ? Une arme ? demanda-t-il en indiquant l'appareil posé sur la table basse qui comportait trois fins réservoirs de métal d'un mètre de long que l'on avait soudés ensemble, une crosse de revolver en son centre, ainsi qu'une sorte de canon ou d'entonnoir à l'autre extrémité.

– C'est un petit engin que m'a confectionné mon ami le mécanicien qui nous attend dehors dans la camionnette, répondit Drake. En fait, il nous en a concocté plusieurs versions.

Will se rapprocha pour examiner l'appareil. Des tubes reliés aux trois réservoirs se croisaient à la base du canon, formant un nœud gordien hérissé de multiples protubérances. Drake prit l'engin par la poignée, fit glisser un cliquet vers l'arrière et pressa la détente. Une flamme bleue aveuglante jaillit du canon en rugissant.

Surpris, Will fit un bond en arrière et leva le bras pour se protéger le visage de la chaleur.

– C'est un lance-flammes !

– Non, ce n'est pas une arme, expliqua Drake en relâchant la détente tandis que la flamme mourait à l'extrémité du canon. Je ne vais pas vous ennuyer avec des détails techniques, mais deux carburants à indice d'octane élevé se mélangent avec l'oxygène pour créer un puissant propulseur… C'est un réacteur, en somme. Nous pourrons nous propulser à travers la zone d'apesanteur sans recourir à un Sten, comme ton père et toi l'aviez fait par le passé.

– C'est trop cool ! dit Will. Je n'arrive pas à croire que vous sachiez fabriquer un truc pareil. Ça a l'air sacrément compliqué.

– Non, dit Drake d'un air dédaigneux, c'est pas une fusée intersidérale non plus, puis il fronça les sourcils. À la réflexion, je crois bien que c'est bien une fusée, en fait.

Après avoir rassemblé leur équipement, Will et Elliott descendirent à la cave où les attendaient les hommes d'Eddie. Drake avait dit qu'ils feraient s'effondrer l'entrée de la galerie pour que les autorités surfaciennes ne découvrent pas son existence. Elliott s'adressa à plusieurs d'entre eux dans la langue des Styx, puis elle s'engagea dans la galerie avec Will. Ils atteignirent rapidement la caverne en forme de demi-lune. Will lui montra la porte métallique qui comportait trois poignées sur le côté et qu'il avait découverte avec Chester.

– C'est ici que tout a démarré, lui dit-il en frappant de ses phalanges la surface cabossée de la porte.

Le métal rendit un son sourd et continua à vibrer, jusqu'à ce que Will fasse glisser son doigt le long des contours d'une zone délimitée par une peinture noire et brillante.

– Après avoir découvert cette porte, il fut impossible de faire marche arrière. En tout cas, pas pour moi. Je ne crois pas que Chester ait été particulièrement ravi de cette découverte à l'époque, mais il est quand même venu avec moi.

– Ce pauvre vieux Chester, il est comme ça. C'est un ami fidèle, dit Elliott.

Et voyez un peu où tout ça l'a conduit ! songea Will, quand soudain parut Drake.

– Vous pouvez ouvrir la porte. J'ai vérifié qu'il n'y avait pas de mines antipersonnel styx, dit Drake.

– Les dames d'abord, dit Will à Elliott, en s'effaçant après avoir actionné les trois poignées situées sur le côté de la porte.

Elliott poussa la porte qui gémit sur ses gonds, puis elle franchit la bordure de métal à la base du chambranle et pénétra dans la chambre cylindrique. Une fois qu'ils eurent effectué quelques pas de l'autre côté, Drake les rejoignit et Will actionna les trois poignées de la deuxième porte, identique à la première. Puis il l'ouvrit sans même prendre la peine de jeter un coup d'œil à travers le hublot translucide. Ils entendirent alors un sifflement aigu tandis que la pression s'équilibrait entre les deux sas.

– Cela signifie au moins que les stations de ventilation fonctionnent encore, non ? La Colonie reçoit de l'air, dit Will à Drake.

– J'espère, répondit Drake d'un ton évasif.

Will et Elliott traversèrent l'antichambre alors que le faisceau de la lampe de mineur de Will zébrait l'air chargé d'humidité. Les murs n'étaient qu'un patchwork de plaques de métal rouillé maintenues par des rivets.

Will retint son souffle lorsqu'il distingua le puits au-devant d'eux. La cage d'ascenseur les attendait là-bas, prête à les entraîner vers le fond. Alors qu'il s'apprêtait à ouvrir la porte grillagée de l'ascenseur, il adressa un coup d'œil à Drake pour voir s'il pouvait poursuivre. Drake opina et balaya la paroi du faisceau de sa lampe de mineur. Will s'exécuta alors, puis il pénétra dans l'ascenseur.

– C'est aussi sûr qu'une maison, murmura-t-il, mais contrairement à sa première expédition, il n'était guère d'humeur à sauter de joie.

Ils transportèrent le matériel et les armes nucléaires en plusieurs fois, car Drake ne voulait pas surcharger le vieil ascenseur. Une fois cette opération terminée et tout le monde descendu, Will s'avança vers la porte qui ouvrait sur la deuxième pièce métallique.

– Attends. Il faut que j'inspecte d'abord ce sas. Je n'ai pas pris le risque de l'ouvrir jusqu'à présent, au cas où il y aurait un système d'alarme, lui dit Drake avant de se tourner vers les autres. Armes en joue, et vous devriez également avoir votre fusil tranquillisant sous la main au cas où on tomberait sur des Colons, ordonna-t-il, puis il marqua une pause. Il faut que vous sachiez quelque chose. La dernière fois que nous sommes allés à Londres, j'ai reçu un signal de détresse en provenance de la colonie.

– Qu'est-ce que vous voulez dire ? demanda Mme Burrows.

– J'avais laissé une balise radio à votre ami, le second officier. Elle était réglée sur une fréquence spécifique et je lui ai dit de s'en servir, si jamais les choses tournaient mal dans la Colonie et qu'il avait besoin d'aide. Eh bien, c'est ce qu'il a fait.

– Pourquoi ne pas l'avoir mentionné avant ? demanda Mme Burrows, qui semblait troublée.

– Car nous avions d'autres choses plus importantes à régler d'abord, l'interrompit Drake. Je n'ai donc aucune idée de ce que nous allons trouver derrière ce sas.

Mme Burrows secouait la tête. Elle posa une main protectrice sur la chasseresse qui se tenait à son côté, et Colly se mit aussitôt à ronronner bruyamment.

– J'ai emmené Colly, car je voulais la ramener chez elle. Si j'avais su ce que vous venez de m'apprendre, j'aurais modifié mes projets. Je l'aurais confiée au sergent Finch.

– Tout ira bien. Elle peut nous accompagner tout au long du voyage. Elle a l'air en bonne forme, répliqua Drake.

– Oui, elle va bien, répondit Mme Burrows un peu sèchement. Mais vous croyez vraiment qu'elle va mettre bas au pied levé ?

– Comment ça, mettre bas ? demanda Will.

– Oui, c'est la progéniture de Bartleby, répondit Mme Burrows. Pourquoi crois-tu qu'elle ait pris tant de poids ?

– Écoutez, voyons d'abord ce qui se passe dans la Colonie, soupira Drake, puis on trouvera une solution. D'accord ?

– J'imagine que oui, répondit Mme Burrows.

Ils restèrent tous en arrière, tandis que Sweeney et Drake vérifiaient que la porte qui donnait sur le sas n'avait pas été piégée, puis ils l'ouvrirent enfin. Comment si elle ne pouvait attendre de savoir dans quel état se trouvait la Colonie, Mme Burrows se précipita derrière les deux hommes.

Sweeney avait franchi la moitié de la distance qui le séparait de l'autre côté du sas, quand il trébucha soudain et vacilla. Il s'accrochait à tâtons à la paroi comme si ses jambes ne le soutenaient plus. Drake réagit aussitôt et tira l'homme imposant en arrière.

– Non, Colly ! hurla Mme Burrows en voyant la chasseresse qui s'était effondrée sur le sol ondulé juste à côté d'elle.

Colly gisait là, inerte.

– Sortez le chat de là ! hurla Drake à l'adresse de Will et du colonel.

Sweeney sembla récupérer dès qu'il se rapprocha de l'ascenseur, mais Colly demeurait totalement inconsciente.

– Qu'est-ce que c'est ? demanda Mme Burrows. Ce n'est pas possible ! Elle attend des petits !

– C'est un champ subsonique, expliqua Drake en indiquant son oreille. Ils l'ont installé autour de la porte pour empêcher quiconque de la franchir. Sweeney portait ses bouchons d'oreilles, mais il est hypersensible à la plupart des fréquences, et Colly n'avait bien sûr aucune protection.

– Mais tout ira bien pour elle ? demanda Elliott en caressant le ventre renflé de la chatte.

– Normalement, oui, répondit-il. Bien, reculez aussi loin que possible, car comme le veut la tradition, le colonel et moi-même allons nous frayer un passage à l'explosif.

Chapitre Vingt

Sur Market Square, vaste zone pavée au centre de la Caverne Sud, les gens s'assemblaient pour écouter ce que le Conseil des gouverneurs avait à dire. La nouvelle de cette réunion avait fait le tour de la Colonie et presque tous ceux qui restaient encore dans la cité souterraine étaient venus.

On avait en effet fort peu vu les gouverneurs ces derniers temps, mais comme les Styx avaient brusquement disparu, ils étaient sortis de leurs cachettes avec l'intention manifeste de réaffirmer leur autorité sur la Colonie.

Avant les troubles récents, la place était bondée les jours de marché. On venait acheter des marchandises à l'arrière des charrettes alignées que l'on avait désormais poussées sur le côté pour faire de la place. Quelques personnes s'étaient perchées sur les plateaux pour mieux voir les gouverneurs.

Ces derniers étaient presque tous là sur l'estrade que l'on avait montée à la hâte. Il y aurait dû y en voir douze, mais l'un d'eux était indisposé. M. Cruickshank souffrait d'un douloureux accès de goutte et n'avait pu quitter son lit. Les autres se tenaient bien droits, assis derrière une longue table posée sur l'estrade. Ils étaient affublés de leurs chapeaux hauts de forme semblables à des tuyaux de poêle, de leurs manteaux noirs officiels et de leurs pantalons gris à rayures. Lorsque l'heure de commencer la réunion fut venue, les onze hommes ôtèrent leurs chapeaux et les posèrent sur la table devant eux. Puis M. Pearson, le plus âgé d'entre eux, se leva.

L'air lugubre, il commença à sermonner les gens en s'exprimant avec une lenteur insupportable. Il fallait « maintenir l'ordre ». Il « était du devoir des Colons envers leurs voisins d'obéir aux lois ancestrales ». Il n'arrêtait pas de mentionner le nom de sir Gabriel Martineau, tout en continuant à parler pour ne rien dire. Il croyait manifestement que ces allusions répétées au fondateur de la Colonie trouveraient un écho auprès de son public, lequel se montrerait de fait plus accommodant.

Les Colons l'écoutaient certes, mais personne dans la foule n'était ravi d'entendre pareil discours. Les gouverneurs avaient été les marionnettes des Styx, se contentant d'appliquer les ordres que leur donnait la classe dirigeante. Une fois les Styx disparus, il était inévitable que la population n'ait plus le même respect pour ces responsables.

– Nous avons… poursuivit M. Pearson, une main glissée dans son gilet tandis qu'il pointait la lointaine canopée en agitant un doigt… Nous avons connu des temps difficiles ces derniers mois. Nous avons été séparés de nos familles et de nos voisins, même si nous ne savons pas encore pourquoi. Nous ne savons pas non plus où ils ont été conduits, ni même s'ils nous seront rendus un jour.

– Jamais, marmonna une femme dans la foule.

– Et lorsque nos seigneurs reviendront, nous vous promettons que nous, membres du Conseil, leur poserons ces mêmes questions, rétorqua M. Pearson à la femme qui venait de parler.

Cette allusion aux Styx déclencha une vague de désapprobation au sein de la foule.

– Jusqu'à ce que soit rétabli le *statu quo*, nous veillerons à ce que reprennent nos routines quotidiennes et qu'aucun acte illégal perpétré par quelque mécontent ne vienne troubler notre société. Car ici-bas, nous ne pouvons compter que sur nous-mêmes. Nous sommes une grande société unie, et nous veillons sur les nôtres.

M. Pearson se tourna alors avec force cérémonie vers les gouverneurs assis de part et d'autre près de lui. Les dix autres responsables déclarèrent en chœur : « Écoutez, écoutez ! » d'un ton plein d'emphase, en opinant du bonnet pour manifester leur accord tels autant de singes pris d'ivresse.

M. Pearson s'adressa alors de nouveau à la foule.

– Nous sommes tous dans le même bateau. Ces derniers mois, nous avons affronté la houle… Nous avons connu la faim, la confusion et la peur du fait des changements inexplicables qui ont affecté nos vies. Mais n'ayez crainte, le Conseil est là pour rétablir l'ordre public.

M. Pearson marqua une pause, comme s'il attendait les acclamations de la foule, mais son discours ne fut accueilli que par un silence de plomb. Il s'éclaircit la voix avant de poursuivre.

– Notre première mesure consistera à trouver un portail ouvert pour que les livraisons de vivres complémentaires en provenance de la Surface reprennent sur-le-champ. Mais il est tout aussi fondamental que recommence la production de nos aliments de base, ceux-là mêmes dont nous dépendons tant. L'élevage du bétail et la collecte des rongeurs est une priorité, et alors même que je vous parle, on prépare les champs de cèpes dans le Nord pour y épandre des spores, et…

– Vous z'ai point vu la pelle à la main ! cria un Colon.

– Ouais, r'troussez-vous donc un peu les manches ! ajouta un autre.

M. Pearson glissa le doigt le long de son col empesé, mais il ignora les trouble-fête et s'efforça de poursuivre son discours.

– Bourdalou ! hurla soudain un Colon en baissant la tête alors qu'il feignait une quinte de toux.

Des gloussements retentirent alors dans la foule. Presque tous les citoyens de la Colonie avaient abandonné l'usage archaïque du bourdalou, ou pot de chambre. Il s'agissait d'un vase de porcelaine qu'ils gardaient sous leur lit pour se soulager pendant la nuit si jamais leur en prenait l'envie. Ils faisaient désormais l'effort de descendre au rez-de-chaussée pour utiliser les latrines, situées généralement à l'arrière de la maison. Or, ce n'était pas le cas de M. Pearson…

Comme il appartenait à la classe privilégiée, M. Pearson s'estimait trop puissant pour vider son urine lui-même tous les matins. Étant donné son statut élevé, il avait toujours eu un serviteur. En temps normal, il s'agissait d'un Surfacien captif, ou bien de quelque Colon de basse extraction que l'on avait forcé à endosser la charge de domestique. C'est à eux qu'il revenait d'accomplir cette tâche déplaisante. Certains jours, il arrivait que le bourdalou n'ait été vidé que tard dans la journée, si bien que ses remugles circulaient au rez-de-chaussée, imprégnant le reste de la maison, ce qui n'avait bien entendu rien d'agréable.

Un autre plaisantin dans la foule répliqua au premier en feignant d'éternuer bruyamment, alors que tout le monde l'avait entendu crier « Thomas », autre appellation familière du fameux pot de chambre. Les plus courageux éclatèrent alors de rire. Quelqu'un avait osé employer le surnom du plus ancien gouverneur, connu de tous comme Thomas Pearson au sein de la Colonie. On le désignait même parfois par un autre terme bien plus grossier.

Face à un manque de respect aussi effronté, le visage de M. Pearson vira au rose puce, puis il serra les poings. Il ressemblait à présent à une chaudière en surchauffe, et l'on aurait pu aisément l'imaginer avec de la vapeur sortant des oreilles.

– Je ne saurais tolérer pareille rustrerie ! beugla-t-il. Officier en chef, arrêtez ces gens ! poursuivit-il, le visage de plus en plus rouge. Officier en chef ? Où êtes-vous ? Au rapport, sur-le-champ ! J'exige que les responsables soient jetés au Cachot !

Le nouvel officier en chef parut sur le côté de l'estrade, qu'il gravit péniblement. Les planches du promontoire de fortune grincèrent et tremblèrent sous son poids, si bien que plusieurs gouverneurs s'agrippèrent à la table, comme s'ils craignaient de basculer tête la première parmi la populace qui se tenait devant eux.

Will, Drake et Mme Burrows avaient atteint Market Square et contournaient lentement la foule assemblée. Ceux qui s'étaient perchés sur les charrettes leur lançaient des regards curieux, mais dans l'ensemble, les Colons étaient bien trop absorbés par cette démonstration d'insolence pour leur prêter attention. Quoi qu'il en soit, avec toutes les troupes néo-germaines cantonnées dans la Colonie ces derniers mois, ils étaient bien plus accoutumés à voir des étrangers en leur sein.

– Faites votre travail ! Arrêtez-les ! insista M. Pearson en tapant du pied, ce qui fit trembler à nouveau l'estrade.

L'officier en chef scruta les visages dans la foule et remarqua alors Fendoir et Face de rat près de l'avant-scène. Il n'avait pas encore informé les gouverneurs que son prédécesseur avait relâché tous les détenus du Cachot, et il n'était guère pressé de le leur apprendre. Fendoir lui adressa un large sourire édenté tandis que Face de rat se mit à sautiller sur place.

– Faites ce que l'on vous ordonne, officier ! Appréhendez ces dissidents ! cria un autre des gouverneurs en se levant d'un bond.

– Mais… *qui* au juste voulez-vous que j'arrête ? demanda l'officier en chef. Lesquels ?

– Je connais cette voix, dit Drake en aidant Mme Burrows à grimper sur une charrette vide jonchée de quelques feuilles de chou desséchées, avant de la rejoindre à son tour.

Will était déjà perché sur le plateau et scrutait attentivement l'estrade en secouant la tête d'un air désapprobateur.

– Contentez-vous d'exécuter nos ordres, espèce d'abruti inutile ! tempêta le gouverneur en se tournant vers l'officier en chef, lequel avait l'air déconcerté.

– Quel vieux schnock débile ! s'exclama Will à voix haute sans faire le moindre effort de discrétion, si bien que les Colons les plus proches se retournèrent vers lui.

– Un peu moins fort, Will, lui dit Drake, que la véhémence soudaine de l'adolescent avait néanmoins intrigué. Pourquoi est-ce que tu as dit ça, au fait ?

– Parce que ce guignol n'est autre que mon père.

– Ton quoi ? s'écria Drake.

– C'est M. Jerome, marmonna Will. Mon vrai père.

M. Jerome traversa l'estrade en se pavanant pour rejoindre l'officier en chef, lequel était plus grand et plus imposant que lui, puis il se mit à lui pointer le torse d'un doigt accusateur.

– Si vous refusez d'obéir aux ordres, nous vous mettrons aux fers vous aussi, menaça-t-il.

Nullement intimidé, l'officier en chef demeura perplexe.

– Mais si je ne sais pas qui vient d'affubler M. Pipi du surnom de « Bourdalou », comment voulez-vous que je l'arrête ? demanda-t-il avec innocence.

– Espèce de triple idiot ! répliqua M. Jerome d'un ton sec en faisant mine de gifler le policier.

Tout à coup s'éleva une rumeur dans la foule. Fendoir bondit en avant et se fraya un chemin jusqu'à l'estrade.

– Ne vous avisez pas de toucher un seul de ses ch'veux ! C'est mon pote ! tonna Fendoir d'une voix empreinte de toute la violence dont il était capable avant de frapper le plancher de l'un de ses énormes poings. Sinon vous z'allez avoir affaire à moi, et je vais vous régler votre compte, à vous et à M. Pipi.

– M. Thomas, corrigea Face de rat en sautant sur place pour voir par-dessus son épaule.

M. Jerome, qui n'avait pas reculé face à l'officier en chef, avait toujours le bras levé comme s'il apprêtait à le frapper.

– J'vous préviens, lança Fendoir qui mourait d'envie d'en découdre.

Will et Drake sursautèrent en entendant un sifflet strident à côté d'eux. Tous ceux qui se trouvaient sur Market Square, Colons et gouverneurs de conserve, cherchèrent qui avait sifflé ainsi et virent Mme Burrows qui retirait les doigts de sa bouche.

– Bon Dieu, et dire que je leur avais demandé de faire profil bas ! marmonna Drake en baissant la tête.

– N'est-ce pas l'occasion de recommencer à zéro ? lança Mme Burrows. Les Styx sont partis et vous n'êtes pas obligés de les accueillir à nouveau. Pour la première fois en trois cents ans, vous pouvez enfin reprendre le contrôle de vos vies.

– Oui ! Elle a raison, marmonnèrent quelques personnes dans la foule après un instant de réflexion.

– Celia, dit l'officier en chef, le visage radieux alors qu'il la regardait par-dessus l'assemblée, et il fut obligé de reprendre son souffle avant de poursuivre, tant il n'en croyait pas ses yeux. Dites-nous ce que nous devons faire… Comment nous y prendre.

– Eh bien, pour commencer, dit Mme Burrows en prenant le temps de réfléchir, vous pouvez envoyer balader ces gouverneurs. Ils n'ont pas à cœur la défense de vos intérêts.

– Mais regardez-moi ce que nous avons là. Une bande d'exécrables Surfaciens qui viennent fourrer leur nez dans nos affaires, dit M. Jerome en tendant le cou pour apercevoir qui se trouvait sur la charrette.

– Oh, la ferme, vieux raseur ! lâcha Will malgré lui.

– Seth ? Mon fils, Seth ? dit alors M. Jerome au bout d'un instant en plissant le front.

– Je ne suis certainement pas votre fils ! rétorqua Will en retroussant la lèvre avec insolence.

– Ça veut dire que… commença M. Jerome, manifestement sous le choc de revoir Will, et il lui fallut un moment pour se reprendre. Ça veut dire que mon fils fugitif est revenu au bercail, et ses amis nous disent maintenant ce que nous devons faire. Eh bien, vous pouvez les arrêter eux aussi, conclut-il avec un rire ironique en se tournant vers l'officier en chef.

– Non, je refuse, répondit simplement l'officier en chef, qui en avait assez.

M. Pearson entra à nouveau dans l'arène. Il s'empara de son chapeau haut de forme posé sur la table et le brandit d'un air menaçant devant le visage de l'officier en chef.

– Vous voyez ceci ? Nous seuls avons autorité ici ! Vous feriez mieux de faire ce que vient de vous ordonner M. Jerome.

– Je vous ai dit de ficher la paix à mon ami ! explosa Fendoir. J'en ai plus qu'assez d'vous ! Pourquoi vous ne fermez donc pas vot' clapet, bon sang ? Laissez-le donc causer ! rugit Fendoir en se penchant par-dessus l'estrade pour attraper M. Pearson et M. Jerome par les chevilles, tel un ours en colère.

Tandis que les deux gouverneurs sautillaient hors d'atteinte, l'officier en chef se tourna vers la foule.

– Si quiconque parmi vous estime que les personnes qui se trouvent sur cette charrette ne sont *que* des Surfaciens, réfléchissez-y à deux fois. La femme qui vient de parler a dit des choses sensées, poursuivit-il en indiquant Mme Burrows, l'œil luisant. Elle a subi les pires interrogatoires à la Lumière noire que j'aie jamais vus de toutes mes années de service, et elle en est revenue. Elle n'a pas cédé. Elle n'a pas révélé aux Styx ce qu'ils voulaient savoir.

Un murmure parcourut la foule.

– Et cet homme là-bas, dit-il en indiquant Drake, cet homme a détruit les Laboratoires. Il a mis fin à toutes les expériences terrifiantes des Styx. Je le sais, car j'étais présent ce jour-là. Je l'ai aidé.

Le murmure se mua en un grondement plus sonore.

– Et ce jeune garçon qui les accompagne n'est autre que le neveu de Tam Macaulay et…

La foule retint son souffle. Ils savaient tous ce qui allait suivre.

– … et le fils de Sarah Jerome.

Les gens lançaient désormais des acclamations.

– Sarah Jerome, une femme courageuse qui est restée fidèle à ses convictions et a résisté aux Styx pendant si longtemps... pendant tant d'années. Nous n'avons rien pu faire pour l'aider lorsqu'ils l'ont ramenée à la Colonie, mais nous pouvons honorer sa mémoire. Nous pouvons suivre son exemple et ne jamais plus laisser les Cols d'albâtre diriger nos vies.

La foule se déchaîna alors. Plein de fierté, Will n'était nullement gêné de se retrouver ainsi au centre de l'attention. L'officier en chef leva les bras pour apaiser la foule.

– Bien, madame Burrows, que devons-nous faire à présent ? dit-il.

– Vous pourriez nommer un comité chargé de superviser la Colonie. Un comité temporaire, recommanda Mme Burrows. Vous pourrez organiser une élection plus tard, mais à présent, vous avez besoin de gens qui veillent à ce que les choses avancent. Des gens de votre peuple, en qui vous avez confiance.

– Balivernes ! Ils n'auraient pas la moindre idée de la manière dont il faut gérer les affaires ! cria M. Pearson. C'est pure folie ! Cette femme est une Surfacienne. N'écoutez rien de ce qu'elle vous dira !

– Officier en chef, on veut que vous soyez notre leader ! hurla soudain un homme dans la foule.

– Moi ? bredouilla l'officier en chef. Mais... je ne saurais être seul à diriger. Ce ne serait pas juste, ajouta-t-il alors que cette suggestion trouvait un écho dans la foule.

– Prends donc Fendoir avec toi ! cria Gappy Mulligan d'une voix stridente.

Perchée sur un gros tonneau d'eau à la périphérie de la place, elle agitait une bouteille et c'est tout juste si elle parvenait à garder l'équilibre. La foule qui semblait soutenir cette idée sans réserve donna des coups de coude à Fendoir jusqu'à ce qu'il grimpe enfin sur l'estrade. C'est alors que toute la structure bascula d'un côté et que la table, les chaises et les gouverneurs glissèrent tout au bout de l'estrade. À peine avaient-ils touché le sol qu'ils prirent tous leurs jambes à leur cou. Les applaudissements de la foule firent alors vibrer toutes les vitres de la ville. Fendoir et Face de rat en profitèrent pour ramasser deux chapeaux haut-de-forme abandonnés par les gouverneurs et les enfiler fièrement sur la tête.

– Si seulement tous les coups d'État pouvaient être aussi paisibles, chuchota Drake, porté par un optimisme, quant à l'avenir de la Colonie, partagé par tous ceux qui se trouvaient alors sur Market Square.

Maintenant que les Colons n'étaient plus en proie à la terreur des Styx et qu'ils pouvaient enfin se gouverner eux-mêmes, la Colonie allait revêtir un tout autre visage.

À un kilomètre de là, en périphérie de la ville, Elliott entendit l'écho des cris et des acclamations de la foule, sans savoir ce qu'ils signifiaient. Sweeney et le colonel Bismarck n'avaient pas réussi à la dissuader de partir seule et elle s'était rendue à la Caverne Sud à toute allure, sans rencontrer le moindre Colon – ni le moindre Styx, d'ailleurs.

Elliott entrait à présent dans son ancien quartier. Elle ralentit pour contempler l'environnement qui lui était si familier. La Colonie ressemblait à une vieille mécanique fort fiable, qui fonctionnait qu'il pleuve ou qu'il vente, grâce aux habitants qui en assuraient la bonne marche. Dans l'ensemble, chaque Colon connaissait sa place dans la hiérarchie et, tels les rouages d'une machine, ils exécutaient les tâches qui leur étaient assignées.

Mais cette machine était manifestement en panne. Elliott découvrait un chaos sans précédent. Les rues étaient jonchées d'ordures malodorantes, de piles de meubles brisés entassés devant les maisons. Les effets personnels de certaines personnes étaient même éparpillés dans les caniveaux. Où qu'elle pose le regard, elle ne voyait que signes de troubles et de négligence.

Elliott parvint enfin à la maison mitoyenne dans laquelle elle avait grandi. C'était la demeure qu'elle avait quittée un beau matin, lorsqu'elle s'était enfuie dans les Profondeurs, abandonnant derrière elle tout ce qu'elle avait connu jusqu'alors.

Enfant, elle avait appris à vivre dans le mensonge, prétendant que sa tante était sa mère, mais sa véritable identité risquait d'être découverte à mesure qu'elle grandissait. Elle n'était qu'un « rejeton de l'égout ». Or, même si son départ pour les Profondeurs tenait du suicide, son destin aurait été encore bien pire si elle était restée au sein de la Colonie. Non seulement les Styx les auraient immédiatement mises à mort, elle mais aussi sa mère, pour adultère, mais le reste de la famille aurait sans doute était lynché pour les avoir aidées à se cacher.

Des rumeurs avaient déjà commencé à circuler dans le voisinage à propos de ses yeux noirs et de sa minceur qui rappelaient le physique des Styx. Un homme avait même essayé d'extorquer de l'argent à sa tante en échange de son silence. Elliott avait décidé qu'il fallait qu'elle disparaisse de la Colonie, éliminant ainsi tout risque de chantage ou de découverte.

Elliott remonta lentement le sentier, lorsque ses yeux s'égarèrent sur la pelouse de lichens noirs où elle jouait enfant. À voir leur état, il était évident qu'on ne s'en était pas occupé depuis un bon moment, mais contrairement à de nombreuses autres maisons dans la rue, cette demeure semblait encore habitée, ce qui redonna espoir à Elliott. Elle poussa la porte d'entrée. Elle n'était pas verrouillée et s'ouvrit de quelques centimètres.

– Y a quelqu'un ? lança-t-elle.

Pendant un instant, elle fut distraite par la clameur de la foule, ailleurs dans la ville.

– Y a quelqu'un ? reprit-elle, même si elle sentait que la maison était vide.

Elliott s'apprêtait à franchir le seuil, quand elle s'arrêta soudain. Elle découvrirait sans doute des indices à l'intérieur, indiquant que sa mère vivait encore là, mais elle savait qu'en refaisant ainsi surface et compte tenu de son apparence actuelle, elle raviverait les anciens soupçons. Le secret de sa mère serait alors éventé. Elliott ne doutait pas que les préjugés concernant les relations entre Styx et Colons avaient perduré.

En outre, Elliott était partagée et ne savait si elle voulait vraiment découvrir ce qu'il était advenu de sa mère. Leur mission au centre de la Terre était pleine de dangers, et elle ne savait que trop bien qu'elle n'en reviendrait peut-être pas vivante. Peut-être valait-il mieux continuer à croire que sa mère était encore en vie et en bonne santé.

– Je reviendrai un autre jour, dit Elliott à voix haute, puis elle extirpa le flacon de parfum que lui avait donné Mme Burrows et le déposa soigneusement sur le pas de la porte qu'elle venait de refermer derrière elle. C'est pour toi, Mère, murmura-t-elle avant de se détourner de la maison.

Chapitre Vingt et un

– C'est ce que je voulais vous montrer, dit l'officier en chef à Drake, Will et Mme Burrows.

Drake souhaitait quitter la Colonie pour poursuivre sa route, mais il savait aussi qu'il était important d'aider l'officier en chef de toutes les façons possibles, à présent que la ville avait proclamé son indépendance.

Ils tournèrent à l'angle d'une rue et virent la Citadelle styx dont se dressait devant eux l'austère façade de granit à la taille grossière. On l'avait creusée à même la paroi de la caverne et elle s'élevait jusqu'à la canopée, loin au-dessus de leurs têtes, où elle disparaissait au milieu des nuages persistants qui tourbillonnaient et ondulaient là-haut. De mémoire d'homme, aucun Colon n'avait jamais mis les pieds à l'intérieur de ce bâtiment inhospitalier.

– Je n'ai jamais été plus près, murmura Will alors que les fenêtres de cristal noir qui marquaient les étages supérieurs de la Citadelle semblaient l'observer tels des Styx au regard impitoyable.

L'officier en chef s'arrêta devant le portail ouvert dans la clôture de fer. Un homme imposant et armé d'un manche de pioche sortit de sa guérite pour le saluer.

– Voici Joseph, dit l'officier en chef. Il garde ce complexe vingt-quatre heures sur vingt-quatre avec l'aide d'un autre citoyen, au cas où les Cols d'albâtre décideraient de revenir.

Drake salua Joseph d'un signe de la tête. L'homme était large de poitrine et avait le corps trapu, typique des *pures souches*, comme on les appelait, descendants de l'armée de travailleurs qui avaient aidé Martineau à construire cette ville souterraine quelque trois siècles plus tôt avant de venir y habiter. Joseph regardait Will fixement, lequel commençait à trouver son attitude assez perturbante.

– Voilà qui est fort sage, dit Drake en indiquant le manche de pioche de l'homme, mais il va vous falloir une puissance de feu autrement supérieure.

Pendant un instant, il contempla la garnison, bâtiment ramassé de deux étages adjacent à la Citadelle, et il s'attarda sur l'entrée, puis il se dirigea vers la Citadelle même. Lorsqu'il fut à une centaine de mètres de l'édifice, il se pencha pour ramasser une pierre qu'il lança contre les portes. La pierre rebondit contre le métal pour retomber sur les marches du perron. Comme rien ne se passait, Drake continua à avancer vers le bâtiment.

– Arrêtez ! cria l'officier en chef. Ça va vous assommer.

Les Styx ne s'étaient pas contentés de protéger les portails avec des champs subsoniques. On avait déjà appelé l'officier en chef au secours de plusieurs Colons inconscients que le champ qui entourait le bâtiment avait mis hors d'état de nuire. Cependant, Drake ne lui prêta aucune attention et gravit les marches du perron.

– Comment fait-il ça ? demanda l'officier en chef en voyant que Drake ne semblait pas affecté le moins du monde par le champ subsonique.

Drake inspecta l'entrée, puis il poussa l'énorme dalle de pierre qui en bloquait le passage. Il recula ensuite pour examiner les fenêtres qui commençaient aux étages supérieurs. Lorsqu'il les rejoignit enfin, Drake bâillait et actionnait sa mâchoire comme s'il souffrait d'une otite chronique.

– La Citadelle est protégée par un champ d'une puissance incroyable, dit-il à Will et à Mme Burrows, puis il s'adressa à l'officier en chef. Les Styx ont déroulé des barrières protectrices à l'intérieur du bâtiment et l'ont complètement scellé, et je suis donc incapable de vous dire s'il en reste à l'intérieur.

– Vous savez que, d'après la rumeur, il y a différentes voies d'accès qui relient le bâtiment à la Surface... répondit l'officier en chef qui semblait extrêmement mal à l'aise, puis il se tourna vers la Citadelle. Ils y retourneront donc peut-être pour reprendre le contrôle de notre population.

– Ils peuvent toujours essayer, dit Drake.

– Mais vous les attendrez de pied ferme, ajouta Mme Burrows.

– Et si on inspectait la garnison, Will ? suggéra Drake.

– Hum, intervint Joseph qui ne pouvait détacher les yeux de Will.

– Qu'est-ce qu'il y a ? demanda l'officier en chef.

– Puis-je vous accompagner ? demanda Joseph à Drake. Vous savez, je travaillais là auparavant.

L'officier en chef s'apprêtait à objecter, lorsque Drake extirpa deux bouchons d'oreilles de la bourse accrochée à sa ceinture et les lui tendit.

– Tenez, Joseph, mettez ça, lui dit-il avant de partir pour la garnison.

Joseph et Will le suivirent à quelques mètres de distance.

– Seth ? commença Joseph avec nervosité.

– Non, je ne porte plus ce nom-là, je m'appelle Will en réalité.

– Désolé, murmura l'homme en se passant la main sur son crâne dégarni hérissé de quelques touffes blanches. Je connaissais Sarah, ta mère.

– Vraiment ? demanda Will.

– Nous étions amis lorsque nous étions enfants, répondit Joseph en plissant le front. La dernière fois qu'elle est venue ici, poursuivit-il avec un embarras manifeste, lorsque les Cols d'albâtre l'ont piégée et l'ont ramenée dans la Colonie, nous nous sommes revus. Je me suis occupé d'elle pendant les semaines qu'elle a passées à la garnison.

Même si Joseph avait la tête baissée, il avait l'air incroyablement triste. Il jeta un coup d'œil furtif à Will. Ses yeux bleu pâle, de la même couleur que les siens, semblaient refléter la lumière comme s'ils étaient emplis de larmes.

– Je crois qu'elle savait ce qui l'attendait, marmonna Joseph. Elle savait que les choses allaient mal finir pour elle.

Will ressentit soudain un lien profond avec cet homme à la stature massive, et l'enlaça brièvement par l'épaule, tandis qu'ils continuaient à marcher. Tout comme Joseph, Will était submergé par la tristesse. C'est alors qu'ils atteignirent l'entrée.

Will percevait un bourdonnement dans son crâne : les portes d'acier étaient entourées par un champ subsonique, mais, chose surprenante, elles n'étaient pas fermées. Ils pénétrèrent donc dans le bâtiment et Will, accompagné de son ami, s'avança sur le sol de pierre polie que sa vraie mère avait foulé avant lui.

– Je ne crois pas qu'elle ait jamais cru un seul mot de ce que les Cols d'albâtre cherchaient à lui fourrer dans le crâne, murmura Joseph. Elle jouait le jeu, car elle voulait te retrouver.

– Merci de m'avoir dit ça, répondit Will.

– Tout va bien, vous deux ? demanda Drake en les regardant bizarrement, car il avait remarqué qu'ils semblaient à bout.

– Oui, pas de problème, répondit Will.

– Bien, coupons le champ subsonique qui protège cet endroit. Je sais qu'il y a une armurerie ici. Montrez-nous où elle se trouve, Joseph, et voyons ce que les Styx ont laissé derrière eux, dit Drake. Il vous faut quelque chose d'un peu plus professionnel qu'un manche de pioche, si jamais ils pointent à nouveau leur nez.

Will, Drake et Mme Burrows rebroussaient chemin vers le Quartier, lorsque Elliott surgit de nulle part.

– Je croyais t'avoir dit de rester tranquille, lui dit Drake, visiblement agacé.

Elliott ne répondit pas, mais Will remarqua qu'elle cherchait à éviter son regard. Peut-être était-elle encore fâchée depuis que Mme Burrows avait attaqué son père et depuis le furieux échange qui avait suivi. Elliott ne lui adressa pas la parole pendant tout le temps qu'il leur fallut pour retrouver Sweeney et le colonel Bismarck qui surveillaient les armes nucléaires et le reste du matériel.

L'officier en chef ne se trouvait pas encore avec eux, ayant d'autres choses à régler entre-temps, mais il leur avait suggéré de l'attendre au commissariat. Ils s'y arrêtèrent donc. Après y avoir transféré tout leur matériel, ils s'assirent dans le bureau principal et mangèrent leurs rations. Les armes nucléaires étaient enfermées dans l'une des cellules du Cachot. Cet endroit n'évoquait que de mauvais souvenirs à Will, à tel point qu'il avait été incapable de se rendre dans ce lieu humide et lugubre.

L'officier en chef les rejoignit enfin. À peine avait-il franchi les portes battantes d'un pas alerte que Colly se mit à labourer frénétiquement le sol de pierre de ses griffes. Si la chatte n'avait pas été grosse, elle aurait sans nul doute bondi par-dessus le comptoir, mais au lieu de cela, elle se contenta de filer sous l'abattant.

– Ma fifille ! beugla l'officier en chef, tandis que la chasseresse, dressée sur ses pattes arrière, lui léchait le visage. Je croyais t'avoir perdue pour de bon !

Colly ronronnait à tue-tête, puis elle roula sur le dos, l'invitant à lui gratter le ventre.

– Qui c'est la gentille fifille à son papa, hein ? roucoula l'officier en chef. Ma chasseresse était donc avec vous pendant tout ce temps ! s'écria-t-il en levant la tête vers Mme Burrows. Merci ! Elle a l'air en excellente forme. Elle a vraiment bien profité.

– C'est un peu plus que ça, répondit Mme Burrows.

– Des chatons ? Non ! s'exclama-t-il en examinant la chatte.

– Si, répondit Mme Burrows.

Le visage de l'officier en chef se fendit d'un large sourire hébété, puis il se redressa et leva un doigt en l'air comme s'il venait d'avoir une idée.

– J'ai une petite surprise pour votre fils, dit-il en passant de l'autre côté du comptoir pour se rendre dans son bureau, dont il ressortit l'instant d'après en cachant quelque chose derrière son dos. Tiens, dit-il en tendant sa pelle à Will.

– Génial ! s'écria Will en voyant sa chère pelle, son objet préféré. Elle datait de l'époque où il était encore à Highfield.

– Pas si vite, dit l'officier en chef alors que Will tendait déjà la main pour s'en emparer. Elle est à toi à une condition : je veux que tu me promettes de ne plus jamais t'en servir pour m'assommer !

– Marché conclu ! répondit Will en prenant sa pelle pour en inspecter la tête, si propre qu'elle brillait.

– Elle m'a manqué, marmonna l'officier en chef alors que Colly restait obstinément à son côté en se frottant affectueusement contre ses jambes.

– Son périple se termine ici. Nous ne l'emmènerons pas. Ce serait injuste, dit Mme Burrows.

– Bien sûr, s'empressa d'acquiescer l'officier en chef en caressant la tête du chat, qui se mit à ronronner de plus belle.

– Hum, Celia, j'aimerais vous faire une proposition, commença Drake en posant son sandwich à côté de lui, puis il se leva de sa chaise. J'en ai déjà longuement discuté avec Will… et nous pensons qu'il vaut mieux que vous restiez dans la Colonie, vous aussi.

– D'accord… répondit Mme Burrows d'une voix traînante.

– J'ai besoin de toutes les forces disponibles pour cette mission, poursuivit Drake, et vous nous avez déjà donné un aperçu de ce que vous pouviez faire pour les Colons, maintenant que les Styx sont hors circuit. Mieux encore, grâce à votre supersens, vous leur fourniriez un atout inestimable en les avertissant à l'avance, si jamais les Styx décidaient de reprendre la partie là où ils l'ont laissée. Vous les sentiriez arriver.

– Je comprends votre raisonnement, dit-elle après un instant de réflexion. D'accord, je reste, dans ce cas.

Will fut surpris qu'elle se décide aussi vite, mais l'officier en chef ne se contenait plus de joie.

– Excellent ! répétait-il sans cesse en tapant dans ses mains charnues.

– Il faut que je vous dise quelque chose, et cela vous concerne aussi, poursuivit Drake toujours debout, en se tournant vers l'officier en chef alors que tout le monde s'apprêtait à reprendre son sandwich.

Drake extirpa une petite mallette de son sac à dos et la posa sur le comptoir en chêne à la surface usée.

– Comme vous le savez, nous avons pour objectif de sceller le monde intérieur à l'aide des armes nucléaires, et ce afin de contenir la Phase si jamais elle a bien repris là-bas.

Drake défit les cliquets de sa mallette, à l'intérieur de laquelle se trouvait une boîte métallique nichée dans un écrin de mousse.

– Pendant l'année que j'ai passée en détention dans les Laboratoires, j'ai surpris les Scientifiques qui discutaient d'un virus, dit Drake avec un sourire. Les universitaires aiment à se vanter face à leurs pairs.

– Ce n'était pas le Dominion ? demanda Elliott.

– Non, répondit Drake en dévissant le couvercle de la boîte dont il extirpa avec précaution un petit tube à essai. Les scientifiques savaient très précisément ce qu'ils avaient déterré dans la Cité éternelle. Ils l'avaient testé sur toute une série de sujets et ils étaient absolument fascinés par son effet, expliqua Drake en brandissant le petit tube à essai. Ce rejeton-là est bien plus puissant et beaucoup moins précis que le Dominion. Il affecte non seulement les humains, mais aussi les Styx et de nombreuses autres formes de vie plus développées. C'est une arme Fatale, avec un F majuscule.

– Vous l'avez donc obtenu dans les Laboratoires ? demanda Will.

– Oui, lorsque nous avons effectué un raid avec Chester et que nous avons secouru Celia par la même occasion, je l'ai dérobé dans la chambre forte du laboratoire d'analyses secondaire. C'est pour cette raison que je suis arrivé en retard et qu'Eddie m'a battu à la course. Au fait, inutile de vous inquiéter. Quand je vous ai administré une injection au Complexe, je vous ai tous immunisés contre ce virus. Lorsque j'étais à Londres, j'ai demandé à mon ami Charlie de transformer ce virus en arme biologique. Il ne se transmet plus par simple contact, mais par voie respiratoire.

– Ce qui veut dire ?... intervint Mme Burrows.

– Ce qui veut dire qu'on peut le répandre dans l'atmosphère, répondit Drake, le regard un peu perdu dans le vague alors qu'il fixait le liquide transparent que contenait le tube à essai. Le virus est alors porté par le vent, et je ne crois pas qu'à ce jour il y ait agent plus mortel ni plus toxique sur cette fichue planète, qu'on se trouve sous terre ou en surface.

– Mais vous avez empiré les choses en le transformant en arme biologique, n'est-ce pas ? Était-ce bien sage ? demanda Mme Burrows.

– Peut-être pas, en effet, mais une fois sur le terrain, si tout le reste devait échouer dans le monde du colonel, il me faudra une monnaie d'échange. Les Styx savent ce que représente ce virus. Ils savent aussi qu'il provoquera « une extinction de masse », selon les termes employés par la communauté scientifique... ce qui signifie la fin de leur espèce. Si je vous implique dans toute cette affaire, poursuivit Drake en se tournant vers l'officier en chef, c'est que j'ai assez de doses de vaccin pour immuniser tout votre peuple. Il y a en effet un risque, aussi infime soit-il, qu'une fois libéré dans le monde intérieur, ce virus remonte vers la surface. Or, vous seriez pile sur son chemin.

– Et les Surfaciens ? demanda l'officier en chef.

– Parry possède également le vaccin, répondit Drake en insérant le tube à essai dans la boîte métallique.

– Il en a assez pour toute la population ? demanda Mme Burrows d'un air sceptique.

– Non, et de toute façon, nous n'aurions pas le temps de vacciner tout le monde, répondit Drake en rabattant les cliquets. Je n'ai pas la moindre intention de libérer ce virus, ajouta-t-il en rangeant la mallette dans son sac à dos ; puis il se tourna vers le groupe, les regardant les uns après les autres, Sweeney, le colonel Bismarck, Elliott, Will, l'officier en chef, et enfin Mme Burrows. Je vous demande de réfléchir à la question suivante : qu'y a-t-il de pire ? Ce pathogène mortel, ou bien la Phase ? Je ne crois pas qu'il y ait vraiment lieu d'en débattre.

Chapitre Vingt-deux

Le train des mineurs quitta la gare de la Colonie. Ainsi commençait la première partie de leur voyage vers les entrailles de la Terre. Contrairement à la fois précédente où Will s'était caché dans l'un des wagons ouverts, il se trouvait désormais dans la voiture des gardes à l'extrémité du train. Les lattes gauchies qui formaient les parois et le plafond de la voiture comportaient de nombreux interstices, mais il se trouvait au moins quelque peu à l'abri de la fumée et de la suie que vomissait la locomotive en tête, laquelle commençait à prendre de la vitesse.

Will entendait les deux étalons d'un blanc immaculé dans la voiture suivante. Ils couvraient le bruit du moteur de leurs hennissements. L'officier en chef les avait réquisitionnés dans l'une des résidences des gouverneurs. Les responsables les avaient en effet cachés pendant les troubles, sachant que les masses affamées les auraient aussitôt dévorés. Le gouverneur était entré dans une colère noire lorsque Fendoir était venu muni d'une lettre officielle émise par le comité des Colons récemment constitué, mais il n'avait pas eu d'autre choix que de céder. Ces chevaux leur donneraient un énorme avantage dans les Profondeurs. Drake voulait en effet traverser la Grande Plaine aussi vite que possible, et les cheminots lui avaient assuré qu'il devait forcément y avoir un chariot quelque part dans la Gare des mineurs, auquel il pourrait les atteler.

La voiture des gardes était faiblement éclairée par un seul globe lumineux doté d'un abat-jour, que l'on avait accroché à l'arrière. Will contempla pendant un temps les étincelles incandescentes qui tombaient de temps à autre à l'intérieur du wagon, suivant leurs traînées rougeoyantes du regard jusqu'à ce qu'elles s'évanouissent d'un coup. Il se mit alors à songer au moment où il avait quitté sa mère. Will ne savait pas vraiment ce qui avait changé entre eux, mais elle ne lui avait pas fait les adieux chaleureux dont il avait l'habitude. Mme Burrows connaissait les dangers que devrait affronter son fils, mais elle s'était contentée de l'embrasser avec indifférence en lui souhaitant bonne chance.

Il fallait bien admettre qu'il n'avait pas ressenti la même chose en la quittant cette fois-ci. Peut-être avaient-ils changé l'un comme l'autre après tout ce qu'ils avaient traversé, ou bien peut-être était-ce parce qu'il grandissait ? Peut-être qu'il avait moins besoin de sa mère à présent ? Il était encore en train de ressasser tout cela, lorsque ses paupières se firent peu à peu de plus en plus lourdes, et il finit par s'assoupir, bercé par le mouvement du train.

Alors que la température augmentait à mesure qu'ils s'enfonçaient toujours plus loin sous la croûte terrestre, ils passèrent le plus clair des vingt-quatre heures suivantes à manger et à dormir. Ils interrompirent plusieurs fois leur voyage pour nourrir les chevaux et leur donner à boire, mais aussi pour ouvrir les énormes portails antitempête qui barraient les rails.

Ils entrèrent enfin dans la Gare des mineurs. Elle correspondait bien au souvenir qu'en avait gardé Will. Il s'agissait d'une rangée de cabanes en ruine tout à fait quelconques. Il bondit hors de la voiture des gardes et atterrit sur une couche de minerai de fer, de houille et de mâchefer qui crissa sous ses bottes. Il prit une longue inspiration par le nez. Cet air aride lui rappelait le temps où Chester, Cal et lui-même s'étaient introduits furtivement dans cette même caverne. Il y avait aussi Bartleby à l'époque. Ils avaient tous été tués ou touchés par la mort, et c'est pourquoi aucun d'eux ne se trouvait plus avec lui.

Will était encore en train de ruminer ces pensées alors qu'il se dirigeait vers les cabanes de la gare. Il se figea soudain. Auparavant, il aurait saisi cette occasion pour explorer les cabanes, mais il n'en éprouvait plus la moindre envie. Tout cela lui paraissait désormais sans importance. Au lieu de cela, il aida Sweeney et le colonel à décharger le matériel pendant que Drake partait en quête d'un chariot, accompagné du mécanicien de la Colonie et de son assistant.

Ils ne tardèrent pas à en trouver un et il ne leur fallut pas longtemps pour harnacher les étalons et mettre en place leur matériel. Elliott et Drake ouvrirent la marche à pied, tandis que le colonel conduisait le chariot hors de la caverne.

Will avait montré au colonel comment enfiler l'un des casques de Drake et ajuster la lentille rabattable sur son œil pour voir parfaitement dans le noir. Après s'être trouvé une place tout au fond du chariot, derrière le matériel, Will avait enfilé son casque et retrouvait un monde familier teinté d'une lumière orangée et changeante. Il se contentait bien volontiers de regarder défiler les parois de la galerie alors que Sweeney courait à côté du chariot.

Sweeney se servait en effet de ses sens amplifiés pour inspecter la galerie derrière eux, vérifiant les passages adjacents au cas où des Limiteurs s'y seraient tapis, lorsque son regard se posa soudain sur Will.

– Hé, gros fainéant, le taquina l'homme immense. Ne te fatigue pas trop, surtout ! Tu sais quoi, j'adore ce coin ! poursuivit-il sans lui laisser le temps de formuler la réplique indignée qu'il était en train de concocter dans sa tête.

– Qu'est-ce que vous voulez dire ? demanda Will en se tortillant sur son siège, car la sueur lui ruisselait jusqu'en bas du dos. Il fait chaud, c'est poussiéreux... et tout bonnement immonde.

– T'as raison, répondit Sweeney en se touchant la tempe, mais pour la première fois depuis des lustres, je ne subis aucune interférence radio. Tu n'as pas idée de ce que ça fait d'avoir un DJ qui vous joue des trucs dans la tête à longueur de journée. Il y a des semaines où ça va encore ; mais parfois, ça déménage soudain et faut que j'écoute les jacasseries de Chris Evans, que je le veuille ou non, expliqua-t-il avec une moue de dégoût. Mais ici, pas un murmure... rien. La paix royale.

Will lui indiqua qu'il avait compris d'un signe de la tête.

– Oui, m'sieur, je me vois bien m'installer ici un de ces jours, conclut Sweeney.

Ils n'avaient pas croisé un seul être vivant, qu'il s'agisse d'un être humain, d'un Styx ou d'un Coprolithe, quand ils émergèrent dans une vaste caverne jonchée de gros rochers en forme de larmes.

Comme le sol était en pente, Will en avait profité pour se dégourdir les jambes et courait à présent à côté de Sweeney.

– Oh, mon Dieu ! s'écria soudain l'adolescent.

– Qu'est-ce qui se passe ? demanda Sweeney en regardant tout autour d'eux. T'as vu quelque chose ?

– Non, rien à voir, le rassura Will. Je sais où nous sommes… et j'espérais ne plus jamais revoir cet endroit. Mon frère est mort non loin de là, et ma vraie mère aussi.

– C'est dur, Will. Je suis désolé pour toi, finit par répondre Sweeney après avoir effectué plusieurs enjambées laborieuses.

Ils franchirent un chemin pavé de dalles très usées, et une heure plus tard ils virent le gouffre immense qui se profilait dans le lointain.

– Le voilà… c'est le Pore, indiqua Will à Sweeney d'une voix lugubre.

Drake et Elliott s'étaient arrêtés pour donner le temps aux autres de les rattraper.

– Nous avons repéré quelque chose de nouveau, les informa Drake. Il y a des cabanes à côté du Pore.

– Trois… trois cabanes, confirma Elliott qui avait l'œil rivé à la lunette de sa carabine.

– Nous connaissons bien cette zone, et elles n'étaient pas là auparavant, dit Drake qui avait passé des années sur ces terres plongées dans des ténèbres éternelles où l'avait rejoint Elliott un peu plus récemment.

Ils étaient de retour dans leur élément.

– Nous partons en repérage, ajouta Drake avant de s'éloigner avec Elliott, suivi de loin par le colonel Bismarck, qui maintenait les étalons au trot tandis que Will et Sweeney restaient à l'affût, guettant d'éventuels Limiteurs.

Lorsqu'ils atteignirent enfin le Pore, ils furent éclaboussés par le déluge continu qui tombait du ciel, ce qui contribua à leur rafraîchir la tête et les épaules. À côté des cabanes rudimentaires, le sol était jonché de montgolfières dégonflées. Juste à côté, une plateforme en bois s'avançait au-dessus du vide immense sur près d'une centaine de mètres. Will, le colonel et Sweeney contournèrent les ballons aplatis, puis ils s'aventurèrent jusqu'à l'extrémité du promontoire.

– C'est… un sacré… morceau ! commenta Sweeney avec un sifflement alors qu'il s'efforçait d'apercevoir en vain l'autre côté du gouffre gigantesque. T'as sauté dedans, n'est-ce pas, Will ? demanda-t-il en scrutant les profondeurs.

– Je n'avais pas vraiment le choix à l'époque, marmonna Will qui percuta soudain : ils étaient là pour refaire exactement la même chose.

À moins que Drake n'ait une meilleure idée, comme se servir de l'une des montgolfières pour atteindre un de ces champignons qui formaient une corniche loin au-dessous de leurs pieds. Will commença à rebrousser chemin sur la plateforme en se répétant à lui-même : *Je n'ai vraiment aucune envie de faire ça.* Il éprouvait une terreur implacable à l'idée de devoir sauter dans le vide et se jeter ainsi la tête la première dans les ténèbres et le néant.

– C'est quoi le plan, maintenant ? lança Will qui venait de rejoindre Drake et Elliott, lesquels s'étaient tus en le voyant arriver alors qu'ils étaient en grande conversation l'instant auparavant. On va vraiment sauter dans le Pore ? Et comment allons-nous déterminer si nous sommes assez bas pour trouver le passage ?

Will était furieux que Drake et Elliott le laissent ainsi dans l'ignorance, comme ils l'avaient fait à l'époque où ils les avaient secourus dans la Grande Plaine, Chester, Cal et lui-même. Après toutes les épreuves qu'ils avaient traversées, n'avait-il pas gagné le droit de savoir ce qu'ils comptaient faire ?

– Faute d'une autre solution, c'était bien mon idée de départ, répondit Drake qui avait perçu la colère dans la voix de l'adolescent. Je suis d'accord avec toi. Nos chances de tomber sur la bonne corniche, pile à la bonne profondeur, sont infimes, d'autant que nous n'avons pas de balise radio pour nous guider.

Drake extirpa un détecteur de la bourse accrochée à sa ceinture. On aurait dit un drôle de revolver doté d'un cadran sur le dessus et d'une petite antenne parabolique à la place du canon. Il pouvait détecter les signaux TBF, c'est-à-dire les ondes à très basse fréquence émises par les balises radio. Will avait déposé ces balises en différents points le long de la route qu'il avait empruntée avec le Dr Burrows et Elliott. Ils avaient en effet découvert par hasard une voie d'accès au monde intérieur lors de leur première descente.

– Ça fait un moment que je n'ai pas vu un truc comme ça, dit Will alors que Drake visait déjà le Pore en pressant sur la détente.

Le détecteur émit un unique clic avant de retomber dans le silence.

– Bizarre, dit-il. Il fonctionne correctement ? demanda Will d'un air préoccupé.

– Il devrait. N'oublie pas que la balise que tu as laissée à l'endroit où tu as sauté dans le second pore est très loin de nous, lui rappela Drake.

– Oui, c'était à côté de Jeanne la Fumeuse, dit Will, qui venait de se rappeler le surnom donné au second gouffre.

– Et je suis d'accord avec toi : une fois qu'on aura fait le saut de l'ange avec nos bombes nucléaires accrochées aux chevilles, c'est quitte ou double.

– Vous n'avez donc pas de plan, n'est-ce pas ? rétorqua Will d'un ton accusateur. Vous inventez tout ça au fur et à mesure ?

– C'est comme ça que ça marche, répliqua Drake.

– Waouh ! Trop cool, vraiment ! Vous ne savez absolument pas ce que vous allez faire ensuite, poursuivit Will en secouant la tête avec colère.

– Will, intervint Elliott en avançant la main pour lui toucher l'épaule, avant de l'inviter à regarder le sol dont les pierres avaient été pulvérisées par de lourds engins. Regarde un peu les traces qui se trouvent à tes pieds. De nombreuses machines coprolithes sont passées par là, et j'en vois même une au loin là-bas… de l'autre côté du Pore, dit-elle en regardant à travers la lunette de sa carabine. On devrait partir en reconnaissance, Drake et moi.

– Les Styx ont dû se servir de ces ballons pour monter et descendre dans le Pore, mais vu leur état, ils ont dû changer de méthode à un moment donné et je me demande ce qu'ils ont choisi. Est-ce qu'ils ont trouvé, voire *creusé* un chemin ? Will, je crois que nous nous devons de découvrir la vérité, non ? ajouta Drake en lui donnant une petite bourrade amicale. T'es satisfait, maintenant ? demanda-t-il en souriant au jeune garçon.

– Absolument, répondit Will tout sourire.

Le colonel Bismarck conduisit les étalons sur les traces qui contournaient le Pore. Assis à son côté dans le chariot, Will distingua bientôt l'excavatrice coprolithe dont le corps cylindrique d'acier cabossé brillait tel du mercure à travers la lentille de son casque. Ils s'approchèrent et le colonel tira sur les rênes pour freiner les chevaux. Cependant, ni Drake ni Elliott ne se trouvaient à côté de la machine.

– Où sont-ils passés ? demanda Will alors que Sweeney rattrapait le chariot. Et pourquoi ne gardent-ils pas le contact radio ?

– Attends-moi ici, répondit Sweeney, qui partit inspecter les lieux.

Au moment où il atteignit l'excavatrice, il disparut à son tour hors de vue. Au bout d'une vingtaine de minutes, les chevaux visiblement agités se mirent à frapper le sol de leurs sabots, puis Will entendit le grondement sourd d'un véhicule qui semblait lourd.

– Qu'est-ce que c'était ? demanda-t-il en inclinant la tête tout en regardant tout autour de lui. D'où est-ce que ça vient ?

– Là-bas ! s'écria le colonel en pointant un doigt.

À l'endroit où Will avait vu Sweeney pour la dernière fois se profilait une excavatrice coprolithe qui se dirigeait sur eux à toute allure, et le colonel peinait à maîtriser les chevaux. Le véhicule s'arrêta net, puis pivota sur lui-même à cent quatre-vingts degrés en éjectant des rochers sous les chenilles gigantesques qui lui permettaient d'avancer. L'écoutille arrière s'ouvrit, puis Elliott et Sweeney en débarquèrent dans un nuage de fumée émis par les tuyaux d'échappement de la machine.

– On a fait une petite balade ! lança Sweeney à Will.

Drake avait découvert l'excavatrice prête à l'emploi et le réservoir plein. Will ne fit aucune remarque, soulagé qu'ils aient trouvé un autre moyen de descendre, ce qui lui épargnerait de devoir sauter dans le Pore. Une fois le matériel à bord et bien arrimé, le colonel libéra les étalons, qui partirent au galop.

– J'espère qu'ils parviendront jusqu'à la gare, dit-il avec regret.

Tout le monde embarqua ensuite à bord de l'excavatrice. L'intérieur du véhicule se composait de métal martelé, recouvert de crasse à l'exception de quelques endroits brillants et polis par l'usure. Il y avait un cadran devant le poste de pilotage. Une lueur rougeoyante s'échappait d'un hublot qui servait à inspecter la chaudière.

Drake, qui était assis à l'avant du véhicule, enclencha un levier pour démarrer le moteur, puis il enfonça une pédale. L'excavatrice bondit en avant et Drake exécuta alors un demi-tour. Will rejoignit Elliott et Sweeney qui regardaient ce qui se passait par l'écoutille ouverte à l'arrière du véhicule, tandis que l'excavatrice s'engageait sur un plan incliné, tête de forage en avant.

– Sacrée galerie ! cria Will pour couvrir le vacarme du véhicule.

Elle devait en effet mesurer une centaine de mètres de haut et au moins autant de large.

– Les Styx ont raflé des Coprolithes et les ont forcés à creuser ce trou avec l'une de leurs mégamachines, répondit Elliott en hurlant à son tour. Mais regarde bien ce qui se profile devant toi !

Ils continuèrent à avancer avec fracas et dépassèrent des dizaines d'excavatrices garées sur le côté de l'immense galerie, puis ils virent ensuite des pelleteuses, sans doute destinées à évacuer les gravats et une longue file de remorques qui s'étirait derrière elles. Will n'avait jamais vu ce genre de véhicule auparavant, mais il se souvint de ce que lui avait dit Drake au sujet de ce peuple de mineurs hors pair. Ils creusaient la pierre en prenant bien soin de combler les fissures et les failles avec les gravats à mesure qu'ils avançaient. Ils considéraient la terre comme un être vivant et la traitaient avec respect en cherchant à causer le moins de dégâts possible par leurs excavations.

– Là-bas ! s'écria Sweeney en pointant du doigt un groupe d'une trentaine de Coprolithes qui tournaient en rond.

Même si leurs combinaisons renflées couleur champignon se fondaient presque dans le paysage de roches, la lumière des globes lumineux insérés dans les fentes ménagées permettait de les repérer.

– Et aussi des ex-Moustix, ajouta Sweeney.

Will vit les corps des Limiteurs étalés sur le sol et se tourna vers Elliott qui acquiesça. Une équipe de quatre hommes supervisait manifestement le travail des Coprolithes. Will se demandait si Drake ou Elliott avaient éliminé les soldats styx, lorsque Drake hurla soudain depuis l'avant du véhicule.

– Fermez l'écoutille et bouclez vos ceintures !

Une fois que tout le monde fut assis et bien attaché, il écrasa l'accélérateur. L'excavatrice pouvait atteindre des vitesses impressionnantes. Sweeney, Will et le colonel veillaient à alimenter régulièrement la chaudière à mesure qu'ils progressaient toujours plus avant au fond de cette nouvelle galerie.

À en croire le crépitement des balles qui frappaient l'épais cristal du pare-brise alors que les soldats styx tentaient en vain de stopper l'excavatrice, ils venaient de dépasser ce qui devait être un point de contrôle établi par les Limiteurs. Pendant ce temps, les passagers du véhicule riaient et levaient les pouces en signe de victoire.

Elliott occupait le poste du copilote au côté de Drake et vérifiait sans cesse le détecteur radar. Lorsque Drake leva le pied de l'accélérateur pour permettre à Sweeney de s'occuper de la chaudière, Will en profita pour défaire son harnais, quitter son siège et les rejoindre à l'avant.

– Nous sommes pile sur le signal ! cria Elliott en indiquant à Will l'aiguille qui frémissait sur le cadran du détecteur.

– S'ils ont creusé cette galerie jusqu'en bas, nous allons atteindre Jeanne la Fumeuse en un temps record ! commenta Drake en se penchant vers eux. Sans doute dans quelques heures !

– Mais il nous a fallu une semaine pour rallier Jeanne la Fumeuse depuis la cabane de Martha ! souligna Will.

– Vous avez suivi des lignes de faille naturelles, errant de-ci, delà, alors que ce trajet suit *la galerie creusée par la taupe.* C'est direct, conclut Drake.

•

Malgré les secousses du véhicule, Will s'assoupit sur son siège. Il ne savait pas combien de temps il avait dormi de la sorte, lorsque des cris l'arrachèrent brusquement à son sommeil. Il vit aussitôt qu'ils n'étaient plus sur une pente, mais se trouvaient à présent sur du plat, et c'est alors qu'il aperçut une zone bien éclairée derrière le pare-brise.

– C'est parti ! cria Drake en fonçant droit sur plusieurs Limiteurs postés devant une sorte de cabane.

Ils s'écartèrent de son passage d'un bond et l'excavatrice fit voler la structure en éclats.

– Droit devant ! cria Elliott en consultant le détecteur.

De multiples tirs vinrent frapper la coque de l'excavatrice, qui se retrouva soudain propulsée dans les airs par le souffle d'une explosion. Lorsqu'elle retomba enfin sur le sol, Drake poussait des cris entrecoupés d'éclats de rire, le pied rivé sur l'accélérateur, pulvérisant les affleurements rocheux qui se trouvaient sur son chemin.

Will aperçut alors un endroit qui lui était familier. Elliott pointait du doigt le grand rocher gravé où il avait dissimulé l'une des balises radio. Or, c'était précisément depuis cet endroit-là que son père s'était jeté dans le gouffre de Jeanne la Fumeuse. Elliott parlait à Drake, mais Will ne parvenait pas à saisir leur conversation. Il n'aurait toutefois jamais imaginé ce que Drake avait l'intention de faire ensuite. Les balles continuaient à fuser à l'arrière, si bien qu'ils ne pouvaient s'arrêter et encore moins rebrousser chemin. Ils avaient presque atteint le gouffre, mais Drake ne ralentissait toujours pas.

– Drake ? Qu'est-ce que vous ?... Drake ! hurla Will à tue-tête lorsqu'ils dépassèrent à toute allure le grand rocher où était dissimulée la balise radio.

Il n'y avait aucun doute sur ce point, car il distinguait nettement les séries de clics du détecteur que tenait Elliott à la main.

Le haut de l'excavatrice vint heurter le sommet de la brèche qui ouvrait sur Jeanne la Fumeuse, mais l'engin réduisit aussitôt la roche en poussière, et c'est alors que le sol se déroba sous eux. Ils tombaient dans le vide, ils étaient en chute libre. Drake coupa le moteur et ils entendirent le bruit du vent, tandis qu'ils basculaient lentement sur le côté.

– Restez bien attachés, au cas où on percuterait quelque chose, conseilla Drake.

Quelques pierres se mirent à flotter dans la cabine, à mesure que la gravité faiblissait. Will apercevait les veines de lave rougeoyantes sur les parois du gouffre.

– Espèce de vandale ! s'écria Will d'un ton jovial. Comment avez-vous pu faire ça ?

Chapitre Vingt-trois

L'excavatrice coprolithe plongeait toujours plus loin, quand elle traversa la pointe d'une corniche formée par un champignon dépassant de la paroi de Jeanne la Fumeuse. Le choc fit alors tournoyer le véhicule sur lui-même. En proie à des nausées de plus en plus violentes, ils perdirent alors tout repère.

Mais le pire était encore à venir.

L'excavatrice tournoyait sur elle-même et se rapprochait inexorablement de la paroi du gouffre. Ils observaient cette vue intermittente en retenant leur souffle, mais la collision qu'ils redoutaient tant fut évitée. Cependant, étant donné la proximité de la roche en fusion, la température à l'intérieur de la cabine se mit à grimper. Will commençait à se demander s'ils n'allaient pas rôtir sur leurs sièges, lorsque fort heureusement l'excavatrice finit par s'éloigner des veines de lave et retrouva le centre du gouffre. Ils poursuivirent ainsi leur chute, s'approchant toujours plus du fond de Jeanne la Fumeuse, quand le véhicule se rétablit enfin et cessa de virevolter dans les airs.

Ils entendirent à plusieurs reprises l'écho des débris en suspension qui percutaient la coque. Ils auraient pu se croire à bord d'un vaisseau spatial qui traversait une ceinture d'astéroïdes. L'excavatrice s'immobilisa enfin avec fracas. Un grondement incessant se réverbéra alors dans l'ensemble du véhicule. Au moins leur chute avait-elle pris fin.

– Tout le monde va bien ? demanda Drake qui s'était détaché de son siège et flottait vers l'écoutille arrière. Que quelqu'un réveille Sparks ! s'exclama-t-il alors.

Will défit sa ceinture et se dirigea vers l'homme imposant pour lui donner un petit coup.

– On est déjà arrivés ? demanda Sweeney en bâillant.

– Je n'y crois pas, marmonna Will, puis il se rapprocha de Drake qui se trouvait à côté de l'écoutille.

Drake enclencha la poignée et ouvrit le panneau arrière. Le grondement devint assourdissant à l'intérieur de la cabine. Elliott, Sweeney et le colonel les rejoignirent et virent alors des rochers arrondis qui bondissaient de haut en bas comme autant de pommes qu'on aurait plongées dans un tonneau rempli d'eau.

– Bien, dit Drake après avoir refermé l'écoutille pour mieux se faire entendre. Nous allons nous attacher les uns aux autres, et nous pourrons alors traverser ta fameuse zone d'apesanteur, Will.

– Hum, il y a deux choses à savoir sur cette zone, commença le jeune garçon avec nervosité. D'abord, elle est gigantesque, et puis il faut aussi franchir ce truc que mon père appelait la Ceinture de cristal. Je ne sais vraiment pas si je serai capable de retrouver le chemin.

Drake, qui tenait encore le détecteur à la main, le lâcha soudain. Il lui laissa décrire plusieurs tours sur lui-même avant de le rattraper.

– Délire ! commenta Sweeney. Je ne suis jamais allé dans l'espace.

Drake déplaça le détecteur jusqu'à ce qu'il émette une série de clics, l'aiguille réagissant au puissant signal qui provenait du plancher de l'excavatrice.

– C'est la balise que tu as laissée à côté du sous-marin russe, dit-il.

– On a atterri la tête en bas ! observa Elliott.

Étant donné l'absence de gravité qui régnait au fond des entrailles de la Terre, cela ne faisait aucune différence. Drake orienta son détecteur dans le sens opposé, c'est-à-dire vers le toit de l'excavatrice. Même si le signal était beaucoup plus faible, l'appareil réagit malgré tout.

– Et là, il doit s'agir de la balise que tu as déposée dans la brèche située de l'autre côté de la zone d'apesanteur, et c'est par là que nous accéderons au monde intérieur du colonel. On ne pourrait pas faire plus simple.

– J'imagine, soupira Will, qui n'était toujours pas convaincu.

– À quoi d'autre pensais-tu, sinon ? demanda Drake.

– On ne peut pas traverser avec la machine coprolithe ? suggéra Will. Ce serait plus sûr.

– Elle est lourde et je veux économiser les propulseurs des réacteurs, répondit Drake. Mieux vaut voyager léger.

À ces mots, ils se préparèrent pour la traversée. Tels des naufragés, ils étaient tous encordés au radeau de fortune que formaient les deux engins nucléaires et le reste du matériel qu'ils avaient fagotés ensemble. Ils sortirent alors de l'excavatrice avec Will et Drake aux commandes. Will orienta son réacteur dans la direction que lui indiqua Drake d'un geste du doigt, car ils ne pouvaient s'entendre à cause du vacarme de la Ceinture de cristal. Puis il ouvrit très légèrement les gaz.

Une flamme bleue jaillit de la cheminée, mais ils partirent dans le sens opposé. Après plusieurs autres tentatives, Will finit par mieux maîtriser le réacteur et contourna l'amas de roches en suspension au milieu desquelles s'était immobilisée l'excavatrice. Ils quittèrent alors Jeanne la Fumeuse, filant vers l'immensité du vide. Les lueurs de la Ceinture de cristal scintillaient au loin, à une distance inimaginable.

Will et Drake se relayaient aux commandes des réacteurs, tandis qu'Elliott vérifiait sans cesse leur direction à l'aide du détecteur radar. Will passa au large de la Ceinture de cristal, comme il l'avait fait avec le Dr Burrows lors de leur premier voyage. Les réacteurs étaient bien plus efficaces que le retour du Sten. Will n'avait aucune idée de la vitesse à laquelle ils se déplaçaient, mais le vent qui leur fouettait le visage était si fort qu'il en avait le souffle coupé.

Plusieurs heures durant, ils contournèrent ainsi les sublimes lumières de la Ceinture de cristal, quand Will repéra enfin la colonne de lumière émise par les rayons du Second Soleil dans le lointain. Ils réussiraient donc à atteindre le monde intérieur.

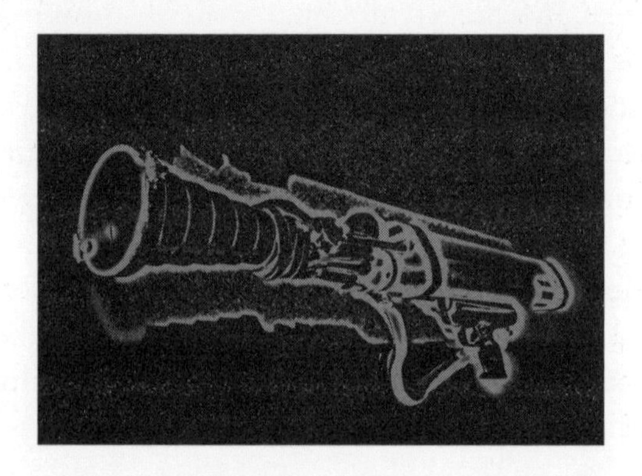

Chapitre Vingt-quatre

Une fois hors de la zone d'apesanteur, ils entrèrent dans la brèche conique. À la lumière du Second Soleil, tout semblait se vêtir de reflets moirés comme s'ils se trouvaient sous l'eau. Will continuait à actionner son réacteur pour maintenir une vitesse constante, tandis qu'Elliott vérifiait le cadran de son détecteur. Ils ne pouvaient toutefois percevoir les clics de l'appareil, car le grondement sourd de la zone d'apesanteur continuait à couvrir tous les autres sons.

Une demi-heure plus tard, Drake leur indiqua qu'il était temps de se rapprocher des flancs du gouffre. À peine eurent-ils atterri que Sweeney et Drake se détachèrent du radeau pour installer l'une des bombes derrière un gros rocher, auquel ils l'arrimèrent à l'aide d'une corde. Drake ouvrit aussitôt un panneau sur le côté pour armer la bombe.

– On y est arrivés ! soupira Elliott d'une voix lasse en s'allongeant parmi les éboulis.

– Ouais, je n'aurais jamais cru qu'on reviendrait ici, dit Will en s'affalant à son côté.

Ils partagèrent une barre chocolatée qu'ils complétèrent en buvant quelques gorgées d'eau de leur gourde, lorsque s'éleva soudain un gargouillis sonore.

– Oh, gémit Will en détournant le regard avec embarras. Ça m'a encore retourné l'estomac.

– À moi aussi, répondit Elliott en riant. C'est la faible gravité, n'est-ce pas ?

Will ne répondit pas et regarda tout autour de lui, en quête de quelque élément familier dont il se souviendrait depuis la dernière fois qu'ils étaient venus. Il songea à la corniche où Elliott, le Dr Burrows et lui-même avaient atterri avant de céder à l'épuisement, sombrant aussitôt dans un profond sommeil.

Will observa les petites plantes alpines qui l'entouraient. Elles s'accrochaient aux éboulis grâce à des systèmes racinaires tentaculaires, semblables à un fuseau de coton qu'on aurait dévidé. Il y avait aussi de nombreux arbres nains aux troncs torturés. Étant donné l'abondance de la végétation, ils avaient largement dépassé la corniche qu'il cherchait. Lorsqu'il comprit enfin qu'il était futile d'essayer de retrouver quoi que ce soit de familier dans une étendue aussi vaste, il ferma les yeux.

– Tu penses au Doc ? lui demanda Elliott d'une voix douce.

– Le Doc ? dit-il en rouvrant les yeux.

Il lui fallut quelques instants pour comprendre ce dont voulait parler Elliott. C'était en effet le surnom qu'elle employait avec Drake pour désigner le père adoptif de Will.

– J'imagine que non, conclut Elliott faute d'obtenir une réponse de sa part.

– Non, et tu sais… je ne pense plus beaucoup à lui, admit Will. C'est bizarre, mais toi tu viens tout juste de retrouver ton père, et j'ai plus ou moins l'impression que le mien a disparu à jamais. Si toutes ces années d'exposition à la Lumière noire ont fait de lui ce qu'il était, cela signifie que ce n'était pas vraiment lui qui agissait ou parlait ainsi… et il ne me semble plus aussi… poursuivit Will en fronçant les sourcils, cherchant le mot juste… important… Bref, il ne compte plus autant pour moi, conclut-il.

– C'était ton père malgré tout, lui rappela Elliott.

Drake referma enfin le panneau du boîtier qui contenait l'arme nucléaire, puis il revissa bien les écrous avant de rejoindre le reste du groupe. Sweeney et le colonel avaient passé un harnais autour de l'autre bombe pour en faciliter le transport.

– Bien, bien, dit Drake en décrochant le détonateur radio de sa ceinture pour enfoncer une série de boutons. Paré ? demanda-t-il à Sweeney qui avait un détonateur identique à la main.

– Paré, confirma Sweeney.

– Bien. Et voilà une bombe prête pour aller danser le rock'n'roll, annonça Drake.

– *Was is das,* rock'n'roll ? demanda le colonel.

– Oh, désolé, je voulais juste dire que la bombe était armée, expliqua Drake. J'ai également pris la précaution d'installer un fusible sur le panneau d'inspection pour le rendre inviolable. Si jamais les Styx venaient à s'aventurer jusqu'ici et tombaient sur notre petite surprise, ce qui est fort peu probable, elle détonerait à l'instant même où ils essaieraient de l'ouvrir ou de la déplacer… et voilà le travail ! Cette ouverture ne sera plus qu'une énorme masse de silice fondue que rien ne pourra plus jamais traverser. Même si de toute façon ce n'est pas une route viable pour remonter à la surface, ajouta Drake en scrutant les ténèbres de la zone d'apesanteur.

– Et l'autre bombe ? demanda Elliott.

– Le colonel Bismarck et toi connaissez le terrain, et je veux que vous nous aidiez à retrouver le passage des Anciens, répondit Drake en plissant les yeux face au soleil. Si on pousse les deux réacteurs à plein régime, on pourra remonter la pente aussi haut que possible, et de là on transportera la bombe à dos d'homme. Dieu soit loué pour la gravité réduite !

Les réacteurs furent en effet bien utiles, mais lorsque les poussées fréquentes ne suffirent plus à contrer la force d'attraction de plus en plus puissante, tout le monde dut mettre la main à la pâte. Tour à tour et par équipes de deux, ils transportèrent l'arme nucléaire le long du plan incliné à quarante-cinq degrés et il leur fallut une bonne douzaine d'heures avant d'arriver à l'immense cratère qui marquait le sommet du gouffre.

– Nous y voilà, dit Drake en chaussant une paire de lunettes de soleil. J'espère que vous avez pensé à emporter de la crème solaire.

Ils étaient tous couverts d'une poussière rouge, tellement épuisés et perclus de crampes après cette ascension qu'ils tenaient à peine debout. Sweeney s'étira le dos en grognant. Il retira son chapeau pour s'éponger le front, et c'est alors qu'il perçut toute la puissance du globe incandescent qui brillait dans le ciel au-dessus de lui.

– C'est sacrément intense, bon sang ! souffla-t-il. Pire que sous ces fichus tropiques.

– Bienvenu dans le jardin du Second Soleil, dit Will. Ou d'après ce que pensait mon père, au jardin d'Éden.

– C'est loin de l'idée que je m'en faisais, bon sang ! répondit Sweeney d'une voix plaintive en remettant son chapeau, puis il scruta les contreforts alentour couverts de bouquets d'arbres épars.

– Essayez donc de sauter, suggéra le colonel en se tournant vers Drake et Sweeney.

Les deux hommes le regardèrent pendant un instant, puis Sweeney s'accroupit et bondit dans les airs, atteignant au moins trois fois la hauteur qu'il avait jamais franchie en Surface. À peine était-il retombé sur le sol qu'il se mit à glousser et sauta encore plus haut cette fois à la faveur de ses jambes puissantes. Il retomba sur ses pieds avec l'air d'un écolier ravi.

– Peut-être bien que cet endroit n'est pas si mal après tout, dit-il tout sourire.

Drake, Elliott et le colonel Bismarck s'éloignèrent avec l'arme nucléaire pendant que Sweeney cherchait un endroit où il pourrait les attendre avec Will. Il choisit une dépression sur le flanc du contrefort le plus proche. Ils n'y étaient pas vraiment à l'abri du soleil, mais au moins ils ne se trouvaient pas complètement à découvert si jamais les Styx décidaient de les poursuivre.

Il ne fallut pas longtemps à Elliott pour repérer le fleuve qui devait les conduire à la chute d'eau et à l'entrée du passage des Anciens, mais à peine avaient-ils émergé de la jungle qu'ils s'immobilisèrent d'un coup. On avait construit un barrage, sur la chute d'eau qui protégeait l'entrée du passage et se jetait dans un bassin idyllique aux eaux iridescentes, au-dessus desquelles voletaient des libellules. Il avait disparu lui aussi, mais ce n'était pas ce qui les avait arrêtés dans leur marche.

Aussi loin que portait le regard, les arbres avaient été abattus, et la jungle transformée en une série de champs de boue durcie, sur lesquels étaient stationnés un nombre incalculable de chars d'assaut, de véhicules de transport des troupes, de canons à gros calibre et d'avions militaires. Ils étaient tous bien alignés en rangs, comme s'ils étaient parés à s'engager dans la galerie d'un instant à l'autre.

– Mon armée… murmura le colonel Bismarck en secouant la tête d'un air incrédule.

– Encore un peu et nous arrivions trop tard, dit Drake. Une fois que les Styx auraient terminé d'élargir le passage, cette petite troupe serait remontée jusqu'en Surface pour servir de jouets à la classe des Guerriers styx. Il y a forcément des sentinelles postées un peu partout. Il faut qu'on entre et qu'on sorte aussi vite que possible, indiqua Drake, qui scrutait déjà l'horizon derrière les rangées de matériel.

Drake et le colonel transportèrent la bombe jusqu'à l'intérieur du passage, pendant qu'Elliott faisait le guet. Après être revenu sur ses pas, Drake enfonça à nouveau toute une série de boutons sur son détonateur radio pour armer la bombe.

– Rock'n'roll ? demanda le colonel Bismarck.

– Tout est paré, acquiesça Drake. Allons retrouver Will et Sparks au point de rendez-vous, et on pourra rentrer à la maison ensuite.

– Je suis *déjà* chez moi, souligna le colonel Bismarck.

Will et Sweeney avaient entendu des grondements de tonnerre dans le lointain, quand retentit soudain un claquement tonitruant, suivi d'un éclair aveuglant d'une telle intensité bleue qu'il était visible malgré la lumière du soleil.

– Waouh ! Quel boucan ! dit Sweeney en posant la main sur le côté de sa tête. Ça m'a sacrément secoué les condensateurs.

– La foudre vous affecte aussi ? demanda Will.

– Seulement en cas d'orage électrique, répondit Sweeney.

– Mais il y en a plein dans le coin, lui dit Will. Ça va aller ?…

– Attends un peu, l'interrompit Sweeney en extirpant son talkie-walkie de sa poche pour en consulter le petit écran à cristaux liquides. C'est Drake. Ils ne sont plus très loin. Le spectacle va bientôt commencer.

– Et dire qu'on vient juste d'arriver, dit Will, mais aussi fatigué fût-il, il était absolument ravi que leur mission soit bientôt terminée. Ils allaient enfin quitter le monde intérieur.

Will et Sweeney enfilèrent leurs sacs à dos sur leurs épaules et prirent la direction du cratère. Le vent se leva et des nuages noirs et menaçants obscurcirent le soleil. Sweeney repéra Drake et les autres qui émergeaient de la limite des arbres dans le lointain. Les deux groupes se retrouvèrent au bord du cratère, sous une grosse averse tropicale.

– Beau temps pour la saison, plaisanta Drake dès qu'ils furent à portée de voix, puis il retira ses lunettes de soleil et cligna des yeux, car il avait la vue troublée par la pluie.

– Pas de problèmes avec les indigènes ? demanda Sweeney.

Drake s'empressa d'informer Will et Sweeney de ce qu'ils avaient vu et leur parla de tout le matériel néo-germain que les Styx s'apprêtaient à acheminer en quantité vers la surface.

– On devrait pouvoir faire échec aux plans des Styx en scellant le passage une bonne fois pour toutes, dit-il. Il leur faudra plusieurs décennies pour dégager la galerie creusée par les Anciens, car la roche sera trop radioactive.

Il pleuvait à seaux et de grosses flaques se formaient déjà sur le sol. À moins d'une centaine de mètres de là, une décharge électrique aveuglante vint frapper la terre avec une telle puissance qu'elle y creusa un petit cratère grésillant.

– Bon Dieu ! cria Sweeney en se frappant le front.

– Et si on descendait là-bas ? suggéra Drake en jetant un coup d'œil au cratère par-dessus son épaule avant de se tourner vers Sweeney, l'air soucieux.

– Je ne viens pas, annonça brusquement le colonel qui criait pour se faire entendre par-dessus le bruit du vent et des pluies torrentielles. C'est mon pays. Je veux tenter de sauver ce que je peux.

– Mais comment allez-vous vous y prendre, colonel ? demanda Drake. À vous seul ?

– J'ai une Purge de Danforth dans mon sac à dos. J'arriverai peut-être à déprogrammer mes hommes en assez grand nombre pour pouvoir attaquer les Styx.

– Bonne chance, lui dit Drake en s'avançant pour lui serrer la main. Les radiations émises par les bombes devraient être minimes ici, ajouta-t-il, mais tenez-vous le plus loin possible de l'explosion, juste au cas où. Vous avez assez de temps pour vous éloigner, car je n'actionnerai pas le détonateur avant que nous ne soyons déjà largement engagés dans la zone d'apesanteur. Je...

Drake ne termina jamais sa phrase. Un coup de feu venait de retentir. Le colonel Bismarck regarda son torse, d'où jaillissait du sang pour se mêler aussitôt à l'eau de pluie. Le tir était précis. On l'avait frappé en plein cœur. La blessure était mortelle, cela ne faisait aucun doute. Alors qu'il s'effondrait sur le sol, ils se retournèrent tous pour voir d'où était parti le coup.

– Personne ne détonera rien du tout ! dit Rebecca.

– Non ! souffla Will.

Comme si la présence de la jumelle styx ne suffisait pas, Vane se tenait à son côté. C'était la première fois que Will ou Elliott voyaient une femme styx. Ils écarquillèrent les yeux en découvrant ses joues gonflées par les trois ovipositeurs qui se tortillaient comme autant de serpents, sans parler de la maigreur de ses membres. Elle n'avait plus que la peau sur les os alors que son abdomen était incroyablement distendu. Elles étaient escortées par quatre Limiteurs qui tenaient Will et les autres en joue.

– Vous ne nous avez pas vus arriver, n'est-ce pas ? dit Rebecca d'un ton obséquieux. Tout ça manque de rigueur, Drake.

Ils avaient dû approcher en passant par l'intérieur du cratère, songea Will. Il y avait probablement un Drache Achgelis, ce drôle d'hélicoptère à double rotor, caché dans la jungle non loin d'eux.

– Ravi de vous rencontrer enfin en personne, répondit Drake d'une voix tendue.

Il portait son fusil d'assaut en bandoulière et il avait les mains dans les poches. Will n'arrivait pas à croire qu'il pût se montrer aussi peu nerveux compte tenu des circonstances.

– Comment avez-vous su que nous étions ici ? Vous avez capté les signaux radio ? demanda Drake.

Rebecca secoua la tête.

– C'est moi, dit Vane dont les lèvres noires et gercées écumaient d'un fluide translucide. J'ai senti l'odeur d'une autre chienne en chaleur, ajouta-t-elle en regardant Elliott. Pourquoi ne viens-tu pas avec nous pour participer à la Phase ?

– Moi ? articula Elliott sans émettre le moindre son.

– Mince alors, la gargouille sait donc parler ! s'exclama Sweeney en lançant un sourire à l'adresse de Vane.

Le visage déformé par la colère, Vane se cabra en agitant trois paires de membres insectoïdes vers Sweeney.

– Tiens, voilà encore un nouveau truc, murmura Will lorsque Elliott lui lança un coup d'œil.

– Je… le… veux ! rugit Vane en regardant Sweeney alors que l'un des ovipositeurs se redressait dans sa bouche. Je veux déposer mes bébés à l'intérieur de son corps.

– C'est une offre qui ne se refuse pas, gloussa Sweeney sans la moindre trace de joie.

Face à une telle impertinence, Vane se mit à fouetter l'air de ses membres insectoïdes.

– Tout vient à point, Vane, dit Rebecca en posant une main sur le bras de la femme styx. Bien, nous sommes tous des professionnels, et je ne crois pas vous surprendre en vous demandant de déposer vos armes. Mes hommes vous tiennent en joue, alors pas d'entourloupe !

Pensant que tout était fini, Will et Elliott s'apprêtaient à obéir lorsque Drake prit tout à coup la parole. Il avait sorti les mains de ses poches.

– Non, dit-il.

– Oh, je vous en prie, soupira Rebecca d'un air las. Inutile de nous éterniser. Vous ne pouvez pas vous échapper, et j'ai un autre détachement en route. Voyez par vous-mêmes si vous ne me croyez pas.

Ils s'exécutèrent et virent une quarantaine de soldats néo-germains qui couraient en formation sur le flanc du cratère avec un Limiteur à leur tête. Ils n'étaient qu'à quelques minutes de là.

– Non, je n'obéirai pas à vos ordres, rétorqua Drake en levant lentement les bras sous la pluie battante. Je tiens le détonateur dans cette main-ci, dit-il froidement. Une simple pression et les bombes explosent. Vous vous retrouverez alors piégés dans ce monde à jamais. Et si vous croyez pouvoir m'arrêter d'une balle, regardez un peu ce que Sparks tient dans sa main.

Sweeney brandit un détonateur identique à celui de Drake.

– Et si ça ne vous suffit pas, dans l'autre main, j'ai un petit truc spécial… tout droit sorti de vos Laboratoires, dit Drake en révélant le petit tube à essai dans lequel se refléta la lueur d'un éclair bleu.

– Qu'est-ce que c'est ? demanda Rebecca, désormais tout ouïe.

– Je l'ai piqué dans l'une des chambres fortes de vos Laboratoires avant de raser le bâtiment. J'avais entendu des rumeurs en écoutant les scientifiques qui parlaient d'un truc de ce genre. Vous savez combien les universitaires aiment à se vanter, poursuivit-il en agitant le tube à essai pour en faire tournoyer le liquide. Mon ami immunologue prétend qu'il s'agit du plus virulent pathogène qu'il ait jamais rencontré. L'idée même de le laisser s'échapper lui donne des frissons, car ce virus est capable d'anéantir à peu près toutes les formes de vie complexes de la planète. Est-ce pour ça que vos scientifiques ne l'ont jamais déployé ? Parce qu'il ne fait pas de détail et tue aussi les Styx ? ajouta Drake avec un sourire. Ça ne te rappelle pas quelque chose, Becky, ma chérie ?

– Je t'interdis de m'appeler comme ça ! rétorqua-t-elle, furieuse, mais elle avait néanmoins cessé de fanfaronner.

– En outre, mon ami Charlie l'a trafiqué. Grâce à quelques manipulations génétiques, ce virus se transmet non seulement par l'eau, mais aussi par voie aérienne. Une fois dispersé par les vents, il tue en l'espace de quelques heures. Sacrément méchant, dit Drake en haussant les sourcils. Mais au fait, vous avez un vaccin ? Non ? C'est bien ce qu'il me semblait. Quel dommage… car nous sommes tous immunisés.

– Tu bluffes, dit Rebecca, puis elle se tourna vers Vane. Il bluffe. Il n'emploiera pas ce virus, car il pourrait remonter jusqu'à la Surface. Il ne prendra pas un tel risque. Je me fiche pas mal de ce que tu racontes, car je ne reculerai pas, Drake. Échec et mat, on dirait bien.

Tout à coup, une faille sembla s'ouvrir derrière deux Limiteurs. Will aperçut brièvement un homme d'une extrême maigreur à la barbe en bataille et au visage blême. Prenant le premier des Limiteurs par surprise, il lui trancha aussitôt la gorge.

– Jiggs ! s'exclama Drake.

En revanche, le second Limiteur eut le temps de se défendre et les deux hommes basculèrent soudain dans le cratère pour disparaître hors de vue. Sweeney profita de cette diversion pour franchir la distance qui le séparait des deux autres Limiteurs avec une vitesse surhumaine. Il les désarma avant d'arracher la tête de l'un d'eux à mains nues. Tout se produisit en un éclair, et Will crut bien un instant que la voie était enfin libre.

– Tu ne vas pas t'en tirer cette fois-ci, Will, lui lança cependant la jumelle styx. Pas cette fois-ci.

Will s'immobilisa d'un coup. Rebecca s'apprêtait déjà à presser la détente pour l'abattre, mais Drake réagit aussitôt.

– Sparks ! cria-t-il en lui lançant le tube à essai pour se jeter en travers de la trajectoire de la balle qu'il intercepta avec l'épaule.

Il avait toutefois pris assez d'élan pour atteindre Rebecca. Alors même qu'elle ajustait son second tir, Drake l'entraîna avec lui au fond du cratère.

Pendant ce temps, Vane était entrée en lice, mais elle avait jeté son dévolu sur Elliott. La femme styx bondit sur la jeune fille et la renversa sur le sol, cherchant à lui fourrer un ovipositeur dans la bouche. Will avait mis son Sten en joue et tentait de trouver un angle de tir pour abattre la femme styx, mais, consciente du danger, Vane ne cessait de rouler sur le sol, entraînant Elliott avec elle. Will finit par lâcher son arme pour tenter de briser l'emprise de cette femme à mains nues. Mais comme mus d'une volonté propre, ses membres insectoïdes fouettaient l'air en cherchant à l'atteindre, tels des fils de fer barbelés doués de vie. Alors que Will cherchait à s'approcher de Vane, elle lui lacéra le visage et lui ouvrit une plaie sur la joue. C'est alors qu'un ovipositeur s'enfonça dans la bouche d'Elliott, qui poussa un cri de panique inarticulé tandis qu'un sac d'œufs glissait le long du tube.

– Viens un peu par ici, ma blonde ! rugit Sweeney en attrapant Vane, emprisonnant ses membres insectoïdes dans son énorme poing avant de soulever de terre la femme styx qui agitait ses jambes dans le vide, impuissante.

Sweeney se tourna vers le Limiteur styx et les troupes néo-germaines en brandissant Vane bien haut. Telle une créature surnaturelle, la femme styx poussait des gémissements stridents, dispersant son fluide tout autour d'elle.

– Rebroussez chemin tout de suite, ou j'écrase ce laideron sous mon pied ! cria-t-il.

Le Limiteur hésita.

– Dégage, Moustix ! cria encore Sweeney en secouant Vane d'un air menaçant. Je ne vais pas te le dire deux fois !

Le Limiteur ne savait pas vraiment ce qui venait de se passer, mais en l'absence d'ordres contraires, il ne pouvait mettre la vie de Vane en danger, c'est pourquoi il fit marche arrière, entraînant l'escadron de Néo-Germains à sa suite.

– Drake ! souffla Elliott en se relevant.

Will et Elliott se précipitèrent au bord du cratère pour en scruter les parois. Drake et Rebecca avaient chuté loin en contrebas et ils continuaient à se battre.

Ils dévalaient la pente à une vitesse vertigineuse et s'enfonçaient toujours plus loin dans le gouffre. Drake souffrait d'une fracture au niveau de l'épaule et n'avait donc plus l'usage de son bras. Il avait la main engourdie et ses doigts ne répondaient plus, mais il n'avait pas lâché le détonateur pour autant. Il tentait d'empêcher Rebecca de lui tirer dessus en se servant de son seul bras valide. Cependant, il perdait beaucoup de sang et commençait à entrer en état de choc. Au prix d'un ultime effort, il parvint à lui arracher son revolver des mains, l'envoyant valser plus bas, mais elle chercha aussitôt à lui crever les yeux en lui labourant le visage de ses ongles.

Drake aperçut brièvement les flancs du gouffre qui formaient une masse indistincte et rougeâtre, et c'est alors qu'il comprit qu'ils étaient tombés très bas. Il n'était probablement plus très loin de la bombe nucléaire qu'il avait placée là, mais il ne savait pas si Sweeney actionnerait le détonateur alors qu'il se trouvait encore dans le périmètre de l'explosion. Et il ne pouvait prendre un tel risque.

À cet instant, Drake sut qu'il allait sans doute perdre la vie.

Rebecca l'empêchait d'atteindre le détonateur de sa main encore valide, mais il fallait qu'il y arrive coûte que coûte. Il se souvint tout à coup du réacteur qui était encore accroché à son sac à dos. Cessant de se protéger le visage pour parer les attaques brutales de la jumelle styx, il parvint à détacher le réacteur qu'il alluma aussitôt. Le mélange de propulseurs était encore réglé sur la puissance maximale, comme la dernière fois qu'il s'en était servi, si bien qu'ils se mirent à dévaler les flancs du gouffre à tombeau ouvert.

Drake modifia l'angle du réacteur et ils se mirent à tournoyer sur eux-mêmes. Son bras inerte entra alors dans son champ visuel et le détonateur était enfin à portée de main. Ils se déplaçaient encore à une vitesse phénoménale lorsqu'il coupa les gaz et extirpa l'appareil de ses doigts engourdis. Ils avaient presque atteint la zone d'apesanteur, et Drake savait qu'il était encore beaucoup trop près de la bombe nucléaire, mais cela n'avait plus d'importance à présent.

Il enclencha le bouton d'armement.

Le détonateur que tenait Sweeney à la main émit un bip à l'instant où il reçut le signal radio.

– Bombe ! hurla-t-il à l'attention de Will et d'Elliott en jetant un coup d'œil sur l'appareil. Dégagez d'ici !

Ils n'allaient certainement pas discuter ses ordres et ils s'empressèrent de s'écarter du cratère, aidés dans leur fuite par la faible gravité.

– Content de t'avoir connue, Becky, dit Drake à la jumelle styx alors qu'ils quittaient déjà le cratère et s'engouffraient dans la zone d'apesanteur à une vitesse toujours aussi phénoménale.

Rebecca vit qu'il souriait, puis elle remarqua qu'il avait le doigt posé sur le bouton du détonateur. Drake ne lui laissa pas même le temps de protester et relâcha la pression. Un éclair aveuglant embrasa le ciel avec la puissance de mille soleils.

Sweeney jeta la femme styx devant lui.

– Je n'aurai pas le temps de filer, dit-il en se rapprochant de son visage. L'impulsion électromagnétique va faire griller tous mes circuits.

Il contempla les ovipositeurs dégoulinants de fluide qui se tortillaient dans sa bouche. Il aurait sans doute dû la tuer, mais à cet instant, la vie lui était devenue sacrée, quelle qu'elle fût.

– Donne-moi un dernier baiser, ma chérie... murmura-t-il.

Lorsque la bombe nucléaire explosa au fond du gouffre, Sweeney fut balayé par l'onde électromagnétique. Les fils chauffés à blanc lui brûlèrent la peau du visage tandis que deux petites colonnes de fumée s'échappaient de ses oreilles. Puis, au moment où les circuits de son crâne atteignirent un stade critique, sa tête explosa d'un seul coup. Tel un arbre immense que l'on aurait abattu, Sweeney bascula en avant, entraînant la femme styx dans sa chute.

La terre se mit à trembler, et un torrent de poussière et de débris jaillit du cratère pendant une fraction de seconde alors que le fond du gouffre s'effondrait sur lui-même. Vane cherchait déjà à s'extirper de sous le corps massif de Sweeney en gloussant. À part quelques côtes cassées, elle pensait avoir échappé à la mort. Mais la réplique causée par l'explosion avait couvert le minuscule tintement du verre brisé au moment où Sweeney s'était effondré sur le sol, écrasant le tube à essai qu'il avait rangé dans sa poche revolver.

Lorsque le général des Limiteurs arriva sur les lieux une demi-heure plus tard, Vane avait déjà la peau craquelée de lésions et crachait du sang. Lorsqu'il lui demanda des explications sur ce qui s'était passé, elle était trop fiévreuse et délirante pour lui répondre. Il en conclut tout naturellement qu'il devait s'agir du mal des rayons, du moins jusqu'à ce que le Limiteur styx et la garnison de Néo-Germains qui se trouvaient non loin du cratère se mettent à présenter des symptômes identiques. En effet, ils étaient théoriquement trop loin pour que le rayonnement les affecte aussi grièvement.

Comme l'ensemble des soldats, Vane périt en l'espace d'une douzaine d'heures. Le général des Limiteurs s'effondra à son tour et trouva la mort peu de temps après son retour dans la ville de Nouvelle-Germanie.

Pendant ce temps, porté par les vents secs, l'agent pathogène se répandait toujours plus loin dans le monde intérieur.

Chapitre Vingt-cinq

Assise à la table de la cuisine, Stephanie feuilletait un magazine qu'elle avait lu et relu.

– Des nouvelles ? demanda-t-elle avec impatience en relevant la tête au moment où son grand-père entrait dans la pièce.

– J'ai parlé à Parry, mais j'ai bien peur qu'il n'ait reçu aucune nouvelle pour le moment, répondit Old Wilkie en posant son téléphone satellite sur le buffet.

– Rien du tout ? On ne sait donc toujours pas si Will va bien ?

Son grand-père secoua la tête, puis il ouvrit son sac pour en extraire les deux lapins qu'il venait de tirer et les étala sur la table. Stephanie tordit le nez de dégoût.

– Comment va Chester ? demanda Old Wilkie.

– Toujours pareil. Il reste assis là à ne rien faire, comme toujours, répondit-elle.

– Et ces bouquins que j'ai trouvés pour lui ? Parry prétend qu'il aime bien lire.

– Il est… enfin bref, quoi. Je peux pas lui en vouloir, cela dit. J'ai commencé à en lire un qui s'intitule *La Taupe de Highland*, ou un truc du genre. Tu parles d'une histoire à dormir debout !

Stephanie secoua la tête, puis elle baissa les yeux et recommença à lire l'article du magazine qu'elle avait pourtant lu des dizaines de fois : « *X-Factor*, l'avenir de *Britain's got Talent* ».

– Il aime ce genre de romans, contra Old Wilkie. Tu veux bien aller lui tenir un peu compagnie ? Essaie de le faire parler.

Stephanie poussa un soupir, referma son magazine d'un coup et se leva de table. Arrivée devant la porte, elle l'entrebâilla légèrement et vit Chester qui regardait fixement par la fenêtre, les yeux rivés sur le ciel au-dessus de la mer. Chester s'empressa de reprendre le livre qui gisait sur ses genoux en la voyant entrer, et feignit de ne pas l'avoir remarquée, comme s'il était plongé dans l'histoire.

Stephanie l'observa quelques instants. Il avait perdu beaucoup de poids au cours des mois qu'il avait passés dans la maison de campagne. Depuis les falaises du Pembrokeshire, la vue était spectaculaire, mais il ne s'aventurait jamais dehors. Il aurait pourtant apprécié l'endroit auparavant et serait même parti faire de longues promenades le long des sentiers côtiers. Mais ce n'était plus le cas. Il ne voulait parler à personne, ni à elle ni à quiconque. Il voulait juste qu'on le laisse seul avec son chagrin. Stephanie rebroussa donc chemin et rejoignit son grand-père qui était en train de vider un lapin dans la cuisine.

Perché au sommet de la pyramide qui se dressait au plus profond de la jungle, Will regardait dans la direction où se trouvait la ville de Nouvelle-Germanie.

– Je ne veux plus jamais y retourner. Jamais plus. C'était atroce.

– Ne dis pas ça, Will, lui dit Elliott en se rangeant à son côté. On aura peut-être encore besoin d'aller chercher des vivres.

Elle n'avait pas l'air ravi non plus à l'idée de devoir effectuer une autre expédition pour récupérer des conserves et des vêtements dans les boutiques où régnait un silence de mort. Ils avaient parcouru ensemble les rues désertes où flottait la puanteur des cadavres en décomposition et où volaient des nuées de mouches.

– On a tout ce dont on a besoin ici, insista Will en dirigeant les yeux vers leur ancien campement, au pied de l'arbre géant où ils avaient de nouveau élu domicile.

Une volée de perroquets au plumage bleu vif s'étaient rassemblés parmi les branches basses des arbres voisins. Ils venaient chaque jour dans l'espoir de récupérer quelques miettes de nourriture. Ou peut-être était-ce parce que le virus avait anéanti non seulement tous les êtres humains ainsi que tous les Styx, mais aussi la plupart des mammifères du monde intérieur, poussant ces oiseaux à chercher la compagnie d'autres créatures vivantes. Un perroquet jasa bruyamment, comme pour se plaindre d'avoir à attendre les restes.

– J'ai vu l'un des Broussards ce matin, dit Will.

Elliott le regarda. À présent que tous les autres prédateurs avaient été éliminés du monde intérieur, seule cette étrange espèce d'humanoïdes à la peau ligneuse pouvait encore représenter une éventuelle menace.

– C'était non loin de la source. J'ai enjambé ce que je croyais être un tronc qui gisait sur le sol, lorsque j'ai vu qu'il avait des yeux. On dirait qu'ils sont tous morts, eux aussi, soupira Will. Il n'y a plus que nous, les oiseaux et les poissons.

– Puisqu'on en parle, devine ce qu'on mange à midi ?

– Euh… du poisson ? demanda Will en jouant le jeu.

– Non, des mangues, répondit-elle en riant de le voir grimacer, puis elle se tut pendant quelques instants. Tu cherchais encore le Doc, n'est-ce pas ?

Will pensait en effet que les Limiteurs avaient jeté le cadavre de son père quelque part dans la jungle, non loin de là, et il avait la ferme intention de le retrouver. Ils avaient déjà enterré le colonel Bismarck et ce qui restait du corps de Sweeney à côté de la source. Will se tourna malgré lui vers le sommet de la pyramide, à l'endroit où Rebecca bis avait abattu son père.

– Oui, j'avoue. Même si Papa n'était pas celui que je croyais, il a le droit d'être enterré dignement. Je lui dois bien ça.

– Et toi ? demanda soudain Elliott. Et si, pendant toutes ces années à Highfield, les Styx t'avaient conditionné à la Lumière noire pour faire de toi quelqu'un d'autre… quelqu'un dont je serais tombée amoureuse ?

– Quoi ? dit-il aussitôt en se tournant vivement vers elle.

– Tu m'as très bien entendue, dit-elle d'une voix douce en l'enlaçant.

Will prit alors Elliott dans ses bras et la serra fort contre lui.

Épilogue

– Emma, je regrette sincèrement que ça n'ait pas marché pour toi, dit Rebecca bis en tenant la porte à une jeune fille aux membres élancés et à la chevelure fauve.

– Moi aussi, répondit Emma, le regard plein de regrets.

Une heure plus tôt, la jeune fille se trouvait dans le sauna en compagnie d'Hermione. On avait jeté à ses pieds un humain conditionné à la Lumière noire. Il s'agissait du masseur qui travaillait au centre de remise en forme, spécimen de choix au corps très musclé. Mais en dépit de la proximité d'Hermione, Emma ne s'était pas métamorphosée. Elle avait éprouvé des douleurs lancinantes dans les épaules et senti sa gorge se contracter alors qu'un ovipositeur était en train de s'y former, mais cela n'avait pas suffi. Cela n'avait pas induit sa transformation, car elle n'était tout simplement pas prête pour la Phase.

– On reste en contact, dit Rebecca bis, tandis que la jeune fille se dirigeait vers la voiture qui l'attendait.

Déconfite, Emma ne lui répondit pas, montant dans le véhicule qui devait la ramener à la prestigieuse école privée pour jeunes filles comme si de rien n'était. Sa famille surfacienne ne saurait rien de la manière dont elle avait occupé ce samedi-là.

Rebecca bis resta dehors dans le froid de cette fin d'après-midi, observant le soleil gris qui sombrait lentement sous le fil de l'horizon, quand ses yeux s'emplirent soudain de larmes. De retour en Surface, une patrouille de Limiteurs lui avait confirmé que le passage qui menait au monde intérieur était désormais infranchissable, scellé selon toute vraisemblance par une explosion nucléaire.

On avait chargé une seconde patrouille de Limiteurs d'une mission à l'issue imprévisible dans la zone d'apesanteur, mais ils n'étaient pas encore revenus au rapport. Peut-être avaient-ils péri, mais de toute façon Rebecca bis ne s'attendait pas à ce que les nouvelles fussent bonnes. Elle abritait en son cœur ce pressentiment depuis des semaines, comme si on l'avait amputée d'une part d'elle-même pour y substituer une ombre noire. Il s'était passé quelque chose de terrible, et sa sœur jumelle se trouvait en difficulté. Peut-être même était-elle morte.

Rebecca bis en était sûre.

Elle renifla et s'essuya les yeux au moment où le vieux Styx parut à son côté. Il l'observa longuement. Pareils épanchements ne seyaient point aux Styx, et il l'aurait réprimandée s'il n'avait eu d'autres affaires plus urgentes à régler.

– Il faut que tu voies ça.

Le vieux Styx l'entraîna à l'intérieur du bâtiment, puis ils gravirent l'escalier qui menait à l'aire d'observation située à l'extrémité de la piscine. Rebecca bis scruta l'eau brunie par le sang et la décomposition des nombreux cadavres qui jonchaient les allées tout autour du bassin. Des larves de Guerrier dodues rampaient sur le sol carrelé, tandis que d'autres avaient déjà entamé leur phase de pupaison. Des chrysalides étaient accrochées aux parois de la piscine.

– Et alors ? Qu'est-ce que je suis censée voir ? demanda-t-elle sèchement.

– Là-bas, dit le vieux Styx.

Elle suivit son regard jusqu'à l'extrémité du bassin dont l'eau se mit à bouillonner. Puis, avec force éclaboussements, quelque chose bondit sur le bord de la piscine. Rebecca bis distingua peu à peu la silhouette de la créature à mesure que l'eau crasseuse lui dégoulinait le long du corps. Elle avait la taille d'un homme, mais elle était aussi transparente qu'une crevette. Des fluides clairs circulaient à l'intérieur de son organisme tandis que s'agitaient ses branchies, et elle poussa un hurlement. Rebecca bis n'avait jamais rien entendu de semblable.

– Ce n'est donc pas un simple mythe, murmura-t-elle, fascinée. Ce sont les Armagi.

ÉPILOGUE

Remerciements

J'aimerais remercier…

Ma femme Sophie et mes deux fils. Je n'aurais rien accompli sans eux.

Barry Cunningham, qui est tellement plus qu'un simple éditeur chargé de publier mes livres. Jusqu'à ce que nous nous retrouvions au début de l'été 2010, j'avais en tête une tout autre version pour la partie qui compose le cœur de *Spirale*. Tout à coup, Barry m'a demandé si les Styx étaient vraiment humains. Comme à mon habitude, chaque fois que des lecteurs m'interrogent à ce sujet, j'ai cherché à esquiver la question, mais il a insisté. Barry est comme ça. Je me suis peu à peu ouvert à lui et nous avons continué à bavarder, ce qui a permis de fixer plusieurs idées radicales à propos des femmes styx. C'est ainsi que j'ai modifié le cours du récit. Si vous n'aimez pas la manière dont l'intrigue se déroule, vous savez maintenant à qui vous adresser.

Catherine Pellegrino, de Rogers, Coleridge & White. C'est le meilleur agent littéraire et le soutien le plus solide dont puisse rêver un écrivain.

Karen Everitt, qui joue un rôle fondamental dans le processus d'écriture. C'est elle qui corrige mes innombrables erreurs, grâce à sa connaissance encyclopédique de la série.

Kirill Barybin, jeune artiste exceptionnel que j'ai rencontré *via* tunnelsdeeper.com, et dont le travail n'a cessé de m'inspirer au cours des mois sombres et solitaires que j'ai consacrés à l'écriture de ce roman.

Andrew Douds, pour ses conseils inestimables. S'il subsiste des approximations, c'est entièrement ma faute.

Rachel Hickman, Elinor Bagenal, Steve Wells et Nicki Marshall, de Chicken House, sans oublier David Wyatt (extraordinaire concepteur de couverture), grâce auxquels ce livre a pu devenir ce qu'il est.

Siobhan McGowan, de Scholastic à New York, qui est toujours là pour m'aider à n'importe quelle heure du jour ou de la nuit, et qui s'est toujours montrée si patiente.

Simon et Jen Wilkie, ainsi que Craig Turner, qui dirigent tunnelsdeeper.com avec Karen Everitt. Ils ont tant œuvré pour cette série.

Et puis tout un tas d'autres personnes que j'aurais dû mentionner avant, car elles m'ont aidé de tant de manières, m'apportant leur soutien et infléchissant mes choix à mesure que progressait la série. J'ai nommé Mathew Horsman, Rosemary Gordon (ma mère), Diana Harman (ma sœur), Patrick Robbins, Andrew Fusek Peters, Richard et Kathy Lynam, Chris et Sue White, Stuart Clarke, Simon et Miranda Grafftey-Smith, Ray Rough, Joel M. Guelzo, et Simon Finch.

Let's Panic Later, de WIRE, tiré de l'album « 154 », 1979.

Le Livre de la prolifération. Traduction anglaise © 2000 Pr Grady Tripp, reproduite dans la version originale du présent ouvrage avec son aimable permission.

The Son of God Goes Forth To War, REGINALD HEBER, 1812.

Time is on My Side, JERRY RAGOVOY, 1963, enregistrée plus tard par les Rolling Stones en 1964.

Nous avons fait tout notre possible pour retrouver ou prendre contact avec les ayants droit. Les éditeurs du présent volume seraient heureux de rectifier sans tarder toute erreur ou omission qu'on voudra bien leur signaler.

Achevé d'imprimer au Canada
sur les presses de Imprimerie Lebonfon Inc.

Imprimé en
Dépôt légal : décembre 2011
N° d'imprimeur :
ISBN : 978-2-7499-1526-5
LAF 1452A